사이버 공격

막느냐! 뚫리느냐!

사이버 공격
막느냐! 뚫리느냐!

펴낸날 1판1쇄 | 2020년 6월 25일

지은이 | 이용석
펴낸이 | 김혜라

편 집 | 김혜라
교 정 | 김서연
디자인 | 김현아, 최진영
펴낸곳 | 상상미디어
등록번호 | 제312-1998-065
주소 | 서울 중구 퇴계로30길 15-8 전화 | 02.313.6571~2 팩스 | 02.313.6570
홈페이지 | www.상상미디어.com
이메일 | 3136572@hanmail.net

ISBN 978-89-88738-81-8(93390)
값 30,000원

이 도서의 국립중앙도서관 출판도서목록 CIP는 2020018901입니다.
서지정보유통지원시스템 홈페이지 http : //seoji.nl.go.kr와
국가자료목록시스템 http : //www.nl.go.kr/kolisnet에서 이용하실 수 있습니다.

사이버 공간의 무기체계 구축을 위한 해법

사이버 공격

막느냐! 뚫리느냐!

이용석 지음

CYBER ATTACK

상상미디어

서 문

문헌에 나타나는 기록에 의하면 우리나라는 900여 회나 되는 외세의 침략을 받았다. 하지만 단 한 차례도 다른 나라를 먼저 침략한 적이 없다. 평화를 추구하고 인류를 사랑하는 민족이기에 그랬을 것이라는 명분을 내세우기는 하지만 30년 넘게 군에 몸 담았고, 현재도 국방부에 근무하는 한 사람으로서 무수한 침략을 당했다는 사실은 수치스러운 일이 분명하다. 침략을 당했다는 것은 준비가 부족했다는 것을 의미하기 때문이다.

국가를 유지하는 많은 기능 중에서 국방은 가장 중요하다. 그 이유는 국민의 생명과 재산을 보호하는 일이 국가에 부여된 임무 중에서 가장 중요하기 때문이다. 따라서 미리 준비하고 적이 침입하면 강력한 힘으로 막아내고, 입게 된 피해에 대하여 보복할 수 있는 힘을 가져야 한다. 다른 나라들이 우리나라를 업신여기지 못하게 하고 국민의 생명과 재산을 보호하여 모든 국민이 평화롭게 살게 해주는 일은 국방의 숭고한 임무이자 사명이다.

사이버전은 이미 제5의 전장으로 인식되어 세계 각국의 격전장이 된 지 오래이다. 2000년대 들어서서 우리나라는 거의 매년 대규모 사이버 침해사고를 당하였다. 2003년 125인터넷 대란, 2009년 77디도스 사건, 2011년 33디도스 사건, 412농협해킹사건, 1026중앙선관위 홈페이지 해킹사건, 2016년 국방부 전산망 침해사건 등등 일일이 열거하기가 창피스러울 정도로 많은 침해사건이 있었다. 이 또한 침략이나 다름없다.

사이버 공간에서의 충돌은 눈에 보이지 않는다. 금전이 탈취되어도 은행 계좌의 숫자가 지워질 뿐 내 주머니에 있던 물리적인 화폐가 사라진 것은 아니라서 개인이 느끼는 피해는 크게 와

닿지 않는다. 중요한 국가 기밀이 적의 손에 넘어가거나 내 개인정보가 다른 나라에서 단돈 5원에 매매된다 해도 내 피부에 와닿는 느낌은 별로 없다. 그것이 오히려 사이버 공간에서의 대응과 침해 예방 활동을 더디게 하는 원인이 되고 있다.

소를 가진 사람은 외양간을 튼튼히 만들어야 하고 흔들리거나 구멍 난 곳을 미리 고쳐야 한다. 그렇지 않으면 소를 잃게 될 것이고 그 후에는 후회만 남을 뿐이다. 도둑이 소를 한마리 가져갔으니 그것에 만족하고 다시 들어오지 않겠지라고 안일하게 생각하면 안된다. 한 번 길을 낸 도둑은 호시탐탐 주인의 방심을 노리고 다시 들어와서 다른 소를 가져갈 것이기 때문이다. 주인은 남은 소와 새로 생길 송아지를 지키기 위해서 이제라도 외양간을 고치고 방울도 달아서 대비를 철저히 해야 한다.

사이버 공간에서 벌어지는 뚫으려는 자와 막으려는 자 간의 싸움인 사이버전. 그렇다면 우리나라는 사이버전 대비를 위해 얼마나 준비하고 있는가? 이 질문으로부터 나의 고민과 연구가 시작되었다. 군 재직시에는 정보분석관 등의 보직을 오랜 기간 수행하였고, 현재는 암호정책을 맡아 국방의 임무를 수행하는 한 사람으로서 사이버 무기체계의 구축이 답이라는 결론을 내리고 국내외 발표된 수많은 논문과 책, 발표자료, 인터넷 등에서 그 방안을 모색하기 시작했다.

우리나라 주변국가들과 북한의 사이버 무기체계 개발과 관련한 법과 제도를 비롯하여 사이버 기술 개발의 수준과 보유한 무기체계, 그리고 담당 인력과 교육훈련 수준 및 국제협력 관계를 살펴보고 이를 토대로 우리나라의 사이버 무기체계 구축 방안에 대한 해법을 찾아보았다.

사이버 무기체계 개발은 국가가 국방에 부여한 사명을 완수하기 위한 준비 활동이며, 첨예한 국가이익이 존재하는 사이버 공간을 지키기 위한 기초작업이다. 우리가 잃어버린 소를 다시 찾아오기는 어렵겠지만 남은 소와 새로 태어날 송아지는 절대로 잃어버리지 않겠다는 의지의 표현이다.

본 책자의 발간을 계기로 사이버 무기체계 개발에 대한 진지한 논의가 개시되어 범국가적 공론화를 통해 정부, 국회, 국방에서 활발하고 체계적인 대비가 이루어지고 국민의 생명과 재산을 보호하는 강력한 수단이 확보되기를 소망한다.

정치학도를 공학도로 탈바꿈시키느라 노심초사하시며 진력하신 임종인 전 청와대 사이버안보 특보님과 졸저를 마음 다해 진심으로 추천해 주신 존경하고 사랑하는 김병주 의원님과 신원식 의원님께도 감사드린다. 부족한 사람의 연구결과를 세상에 나오게끔 애써주신 도서출판 상상미디어 김혜라 대표와 코로나-19로 인하여 경제 여건이 어려움에도 불구하고 출간을 위해 흔쾌히 거금을 펀딩해주신 우유상 본부장에게도 감사드린다.

누구보다도 만학도의 길을 묵묵히 응원해 준 사랑하는 아내와 아이들이 없었다면 대한민국에서 가장 힘들다는 학교에서 학위를 받고 연구성과를 책으로 출간한다는 일은 엄두도 내지 못했을 것이다. 고맙고 사랑한다는 말을 전한다.

이 길을 지정하시고 인도해 주신 살아계신 만군의 주 여호와 하나님께 이 책을 바친다.

2020년 6월

울림 이용석

추천사

임종인(고려대학교 정보보호대학원 교수 전)청와대사이버안보특보)

최근 들어 사이버안보와 사이버전을 다루는 국내 서적들이 심심치 않게 등장하고 있다. 그러나 이들 대부분이 이 주제를 지나치게 이론적으로 다루거나 반대로 흥미위주로 다루고 있는데 반해, 이용석 박사의 신간 『사이버 공격 막느냐! 뚫리느냐!』는 사이버전이라는 엄중한 현실과 현실적 대응방안에 대해 깊이 있게 다루면서도 너무 현학적이지 않게 균형을 잘 유지하고 있다.

이는 대한민국 국방 사이버 현장에서 담당 업무를 수년 간 수행해 온 저자의 경험과 고민, 단단한 목표 의식이 이 책에 그대로 반영되어 있기 때문일 것이다.

사이버사령부가 사이버작전사령부로의 변화를 시작으로 새로운 도약을 준비 중인 대한민국 국방 사이버 분야의 의사결정자들과 사이버보안 전문가들은 물론, 국경도 영역 구분도 없는 사이버공간에서 일상적으로 다양한 사이버 위협에 직면하고 있는 대한민국 국민들이라면 누구나 한번 읽어봄직한 책이라고 생각한다.

신원식(21대 국회의원 예)육군 중장 전)합참작전본부장 합동참모차장)

2013년 수방사령관 임무를 마치고 합참 작전본부장으로 부임했다. 그때 작전본부 내에서 작전보안의 중차대한 임무를 담당했던 저자 이용석 서기관과 근무인연을 맺었다. 당시 이 서기관은 현역 장교로 25년 복무 후 군무 서기관으로 신분전환 한 상태였다. 이서기관은 맡은 바 소임에 긍지와 자부심을 갖고 매사 최선을 다하는 사람이었다. 작전보안에 정통한 간부가 되고자 미국 작전보안 관리자 과정을 수료하고, 우리나라 작전보안을 어떻게 할 것인지에 대하여 KIDA와 합참지에 관련 논문을 6개월마다 한 편씩 발표할 정도로 연구에 정진하였다.

2년 동안 직무 연구를 수행한 후에 〈합동 작전보안 지침서〉의 발간사를 써달라고 가져온 때가 2014년쯤이었는데, 그런 그가 이번에는 사이버 무기체계 구축에 대한 해법이 담긴 책을 출간한다며 추천사를 부탁해왔다. 지난 6년 동안 대한민국 국방 암호를 총괄하는 직책을 수행하는 바쁜 와중에도 사이버 무기체계 개발을 위한 연구로 박사학위까지 받았다고 하니 놀랍고 자랑스럽다. 군문에 함께 몸 담았던 후배의 열정적 행보와 뜨거운 충정에 박수를 보낸다.

저자는 사이버 공간을 지키기 위해서는 사이버 무기체계를 개발해야 한다고 강조하고 있다. 법률적 제도적 허용범위 안에서 어떤 사이버 기술을 확보하고 누구에 의해 개발되고 운용할 것인지, 그리고 전문가 양성을 위한 교육훈련에 이르기까지 체계적 구축 방안에 대해 제시하였다. 모든 체계가 네트워킹되어 있는 현실 세계에서 공동대응을 위한 국제협력이 매우 중요하다는 것도 알리고 있다. 사이버 무기체계 구축을 위해 우리나라가 나아갈 방향을 모색해 보는 것은 국가의 이익수호를 위해 매우 의미 있는 일이다. 이 노력은 21대 국회에서도 여야 상관없이 머리를 맞대고 숙고해야할 사안이라고 생각한다.

지금처럼 세계적으로 국가 이익이 첨예하게 대립했던 시기는 없었다. 특히 코로나-19로 인하여 세계는 대공황을 맞이할 가능성이 많아졌고 이에 따라 사이버 공간에서의 보이지 않는 전쟁의 위협은 높아질 것이다. 오랜 기간의 연구와 보안전문가로서의 남다른 혜안과 통찰력으로 엮은 이 책이 우리나라 사이버 무기체계 구축의 든든한 토대가 되어줄 거라 확신하며, 우리 대한민국이 사이버 강국으로 자리매김하는데 견인차 역할을 해줄 것이라 믿는다.

김병주(21대 국회의원 예)육군 4성 장군 전)연합사 부사령관)

미군은 세계 최초로 사이버전을 준비한 나라답게 모든 무기체계를 사이버전의 관점에서 바라본다. 미군에게 사이버전은 선택의 문제가 아니라 필수의 영역이다. 모든 군사작전의 시작과 끝은 물론이고 항상 사이버전에 대한 고려사항을 염두에 두고 작전을 계획하고 시행하며, 체계를 구축한다. 물리적 작전의 성패는 사이버전의 준비 여하에 달려있다고 해도 과언이 아니기 때문이다.

『사이버 공격 막느냐! 뚫리느냐!』는 이러한 사이버전의 중요성을 인식한 저자의 고뇌에 찬 다년간의 연구에 의해 엮어졌다. 사이버 무기체계에 대한 연구가 부족한 국내실정에서 저자는 20년 이상의 야전 경험을 바탕으로 한 군에 대한 전문적인 지식과 세계 최고의 정보보호대학원에서 체계적으로 연구한 사이버를 통합하여 기술적, 정책적 성과로 일궈냈다.

이 책에서는 사이버 무기체계를 개발하기 위한 법적, 제도적 보완 장치와 사이버 기술을 확보하기 위한 R&D 요구, 사이버전 요원에 대한 교육훈련 방안과 국제협력에 대한 의견을 주변 4강의 상황과 비교해 일목요연하게 정리하고 있다. 저자는 이에 그치지 않고 더 나아가 우리나라가 나아갈 방향까지 제시한다.

그러면서 저자는 사이버 무기체계 개발이 새롭게 대두되는 전장인 사이버 공간에서 국가가 군에 부여한 숭고한 사명, 국민의 생명과 재산을 보호하기 위한 활동의 필수적 요소로 평가한다.

지금 전 세계는 4차 산업혁명의 노도와 같은 격랑에 휩쓸리고 있다. 이러한 시기에 우리 모두 사이버전에 대한 경각심을 갖기 위해서라도 이책의 일독을 권한다. 그리고 제5의 전장인 사이버공간에서의 국가 방위 방안에 혜안을 얻고자 하는 수많은 분들과 민·관·군 사이버 관계자들에게 자신 있게 본 책을 추천한다.

CONTENTS

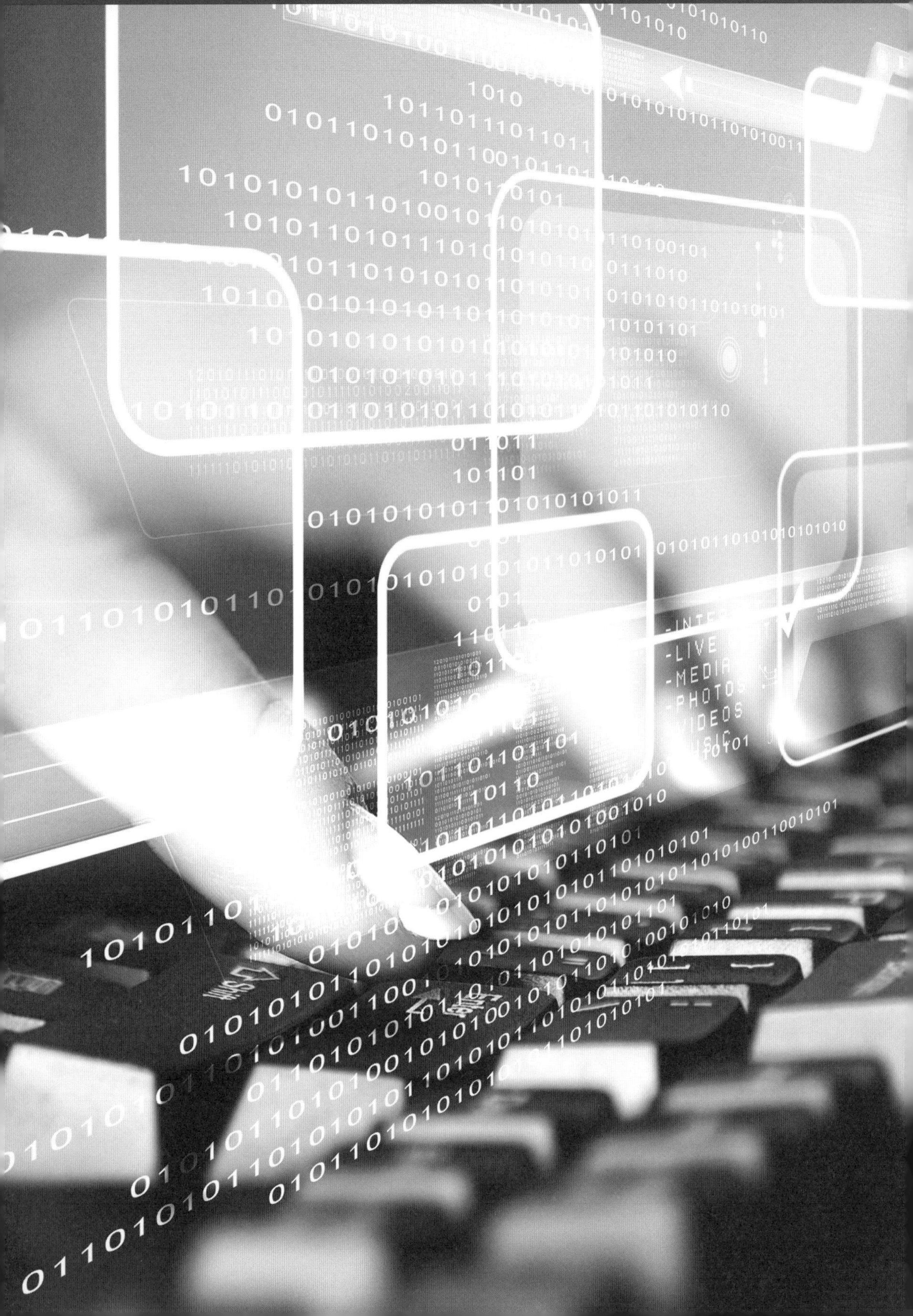
-LIVE
-MEDIA
-PHOTOS
VIDEOS

CYBER
ATTACK

PART 01
들어가기에 앞서

사이버 공간에서 벌어지는 뚫으려는 자와 막으려는 자 간의 싸움인 사이버전. 제5의 전장인 사이버 전에서 승리하고 안전과 평화를 지키는 방법은 사이버 무기의 체계적 구축뿐이다.

PART 01
들어가기에 앞서

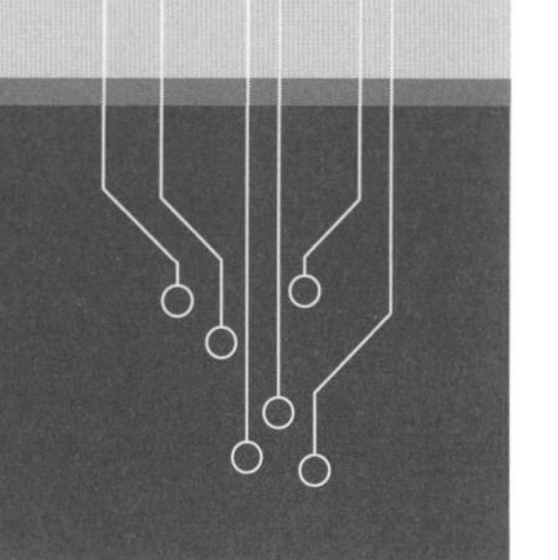

2017년 10월 9일 워싱턴 D.C.에서 미 육군협회가 주최한 행사가 열렸다. 이 자리에서 "한반도에서 군사적 충돌 가능성을 낮추기 위한 미군의 역할은 무엇인가?"라는 질문에 미 국방장관 제임스 매티스James N. Mattis가 답을 대신하여 《이런 전쟁THIS KIND OF WAR》이란 책을 소개했다. 매티스 장관은 대통령이 언제라도 활용할 수 있도록 군사옵션을 보장하는 것이 중요하다는 것을 강조하고자 6 · 25전쟁에 대한 기록인 이 책을 거론한 것이다.

이를 계기로 널리 알려진 『이런 전쟁』은 6 · 25전쟁에 72전차대대장으로 참전한 경력이 있는 미국의 전쟁역사가인 시어도어 페렌바흐Theodore R. Fehrenbach가 1963년 출간한 책이다. 그는 '준비되지 않음에 대한 연구'라는 초판 부제가 붙은 이 책에서 전쟁을 힘이 아닌 의지의 대결이라고 표현하였다. 대부분의 전사처럼 전장의 참혹함을 언급한 기록이 아니라 준비되지 않은 전쟁에 내몰렸을 때 그 결과가 얼마나 참혹할 수 있는가를 증명해 보이며, 승리를 하기 위해서는 군사행동에 대한 철저한 준비가 필요하다는 것을 역설하였다.

실제로 6 · 25전쟁 발발 2주 만에 한국에 파견된 스미스부대에 전달된 정보는 아무것도 없이 오로지 대전 이북에서 적을 막으라는 가혹한 명령이 전부였다. 이 부대뿐만이 아니라 개전 초기 한반도에 파병된 부대는 제대로 된 훈련은 물론 장비도 갖춰지지 않은, 전혀 준비되어 있지 않은 오합지졸이었던 것이다. 결국 '준비 안 된' 6 · 25전쟁은 정전으로 종결되긴 했지만 수많은 사상자와 민족 분단의 비극, 국토 폐허 등 패전에 가까운 결과를 초래했다.

준비 안 됨으로 인해 위험을 초래하고 패하는 전쟁은 사이버 상에서도 존재한다.

사이버전이란 컴퓨터 네트워크를 통해 가상 공간에서 다양한 사이버 공격 수단을 사용하여 적의 정보체계를 교란, 거부, 통제, 파괴하는 등의 공격과 이를 방호하는 활동을 말한다. 즉, 뚫으려는 공격자와 막으려는 방호자 간의 싸움이다. 사이버전은 육 · 해 · 공 · 우주에 이은 제5의 전장으로까지 규정되었으며, 유엔은 "만약 제3차 세계대전이 일어난다면 사이버전이 될 수 있고, 전쟁 발발시 어떤 국가도 성역으로 남을 수 없다"하였다. 전통적 군사 강국인 G2미국과 중국를 비롯해 러시아, 이스라엘, 영국 등은 경쟁적으로 사이버 부대를 창설하는 등 숨 가쁘게 움직이고 있다. 우리나라에도 2010년 사이버 부대가 공개적으로 창설되었다.

사이버전에서 사용되는 무기체계는 돈이 있다고 해서 구매가 가능한 것이 아니다. 사이버 공간에서 활용되는 무기체계를 개발하고 보유한다는 것 자체가 비밀이기 때문이다. 결국 스스로의 능력으로 사이버 공간에서 사용할 무기체계를 확보할 수 없다면 이 싸움은 '준비되지 않았기 때문에' 이길 수 없는 싸움이 된다. 특히 국가 안보의 최첨단 조직인 군은 지상이나 바다, 하늘을 지키는 임무 외에 사이버 공간을 안전하게 지키고 승리가 담보되게끔 만드는 의무도 함께 지닌다. 그러기 위해서는 사이버 무기체계에 대한 연구와 개발이 필수적으로 이루어져야 한다. 그럼으로써 국가의 존재 목적인 '국민의 생명과 재산을 보호'해야 하는 헌법적 소명에 부응할 수 있게 된다.

그렇다면 우리나라는 사이버전에 대해 얼마나 준비되어 있는가?

사이버전 준비는 사이버 무기의 체계적 구축을 의미한다. '사이버 무기체계' 또는 '사이버 무기'라는 용어가 사이버 전쟁에 관한 정책, 법률, 문학 등 사회 전반에 뿌리를 내리고 있지만 2011년 11월 미 국방부는 현재 이 정의에 관한 국제적인 합의가 없다[1] 고 하였고, 그 견해는 지금까지도 유지되고 있다. 사이버 무기체계에 대한 국제적인 용어의 정의가 의견일치 되지 않는 이유는 이러한 무기체계의 개념이 사이버 공간에 상정될 경우, 사이버 공간에서의 무한경쟁과 평화로운 사이버 공간이 전장으로 급격하게 전환되는 것이 불가피하기 때문일 것이다. 모든 국가가 표면적으로는 사이버 공간의 평화적인 사용을 천명하며 사이버 공간이 전장화되는 것을 거부하는 것도 같은 맥락이다.

사이버 공간은 국가 대 국가 간 경쟁의 공간이기는 하지만 대규모 전쟁의 공간으로 변모해 본 적이 없는 새로운 공간이면서 무질서의 공간이다. 따라서 이 공간에 대한 국제 규율은 아직 미미하며 저마다의 주장이 난무하는 곳이기도 하다. 세계 각국은 사이버 안보를 확보하기 위하여 다양하게 사이버 역량을 강화하고 있다.

사이버 공간은 지금까지 국제질서가 확립되지 않았고 규칙과 규범이 강력하게 작동되지 않기에 주도권을 확보하기 위한 경쟁이 가속화되고 있다. 사이버 공격의 진원지 파악과 공격자 식별의 곤란함은 오히려 각국의 사이버 역량 강화를 부추기는 요인으로 작용한다. 높은 익명성과 사이버 무기체계에 대한 낮은 진입 장벽은 많은 국가들이 사이버 무기체계 개발 경쟁에 뛰어들게 하였다.

무기체계(武器體係, Weapon System)

무기체계는 유도무기, 전차, 항공기, 함정 등 전장에서 전투력을 발휘하기 위한 무기와 이를 운영하는데 필요한 인원, 장비, 부품, 시설, SW, 종합군수지원요소, 전략 · 전술 및 훈련 등 제반요소를 통합한 전체 체계를 말한다.

– 대한민국 국방부 홈페이지

무기체계는 군의 전유물이다. 이와 마찬가지로 사이버 기술을 무기체계로 사용해야 하는 국방 사이버 무기체계 또한 군의 전유물이라고 할 수 있다. 사이버전을 제5의 전장이라고 간주한다면 이 전장 공간에서 적의 침입을 미연에 방지하고 적이 침입할 경우 즉시 격퇴하며 국가와 국민이 입은 피해에 대해서는 응징하여 국가를 보위하고 군사적으로 승리하는 것은 군의 임무이다.

사이버 공간의 주도권을 확보하기 위해서 평시에는 사이버 방호 활동을 통해 적의 사이버 침해를 즉각 퇴치하고, 만일 사이버 공격을 받았을 경우 충분히 보복할 수 있는 사이버 능력을 확보해야 한다. 적의 침해를 미연에 방지하고 적이 침입하기 전에 경고와 사전조치 즉 'Left of Launch발사직전교란'도 수반되어야 한다. 이를 위해 사이버 무기체계는 반드시 필요하다. 사이버 침해(공격)와 사이버 테러가 국가행위자들 간의 사이버전으로 확대될 가능성이 상존하는 현 상황도 배제할 수 없다. 실제 물리적인 전쟁과 병행하여 국가 간의 사이버 공격이 감행되고 있다.

2007년 에스토니아에 대한 사이버 공격의 배후에 러시아 정부가 있었다는 것과 2008년 조지아에 대한 러시아의 대규모 공격 이전에 디도스DDoS공격이 감행된 사례는 좋은 예이다.

전장에서 승리하기 위해 가장 최적화된 무기체계를 개발하고 관련 기술을 확보하며 인력을 양성하고 훈련을 하는 것 역시 군의 당연한 권리이자 의무이다.

국방과 안보에 있어 반드시 필요한 사이버 무기체계 구축 방안을 모색하기 앞서 크게 4가지를 중점적으로 살펴보아야 한다.

첫째, 사이버 공간에서의 주도권 확보를 위해 세계 각국에서는 어떤 법과 제도 등의 장치를 마련하고 있는가? 사이버 관련법과 제도는 그 국가가 지향하는 사이버 정책이나 방향성을 명확히 해주기 때문이다. 우리나라와 가장 밀접한 관계를 갖는 미국 · 중국 · 일본 · 러시아 등 주변 4강과 북한, 그리고 유럽 등의 법과 제도를 통해 그 나라가 추구하는 사이버 무기체계 개발의 방향을 살펴보는 일이 우선돼야 한다. 그럼으로써 우리나라 사이버 무기체계를 개발하기 위한 법 · 제도적 측면의 미비점을 찾고 무엇을 어떻게 보완해야 하는지 알 수가 있을 것이다.

둘째, 사이버 기술을 개발하기 위한 R&D 수준과 보유한 무기체계는 무엇인가? 사이버 기술의 개발과 연구가 산업 전체에 미치는 영향력이 점차 커지는 가운데 곧 그 나라 사이버 수준의 척도가 되기도 한다. 우리나라의 사이버 안보를 지키기 위해서는 다른 나라들이 어떤 사이버 기술을 개발하고 있고, 연구개발의 지향점은무엇인지에 대해 알아야 한다. 이는 사이버 대응 개념을 확립하고 대비 방향을 설정하는 데 매우 중요하며 우리나라 사이버의 취약성을 확인할 수 있는 계기가 되기도 한다.

셋째, 사이버 인력을 어떻게 확보하고 있으며 그들을 위한 교육훈련은 무엇인가? 사이버 기술과 운용 능력의 수준을 유지하거나 보다 나은 수준으로 향상시키는데 필요한 교육훈련은 국가적으로도 매우 중요한 전투력이 된다. 각국은 다양한 측면에서 활용할 사이버 인력을 확보하고 있다. 운용자로서 역량을 발휘할 수 있는 사람이 있는가 하면 개발자로서의 역량을 발휘할 사람도 있다. 사이버 인력의 수준은 곧 그 나라의 사이버 무기체계 수준을 가늠할 수 있는 기준이 된다. 사이버 무기체계 개발 연구에 특화된 인력확보를 위해서는 어떤 인력이 육성되고 확보되어야 하는지, 그런 인력이 어떻게 훈련되고 기량을 높일 수 있는지 알아야 한다.

넷째, 사이버 공간에서의 국제협력은 어떻게 이루어지고 있는가? 사이버 공간은 국경이 없는 무한대 영역으로 결코 단독으로 지켜지지도 않고 또 그럴 수도 없으며 그래서도 안 된다. 대외협력을 통해 주도권을 확보하고 상호협력이 필요하다. 국제협력의 현황을 살펴봄으로써 우리나라가 앞으로 지향해야 할 협력 방법이나 방안 등을 모색할 수 있을 것이다.

Note

1) United States Department of Defense Cyberspace Policy Report : A Report to Congress Pursuant to the National Defense Authorization Act for Fiscal Year 2011, Section 934, November 2011, 8.

CYBER
ATTACK

PART 02

주요 국가의 사이버전 준비 상황

각국의 사이버 무기체계 개발과 관련된 법과 발표한 전략, 제도를 살펴보고 또 그 나라들이 추구하는 사이버 안전과 대비 능력의 확보, 역량 강화가 어떤 법과 제도와 전략에 따라 추진되어 왔는지 들여다보자.

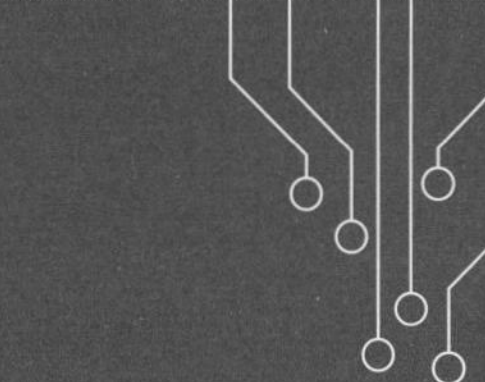

PART 02
주요 국가의 사이버전 준비 상황

향후 사이버 공간에서의 전쟁은 전장의 배경이나 목적, 전개 방식, 무기체계 등이 전통적이며 물리적인 전쟁과는 전혀 다른 새로운 양상으로 전개될 것이다. UN은 제3차 세계대전이 일어난다면 사이버전이 될 것이라고 언급한 바 있다.

> 유엔은 "제3차 세계대전이 일어난다면 사이버전이 될 수 있으며 전쟁발발 시 어떤 국가도 성역으로 남을 수 없다"고 경고했다. 국제전기통신연합(ITU)의 하마둔 투레 사무총장은 이날 스위스 제네바에서 열린 '텔레콤월드2009'에 참석, 사이버 상에서 일어나는 세계대전은 재앙과 같을 것이라고 우려했다. 투레 사무총장은 핵심 네트워크들이 파괴된 모든 국가는 곧바로 불능상태가 될 것이며 어떤 국가도 사이버 공격의 위협을 피할 수 없다고 지적하고 상업, 금융, 보건뿐 아니라 긴급구호 서비스와 식량 분배에 이르기까지 지나칠 정도로 기술에 의존하고 있는 현실을 거론했다. 또한 사이버 전쟁에서 이기는 방법은 우선 전쟁이 일어나는 것을 막는 것이라고 말했다.
>
> – 디지털타임즈 2009.10.7. 「UN "제3차 세계대전 발발시 사이버전"」

사이버전 또는 정보전이란 첨단 전자 및 정보통신기술을 통해 구현되는 군사 혁신에 따라 등장한 개념이다. 정보전의 유형에 대한 연구를 진행한 미국의 마틴 리비키Martin Libiki 교수는 정보전을 ①지휘통제전 ②첩보전 ③전자전 ④심리전 ⑤해커전 ⑥경제정보전 ⑦사이버전 이렇게 7가지 유형으로 제시하였다.[1]

7가지 정보전 중 사이버전의 특징은 다음과 같다.

첫째, 모호성Ambiguity을 지녔다. 사이버 위협이나 침해 발견 시 즉각적으로 공격자를 특정하기 어렵고 시간이 지난다고 해서 공격자가 확실히 확인되거나 추측하기 곤란하다. 사이버 공간에서는 익명성이 보장되기 때문이다. 다단계 공격이 가능하며 그 운용의 목적, 위력을 예측하기 어렵고 피해 규모 산정 등이 불명확하다. 또한 공격 도구가 특정한 무력공격 상황에서 무기에 해당되느냐의 여부도 관건이 된다. 따라서 전술한 바와 같이 이러한 사실은 국제 전쟁법에 의한 사이버 전쟁의 규율에 장애 요소로 작용하기도 한다.

둘째, 결합성Associativity이다. 사이버 무기체계를 특정한 대상을 향해 사용하고자 할지라도 현존하는 네트워크는 연동되어 있기 때문에 대부분 민간과 정부, 군을 구별할 수 없다. 이는 한 체계에 대한 공격은 민간, 정부, 군에 대하여 동시 영향이 가능하다는 것을 의미한다. 물론 동일한 사이버 침해 사건에 대하여 군은 사이버 전쟁으로, 정부는 사이버 테러로, 기업이나 법 집행기관은 사이버 범죄로 달리 표현한다. 그러나 본질적으로 사이버 침해 행위이고 국민의 생명과 재산에 영향을 미친다는 것을 부인할 수는 없다. 이러한 사이버 침해 행위가 사이버 공간을 벗어나 물리적 공간에서의 피해 확산으로 이어지기도 한다.

셋째, 다양성Variability이다. 사이버 침해 도구에 대한 국가의 독점적인 관리와 통제가 불가능하기 때문에 다양한 공격자가 등장하고 있으며, 사이버 환경 또한 국가 간 사이버 기반체계의 상이함으로 인하여 비대칭적인 특징이 나타나고 있다.

넷째, 용이성Availability이다. 사이버 침해 도구는 누구나 쉽게 획득과 개발이 가능하며 저비용이고 운반과 보관이 용이하다. 또한 활동하지 않는 사이버 침해 도구는 사실상 탐지가 불가능해 노출되지 않는다. 사이버 공격의 규제와 국제규범 등의 미비도 사이버 침해활동을 용이하도록 하고 있다.

사이버전은 현실적으로 안보를 위협하는 중대한 사안임에 틀림없다. 사이버 공간에서는 지능형 지속공격 등 고도화된 사이버 공격 수단이 등장하고 있다. 사이버 환경은 4차 산업혁명으로 인하여 ICBM-ABIoT, Cloud, Bigdata, Mobile, AI, Block-Chain 등 급속한 기술적 진보를 하고 있는 반면 사이버 대응 능력은 뒤따라가기에도 급급한 상황이다. 또한 사이버 공간에 관한 국제 규범이 확립되지 않아서 국제 분쟁 발생 시 해결이 쉽지 않은 것도 사실이다.

이러한 사이버전의 문제점은 첫째, 피해 발생은 분명한데 무력 공격인지 아닌지 즉각 판정할 수 없다는 것과 사이버 무기체계의 공격 도구에 대해서도 정확하게 알기 어렵다는 것이다. 둘째, 사이버 무력 공격의 피해에 대한 예측이 쉽지 않다는 것이다. 셋째, 자기방어적인 차원에서의 무력 사용이 거의 불가능하다는 것이다. 만일 공격자가 공격 후 스스로를 시스템에서 분리해 버린다면 대응 공격 자체가 불가능하다. 넷째, 공격 근원지가 아닌 다른 시스템을 공격 시 보복공격으로 인식되고 이는 새로운 물리적 전쟁으로 확전될 수도 있다. 다섯째, 공격의 위험성과 급박함 여부에 대한 판단이 곤란하여 선제적이고 예방적인 공격이 곤란하다는 것이다. 따라서 이 모든 문제점을 법 · 제도적인 측면에서 한정하고 규율하는 것은 무엇보다 중요하다.

각국의 사이버 무기체계 개발과 관련된 법과 발표한 전략, 제도를 살펴보고 또 그 나라들이 추구하는 사이버 안전과 대비 능력의 확보, 역량 강화가 어떤 법과 제도와 전략에 따라 추진되어 왔는지 들여다보자.

제1절 사이버 안전을 위한 법과 제도

1. 사이버 공간에서도 리더를 꿈꾸는 미국

미국의 안전과 관련된 제도는 911테러 전과 후로 나뉜다. 911테러 이전에는 전반적으로 정보 활동에 대한 예산과 기구를 축소하는 방향으로 정책이 추진되었다. 그러나 911테러 이후에는 국토 방위가 정책의 최우선순위로 부상하면서 행정 체계와 운영에 혁신의 바람이 불었다. 그 결과 2001년 이른바 애국법이라고 불리는 패트리어트Patriot법[2] 이 제정되었다.

이 법에 따라 미국의 연방기관은 민간의 전화선, 인터넷, 전자 메일, 웹 서핑 등 모든 전자 통신의 추적이 가능해졌다. 동법 제2518조 7항에 따라 국가 안보 위협 활동, 조직범죄, 누군가에 대한 살인, 중대하고 급박한 위험이 있는 경우에는 영장 없는 전자감시를 할 수 있게 되었다.

2002년에는 패트리어트법의 몇 가지 문제를 해결하기 위하여 공공안전과 사이버보안강화법이 제정되었고, 이 두 개의 법을 통합하여 2002년 11월 25일 국토안보법이 제정되었다. 이 법은 사이버 테러를 포함한 모든 테러로부터 미국의 기반시설을 보호하기 위해 총 17편으로 구성되었고 2편에 사이버 보안, 10편에 정보보안을 별도로 규정하고 있다.[3]

같은 해에 정보보호 및 대테러 업무를 총괄하는 국토안보부가 창설되었으며 미국에 대한 테러 활동의 무력화를 통해 국가를 수호하기 위한 노력을 기울이고 있다.[4]

사이버 테러의 구성 요소[5)]
① 죽음, 신체 상해를 야기하는 정치적으로 동기화된 사이버 공격
② 사이버 공격 기술을 통한 물리적 피해, 공포감 조성
③ 재정 · 에너지 · 대중교통 · 정부 활동 등 정보 인프라에 대한 심각한 공격
④ 금전 획득에 중점을 두지 않는 공격
⑤ 비필수적 서비스를 파괴하는 공격

특히 2000년 이후 미국은 사이버 보안과 관련된 조항을 무려 50여개의 법률에 포함시키거나 직접 법률로 공포하였다.

대표적인 법률
컴퓨터사기와 오용방지법(The Counterfeit Access Device and Computer Fraud and Abuse Act of 1984) : 정보획득을 목적으로 권한 없이 타인의 컴퓨터에 접근하거나 피해를 주는 행위를 형사 처벌 대상으로 규정
컴퓨터보안법(The Computer Security Act of 1987) : 국립표준기술연구원에 연방 컴퓨터 시스템을 위한 보안표준 개발책임 부여
국토안보법(The Homeland Security Act of 2002) : 국토 안보의 중대 사항에 대한 일반책임과 사이버 보안에 관한 중요 책임을 국토안보부에 부여
사이버보안연구개발법(The Cyber Security Research and Development Acts) : 사이버 보안 연구에 관한 국립과학재단과 국립표준기술연구원의 책임 정립
연방정보보안관리법(FISMA:The Federal Information Security Management Act of 2002) : 국립표준기술연구원과 기관의 사이버 보안 책임 강화, 사이버 보안에 대한 중심기관으로서 연방 사고대책센터 설치, 예산관리국에 연방 사이버 보안 표준을 공표할 책임 부여

– 양정윤, 박상돈, 김소정 (2015),
「미국의 법제도 정비와 사이버안보 강화: 국가사이버안보보호법 등 제 · 개정된 5개 법률을 중심으로」, 『입법과 정책』 제7권(2)

미국은 1987년 컴퓨터보안법에서 상무부의 국립표준기술연구원NIST: National Institute of Standards and Technology으로 하여금 국가안보국NSA: National Security Agency을 비롯한 정부 부처와 협의하여 연방정부 부처 또는 그 계약자와 산하 기관들이 운영하거나 이용하는 국가보안통신정보 시스템에 대한 지침과 표준을 개발하도록 하였다.[6)]

1989년 3월 국립표준기술연구원NIST[7] 과 국가안보국NSA은 MOU를 체결하였다 연방 정부 부처나 그 계약자와 산하 기관이 요청할 때 국가안보국이 그 정보 시스템의 적대적 정보 위험에 대하여 평가하고 기술적 지원을 제공하며 그 위험으로부터 보호하기 위한 솔루션과 제품 등을 권고하기로 합의하였다.

2002년에 제정된 사이버보안연구개발법에 의해 국립표준기술연구원은 사이버 무기체계 연구개발을 책임지는 기관이 되었다. 이 법에 의해 미국은 사이버 보안 발전을 위한 교육지원과 R&D를 법적으로 체계화하였으며 컴퓨터 네트워크 보안을 위한 연구개발의 실행과 장학금, 교육을 지원할 목적의 예산을 국립표준기술연구원과 국립과학재단에 할당하였다. 그 결과 국립표준기술연구원과 국립과학재단에 새로운 연구 프로그램을 신설하게 하고, 사이버 보안 관련 연구센터를 국립과학재단에 설치하여 산업계와 공동연구를 장려하고 있다. 정부와 산업계 간 연구보조금 제도를 신설하여 2007년까지 사이버 보안 관련 연구개발을 촉진하도록 하였다.

2009년에는 사이버 보안 전문가를 육성하는 프로그램의 신설과 확대를 위한 사이버보안 교육증진법을 제정하였다. 대학 등에 보조금 제공을 통해 프로그램을 신설할 수 있는 권한을 국토안보부 장관에게 부여하였다. 이에 따라 국토안보부 장관은 국립과학재단과 대학 등에 사이버 보안 전문가 양성 프로그램, 사이버 보안 전문학사 양성 프로그램을 지원하고, 이들의 사이버 보안 훈련에 활용할 장비 구매 비용과 장학금을 제공할 수 있는 법적 근거를 마련하였다.

2010년에는 사이버안보증진법을 제정하여 사이버 안보의 지속적인 연구개발 활성화를 위한 법제화와 연구 인력의 확보, 장학금 제공 프로그램, 산학협력 연구, 사이버 보안 기술에 대한 기준을 국제 기준에 맞춰 적용하게 되었다. 또한 사이버 보안에 관한 일반 국민의 의식 고양과 민간, 기업, 정부 요원을 대상으로 하는 사이버 보안 교육 프로그램을 개발하였다. 이 법에 의해 2014년까지 4억 달러의 예산 지원을 통해 사이버 안보에 관한 연구를 장려하였고, 보안 분야에 대한 연구를 원하는 대학생들에게 약 1억 달러의 학비를 지원함으로써 사이버 보안 관련 연구를 증진시키고 국민의 보안 의식을 향상시켰다.

2011년에는 「사이버 공간에 대한 국제전략 보고서」를 발표하였다. 이 보고서는 사이버 공간 정책 수립, 사이버 공간의 미래, 정책 우선 사항, 향후 추진 방향 등 4개 장으로 구성되어 있다.

이 보고서는 미국의 네트워크 기술이 전 세계에 막대한 영향을 끼치고 이를 통해 미국 사회가 큰 이익을 얻고 있다는 전제 하에 수립된 국제 사이버 정책에 기반을 두고 있다. 국가 안보와 경제 안보 더 나아가서 국제 사회와 관련된 기술적 문제, 지적재산권 도용의 문제 등 도전 과제를 인식하고 표현의 자유와 프라이버시를 보호하며 정보의 자유로운 이동을 보장하는 원칙에 따라 대응해야 한다고 강조하고 있다.[8]

같은 해인 2011년 국방부에서 발표한 「사이버공간에서의 국방부 작전전략」은 한 해 앞서 2010년에 발표된 「국가안보전략」과 「4년 주기 국방검토보고서」의 사이버 안보 관련 내용에 기초하여 5가지 전략적 주도권을 제시하고 있다.[9]

전략적 주도권의 주요 특징은 첫째, 사이버 공간을 새로운 작전 영역으로 명확히 인식하여 최대한 이용할 수 있도록 조직하고 훈련하며 장비를 확보한다. 둘째, 사이버 보안을 강화하고 새로운 작전 개념을 채용하여 국방부의 네트워크와 시스템을 보호하기 위한 안전한 사이버 공간 상태를 확보한다. 셋째, 미 정부기관 및 기구는 민간부문과의 협력을 통해 범정부 차원에서 총력적인 대응을 한다. 넷째, 전 세계가 그물망처럼 연결된 정보화 시대에 개별 국가의 능력으로 사이버 공격에 대응한다는 것은 쉽지 않기 때문에 동맹국, 협력국 및 민간영역과의 협력을 강화한다. 이를 통해 집단적 자위권과 집단적 억지를 구현하고자 한다. 다섯째, 사이버 안보 역량은 개인의 역량과 밀접한 관계를 갖고 있기 때문에 우수 인력을 확보하고, 첨단 ICT기술을 따라가기 위하여 하드웨어적인 측면과 소프트웨어적인 측면에서 진보된 기술을 신속히 반영함으로써 지속적 장비 업그레이드를 한다는 것이다.

오바마 정부는 사이버 작전과 사이버 작전 수행을 위한 법적 기반을 마련한 정부로 평가받고 있는데 이때 4가지 법이 만들어졌다. 첫째, 사이버정보공유보호법이다.[10] 이 법은 공공 및 민간이 사이버 위협에 공동으로 대처하기 위해 정보 공유 기반을 마련하고자 제정된 법이다. 둘째, 국가사이버안보보호법은 국토안보부 산하에 국가사이버안보 및 통신통합센터를 설치하여 사이버 위협 정보를 공유하는 등 연방 정부와 민간의 접점 역할을 수행하기 위한 법이다. 셋째, 사이버보안강화법이다. 이 법은 사이버 위험을 감소시키기 위한 표준 및 절차 수립을 보장하는 공공 · 민간 협력체계를 마련하고 사이버 안보 관련 연구개발과 교육, 인력 양성, 인식 제고,

기술 표준 등을 추진하기 위해 제정되었다. 넷째, 사이버보안인력평가법으로 국토안보부가 사이버 안보 인력의 역량을 평가할 수 있는 기반을 마련하고, 사이버 안보 인력 확보 전략과 역량 강화 전략 등을 추진하기 위해 제정되었다.

사이버정보공유보호법[CISPA: Cyber Intelligence Sharing and Protection Act, 2012. 4.]
정보 공유 주체는 미 행정부와 주요 정보통신기술 기업이다. 사이버 공격 · 위협 · 해적 행위 등에 대응해 인터넷을 보호하기 위한 것이 입법 취지다. 비슷한 시기에 발의된 온라인해적행위금지법(SOPA:Stop Online Piracy Act)과 함께 대표적인 지식재산권보호 법안으로 떠올랐다. 그러나 법을 남용해 인터넷 상에서 표현의 자유를 침해할 우려가 제기되었다. 정부가 영장 없이 모든 인터넷 이용자(네티즌)의 정보를 요구할 수 있다는 게 가장 큰 쟁점이다. 익명성을 위협해 인터넷에서 자유롭게 의견을 개진할 환경을 저해할 것으로 우려됐다.

국가사이버안보보호법[NCSPA: National Cybersecurity Protection Act, 2014.12.]
사이버 보안 정보의 교차 섹터 공유를 위한 민간 접점 역할로써 국토안보부 국가사이버보안 및 통신통합센터(NCCIC)의 기존 역할을 체계화하였다. 이 법안은 기존 책임을 ① 사이버 보안 위험 및 사건분석 ② 요청에 따른 사고대응 및 기술지원 제공 ③ 사이버 보안을 강화하기 위한 보안 및 탄력적인 대책을 수립하도록 권고하였다. 또한 국가사이버보안 및 통신통합센터가 주요 인프라 부문 전반에 걸쳐 조정역할을 하되 프라이버시 및 시민의 자유에 관한 법률을 준수하도록 하였다. 이 법안에 따라 국가사이버보안 및 통신통합센터는 연방 및 비연방기관의 대표 자격을 계속 유지하게 되었고, 국토안보부가 중요한 인프라에 대한 사이버 보안 위험을 다루기 위한 사이버 사고대응 계획을 개발하고 실행하기 위해 연방 및 비연방 파트너와 협력할 것을 요구하는 등 사이버 위반에 대한 관리 및 감독을 강화하였다.

사이버보안강화법[CEA: Cybersecurity Enhancement Act, 2014.]
이 법은 국가표준기술연구원을 통해 상무부가 중요한 인프라에 대한 사이버 위험을 줄이기 위하여 자발적인 표준 개발을 촉진하고 지원할 수 있도록 허가하고 있다. 또한 과학기술정책국에 연방 사이버 보안 연구 및 개발 계획을 수립하도록 명령한다. 이 법 502항은 국가표준기술연구원의 책임자가 관련 연방기관과 협력하여 '정보시스템 보안과 관련된 국제기술기준의 개발'에 대한 부처 간 조정을 보장하고 의회에 전달하도록 규정하고 있다.

사이버보안인력평가법[CWAA: Cybersecurity Workforce Assessment Act, 2014.]
이 법은 국토안보부 장관이 국토안보부의 사이버 보안 인력을 평가하고 포괄적인 인력 전략 및 기타 목적을 개발하도록 하였다. 이 법안은 연방정부 기관이 다음을 수행하도록 요구한다. ① 정보 기술, 사이버 보안 또는 기타 사이버 관련 기능의 수행이 필요한 모든 직원 위치를 식별한다. ② 국가표준기술연구원을 사이버 보안 교육을 위한 국가 이니셔티브(National Cybersecurity Workforce Framework)에 포함시켜야 하는 코딩 구조를 사용하여 해당 위치에 해당 고용 코드를 할당하며,기존 자격 증명이 없는 다른 민간 및 비시민적 사이버 직원의 준비 ③ 기존 인력에 대한 훈련 및 인증과 식별된 격차를 완화하기 위한 전략 등이다. 이 법에 따라 2022년까지 매년 인력의 중요 요구사항으로 지정된 사이버 관련 역할을 식별하는 보고서를 제출해야 하며, 이 법의 제정 후 2년 이내에 모든 연방 기관에서 사이버 인력에 대한 중요한 요구를 파악하고 이 법의 이행에 관해 의회에 보고해야 한다.

2015년 12월 18일에는 사이버보안법Cyber security Act of 2015[11] 을 제정하였다. 주요 내용은 첫째, 민 · 관 사이버 보안 정보공유 체계를 구축한다. 둘째, 국토안보부 산하의 국가사이버안보 및 통신통합센터의 기능을 강화하고 연방정부의 사이버 보안을 강화한다. 셋째, 연방정부의 사이버 보안 인력의 수요에 대하여 평가 · 관리하며 국제 사이버 보안을 강화한다. 넷째, 긴급 서비스 분야에 대한 사이버 보안을 강화한다. 다섯째, 보건의료산업 분야 사이버 보안을 개선한다. 여섯째, 연방 컴퓨터 시스템에 대한 보안을 강화한다 등이다. 이 법의 제정으로 효과적인 사이버 보안에 대한 정보 공유를 촉진하기 위한 체계가 구축되었고 민 · 관의 정보 공유가 활성화될 것으로 기대하였다.

그러나 사이버보안정보공유법 등 그간의 정보 공유와 관련된 법 제정 시 개인 사생활 보호 문제가 논쟁의 대상이 되었었다는 것을 생각하면, 향후 인권 침해 가능성을 최소화하는 등의 정보 공유 절차에 대한 개선 대책이 추가로 있어야 할 것으로 평가된다.

트럼프 정부는 2017년 5월 사이버보안 역량강화를 위한 행정명령 Executive Order 13800[12] 을 발령하였다. 이 명령은 첫째, 60일 이내에 국방부장관은 국가안보시스템의 취약점을 식별하여 방호 계획을 수립하여 보고하고, 국토안보부장관은 국가 기반시설의 사이버 취약점을 식별하여 보고한다. 둘째, 60일 이내에 국가정보국장은 적의 신원 · 능력 · 취약점을 검토 후 초안을 제출한다. 셋째, 사이버 역량을 강화하기 위해 도출된 취약점 및 적대 세력에 대한 검토 결과를 토대로 주요 기반시설의 방호를 위한 국방부, 국토안보부, 국가안보국의 기초 사이버 역량을 검토하고, 사이버 역량 확보를 위해 사이버 교육훈련과 관련하여 교육부와 정보를 공유하고 검토한다. 넷째, 상무부장관은 민간영역의 보안을 강화하기 위하여 100일 이내에 민간영역의 효율적 사이버 방호 수단의 도입을 위한 장려책을 마련한다.

이들 행정명령은 트럼프 정부의 대선 공약 중 하나인 국가 사이버 보안 강화의 일환으로 국방부, 국토안보부, 국가안보국 등 사이버 관련기관에 대한 총체적 점검을 통해 현 상황을 파악하여 각 부처의 계획을 검토한 후 구체적인 방향을 제시하려는 것이다.

2017년에 발령된 이 행정명령에는 네트워크 확보 및 현대화, 주요 기반시설 보호, 사이버 공간에서 적의 침해활동을 저지하는 것과 강력한 사이버 보안 인력 구축을 강조하는 내용을 담고 있다. 이와 함께 주요 기반시설의 사이버 보안 향상, 인터넷 및 통신 기반시설의 회복력 향상, 국가의 사이버 보안 인력 강화를 위해 국가, 산업, 개인 간 중요 정보를 공유하는 등의 광범위한 협력 필요성을 강조하고 있다.[13)]

2018년 9월 20일 Executive Order 13800에 따라 국가사이버정책[14)] 을 발표하였다. 이 정책이 추구하는 핵심 원칙은 다음의 네 가지이다. 첫째, 연방 네트워크 및 정보를 안전하게 보호하는 것. 둘째, 중요 인프라를 보호하는 것. 셋째, 사이버 범죄를 퇴치하는 것. 넷째, 사이버 침해 보고를 개선하기 위해 구체적인 조치들을 취하는 것이다. 이 네 가지 주요 요소를 구현하고자 국가 사이버 전략을 구축하며 발전시키고 있다.

국가사이버정책에서 밝힌 사이버 분야에서의 국가 위험에 대한 대비 우선순위는 첫째, 국가보안. 둘째, 에너지 및 전력. 셋째, 은행 및 금융. 넷째, 보건 및 안전. 다섯째, 통신. 여섯째, 정보기술. 일곱째, 운송이다. 이 우선순위를 안전하게 유지하기 위한 목표와 대응방안도 마련했다.

첫째, 미국의 번영 촉진을 위해 활기찬 디지털 경제를 육성하고 미국의 독창성을 유지하며 사이버 보안 인력을 개발하고 확보한다. 둘째, 힘을 통한 평화 유지를 목표로 책임 있는 국가 행동규범을 통한 사이버 안정성을 강화하고 사이버 공간에서 용납할 수 없는 행위에 대해서는 확실한 거부 의사를 표현한다. 셋째, 안전한 인터넷 공간에 대한 선구자적 영향력을 유지하기 위해 개방적이고 신뢰할 수 있는 안전한 인터넷을 유지하며 국제 사이버 역량을 구축한다.

이처럼 미국은 사이버 공간에서 자국의 우위를 지키면서, 국익의 안정을 해치거나 국익에 반하는 사이버 공간에서의 행동을 파악하고 대응하여 교란, 저하, 억제하겠다는 걸 명확히 밝히고 있다. 지구촌의 모든 국가들에 대하여 책임 있는 국가 행동의 규범과 허용할 수 없는 사이버 공간 행동의 속성을 파악하고 사이버 공간에서의 악의적인 행위자들에게 비용을 부과하여 사이버 안정을 증진할 것임을 강조하고 있다.

사이버 공간에서도 물리적인 상황과 마찬가지로 미국의 영향력은 지속적으로 확장되고 강력할 것이다. 인터넷의 개방성, 상호 운영성, 보안, 신뢰성의 보존을 통해 자국의 이익을 강화할 것이며 이 목표를 달성하기 위해 지속적인 노력을 할 것이라고 천명하였다. 또한 인프라 및 유망 기술의 발달을 지원하고 국제적인 사이버 역량을 구축하겠다고 하였다.

이 정책서는 미국이 사이버 공간을 비롯한 전 분야에서 세계 선도국가가 되고, 사이버 공간이 안전한 나라가 되는 걸 원하고 또 그렇게 할 것이라는 약속을 담고 있다. 백악관은 국가사이버정책을 통해 사이버 공간을 개방적이고 안전하며 상호 공유 및 신뢰할 수 있는 영역으로 발전시키기 위한 연방정부의 의지와 구현 전략을 담았다고 강조하였다.

활력 있는 디지털 경제의 엔진으로써 사이버 공간을 지켜나가기 위해 미국의 파트너 국가들과 시민사회, 민간부문을 포함하는 여러 단체들과 협력하여 혁신, 개방, 효율을 높이는 정책을 수립하겠다고 밝혔다. 인터넷 거버넌스도 국가 중심적인 거버넌스 모델보다는 다중 이해당사자 모델을 지지하며, 실체 없는 사이버 보안의 우려를 디지털 보호주의의 구실로 이용하려는 것을 배격한다고 하였다. 또한 국제 파트너들의 국가 사이버 보안 전략의 수립 및 집행, 사이버 범죄 대처, 사이버 보안 기준 수립과 사이버 위협으로부터의 중요 인프라 보호를 지원하여 그들 나라의 사이버 역량 구축에 최선을 다하기로 하였다.

또한 다양한 해외 원조 프로그램을 통해 인터넷에서의 자유를 촉진하고자 노력하고 있다. 시민사회, 민간부문, 기타 이해당사자들과의 협력과 다자간 외교를 통해 국가 사이버 전략의 핵심 원칙이기도 한 인터넷 자유를 발전시키는 일에도 나서고 있다. 30개 정부로 구성된 자유온라인연합을 통한 활동도 같은 맥락이다.

자유온라인연합(Freedom Online Coalition)
인터넷 자유를 진전시키기 위해 노력하는 30개국 정부의 파트너십. 연합 회원들은 외교적 노력을 조정하고 시민사회 및 민간 부문과 긴밀히 협력하여 전 세계 인터넷 자유 표현, 협회, 집회 및 개인정보보호의 기본 인권을 보호하기 위해 함께 노력하는 정부 단체이다. 2011년 네덜란드 헤이그에서 개최된 자유외교회의에서 네덜란드 외무부의 주도하에 설립되었으며 현재 아프리카, 아시아, 유럽, 미주, 중동에 이르는 30개 국가의 회원이 있다.

– 자유온라인연합 홈페이지

미국은 파트너들과 동맹국들의 국익에 위배 되고 국익의 안정을 해치는 일부 국가의 악의적 사이버 활동에 적극 대처하고 있다고 주장한다. 파트너 국가 및 동맹국과의 협력을 통해 국제법과 평화 시에 적용되는 책임 있는 국가 행동에 대한 자발적인 비구속적 규범을 준수할 것과 악의적 사이버 활동으로 인한 갈등의 위험을 줄이는 실질적 신뢰구축 조치의 이행을 지원하고, 미국 및 미국의 파트너들에게 사이버 피해를 끼치는 사이버 행동 교란에 대해서는 반드시 대가를 치르도록 하겠다는 의지를 밝히고 있다. 이는 중국의 일대일로一帶一路의 일환으로 연선국가에 대한 사이버 지원과 사이버 공동체 구축을 통한 세력화를 견제하는 것으로 풀이된다.

2019년 6월 미 하원은 국가의 중요한 인프라에 대한 다양한 사이버 공격에 신속히 대응하기 위해 국토안보부에 사이버보안 사고전담대응팀CIRT을 창설하는 법안[15] 을 가결하였다. 미국은 사이버 보안 업무의 통합 · 연계 조직으로 2009년에 국토안보부에 국가사이버보안통신통합센터NCCIC를 설립하고 2017년에는 기존에 별도로 운영되었던 비상 대응팀인 US-CERT와 ICS-CERT의 기능을 통합[16] 하였으며, 최근에는 사이버 보안 사고 현장 대응능력을 강화하기 위해 조직 증원 및 확대를 모색하고 있다. 이 법안이 상원에서 최종적으로 통과되면서 향후 사이버 공격으로 인해 국가의 주요 IT 인프라가 손상되는 경우 관련된 공공 및 민간 기관이 즉각적인 현장 대응을 할 수 있게 됨으로써 국가 사이버 보안 사고에 대한 비상대응 능력이 향상될 것으로 전망된다.

2019년 8월 국립표준기술연구원은 AI 기술발전 및 활용에 기반이 되는 표준의 개발을 위해 추진해야 할 과제와 계획을 담은 「AI 기술표준 개발 계획」[17] 을 발표하였다. 이는 2019년 2월에 시행된 「인공지능 분야 기술 우위 확보를 위한 행정명령」[18] 에 따라 AI 기술 및 응용 분야 발전에 근간이 되는 표준 개발을 위한 추진 계획으로 발표한 것이다. 미국의 이러한 분야의 기술 우위 확보를 위한 정책의 중점 목표에 따라 국제 AI 기술표준을 주도하고자 국립표준기술연구원의 기술표준이 빠른 시일 내에 개발될 것으로 보인다.

같은 달에 미국 국토안보부 산하 사이버기반시설보안국CISA[19] 은 최근의 ICT 환경 변화에 대응하는 국가의 중요한 인프라에 대한 사이버 보안수준을 강화하기 위해 최근의 환경 여건 변화에 대응하는 새로운 전략과 정책 과제를 제시하는 보고서를 발표하였다. 전략의 기본 목표를 단기적으로는 기관 간 사이버 보안 위협 정보공유 협력체계 강화에 두었고, 중 · 장기적으로는 사이버 보안 위험 관리 체계 확립 목표를 설정하고 이에 대한 전략 및 5개의 주요 정책 과제를 제시하였다. 본 전략은 사이버기반시설보안국이 설립된 이후에 최초로 수립한 공식적인 계획으로 향후 미국의 국가 주요 인프라 시스템에 대한 사이버 보안 정책방향을 전반적으로 예상해 볼 수 있다. 이에 따라 사이버기반시설보안국의 업무가 현재는 연방기관에 대한 지원을 중심으로 이루어지고 있으나 앞으로는 지방정부 및 산업계에 대한 협력과 지원을 강화하면서 그 역할이 확대될 것으로 전망된다. 전술한 미국의 사이버 관련한 법 · 제도와 전략을 정리하면 다음 【표 2-1】과 같다.

【표 2-1】 미국의 사이버 관련 법 · 제도 · 전략의 발전 경과

년도	법 · 제도 · 전략	주요 내용
1987	컴퓨터보안법	• 국립표준기술연구원이 국가안보국, 정부부처와 협의, 국가 보안 통신정보 시스템의 지침, 표준을 개발
2001	패트리어트법	• 미국 연방기관은 민간 전화선, 인터넷, 이메일, 웹 서핑 등 모든 전자 통신 추적 가능 • 국가 안보 위협 활동, 조직범죄, 살인, 중대하고 급박한 위험이 있는 경우 영장 없는 전자감시 가능
2002	사이버보안연구개발법	• 국립표준기술연구원은 사이버 무기체계 연구개발을 책임지는 기관 • 사이버 보안 발전을 위한 교육 지원과 R&D를 법적으로 체계화
2002	공공안전과 사이버보안강화법	• 페트리어트법의 몇 가지 문제를 해결
2002	국토안보법	• 사이버 테러를 포함한 모든 테러로부터 미국 기반시설 보호
2009	사이버보안교육증진법	• 사이버 보안 전문가 육성 프로그램 신설, 대학에 보조금 제공
2010	사이버안보증진법	• 사이버 안보 연구개발 활성화를 위한 법제화 노력 • 사이버 보안 관련 일반 국민 의식 고양과 교육 프로그램 개발
2011	사이버공간에 대한 국제전략보고서	• 사이버 공간 정책수립, 사이버 공간의 미래, 정책 우선 사항, 향후 추진방향 등 제시 • 국제 사회 관련 기술적 문제, 지적재산권 도용 문제 등 도전과제 인식, 표현의 자유와 프라이버시 보호, 정보의 자유 이동 보장 원칙에 따라 대응
	사이버공간에서의 국방부 작전 전략	• 5가지 전략적 주도권 제시 - 사이버 공간을 새로운 작전 영역으로 명확히 인식 - 사이버 보안을 강화하고 새로운 작전 개념을 채용 - 정부, 민간과 협력으로 범정부 차원의 총력 대응 - 동맹국, 협력국 및 민간영역과의 협력을 강화 - HW, SW의 진보된 기술을 신속히 반영
2014	국가사이버안보보호법	• 국토안보부 산하에 국가사이버안보 및 통신통합센터 설치 • 사이버 위협정보 공유 등 연방정부와 민간의 접점 역할 수행
	사이버보안강화법	• 사이버 위험 감소 위한 표준, 절차 수립 보장 공공 · 민간 협력 추진
	사이버보안인력평가법	• 국토안보부의 사이버 안보 인력에 대한 역량 평가기반 마련 • 사이버 안보 인력확보 전략과 역량강화 전략 등을 추진

년도	법 · 제도 · 전략	주요 내용
2015	사이버보안법	• 민 · 관 사이버 보안 정보 공유 체계 구축 • 국토안보부 산하 국가사이버보안통신통합센터 기능 강화, 연방정부의 사이버 보안 강화 • 사이버 보안 인력 수요의 평가 · 관리, 국제 사이버 보안 강화 • 긴급 서비스 분야에 대한 사이버 보안 강화 • 보건의료산업 분야 사이버 보안 개선 • 연방 컴퓨터 시스템 보안 강화, 규정 입법화
2016	개인정보보호협정 체결	• 미국과 EU, 사법공조를 위한 국외이전 개인정보의 보호협정 체결
2017	사이버 보안 역량강화를 위한 행정명령	• 국방부는 국가 안보 시스템 취약점 식별, 방호 계획 보고 • 미 국가정보국(DNI)은 적의 신원 · 능력 · 취약점 검토 후 초안 제출 • 국방부, 국토안보부, 국가안보국 사이버 역량 확보를 위한 훈련 · 교육정보 공유 • 상무부는 민간의 사이버 방호 수단 도입 장려책 마련
2018	국가사이버정책	• 연방 네트워크 및 정보를 안전하게 보호 • 중요 인프라 보호 • 사이버 범죄 퇴치 • 사이버 침해 보고를 개선하기 위한 구체적 조치 강구
2019	사이버보안사고전담대응팀 창설법	• 국토안보부에 사이버보안사고전담대응팀(CIRT) 창설 • 국토안보부 사이버기반시설보안국의 국가사이버보안 및 통신통합센터 내에서 운영되며 공공 및 민간부문의 전문가로 구성
	AI 기술표준 개발 계획 발표	• 기본방향 : 안전한 AI 시스템 구축, AI 기술의 윤리성 확보, 프라이버시 보호 • 추진계획 : AI 표준 지식의 보급 및 연방기관 간 협력강화, AI 기술의 신뢰성에 대한 연구개발 활성화, 민관 협력 및 국제교류 확대
	국가 중요 인프라에 대한 사이버 보안 전략 보고서	• 단기 : 기관 간 사이버 보안 위협 정보공유 협력체계 강화 • 중 · 장기 : 사이버 보안 위험 관리 체계 확립 • 5대 주요 중점 추진 과제 - 5G 네트워크 공급망 위험 제거 - 선거 사이버 보안 강화 - 공공 공간의 사이버 보안 위험 완화 - 연방기관 사이버 보안 강화 - 산업용 제어시스템 보안 강화

2. 속도를 내는 중국

중국의 사이버 안보체계 구축 과정은 크게 3단계로 나눌 수 있다. 첫째, 정보화 도입 및 주력 시기(1994~2001년). 둘째, 정보보호, 정보시스템 안전확보 중점추진 시기(2002~2012년). 셋째, 사이버 공간 안보 강조 시기(2013~현재)이다.

3단계 중 2000년 이후 중국의 사이버 법제 대응에 대하여 살펴보기로 하자. 이 시기는 정보보호와 정보시스템 안전확보 중점 추진 시기이다. 후진타오 주석의 지시로 2003년 3월에 국가정보화영도소조 산하에 〈국가네트워크 및 정보안전협조소조〉가 설립되었다. 2003년 8월에 이 조직에서 정보 안전보장 업무 강화에 관한 의견을 27호 문건으로 제시하였는데 주요 내용은 다음과 같다.

첫째, 정보 안전등급 보호제도를 실시한다. 둘째, 암호 기술의 바탕 위에 네트워크 신뢰 체계를 마련하고 강화한다. 셋째, 정보보호 기술의 연구개발을 강화하고 정보보호 산업 발전을 추진한다. 넷째, 정보보호와 관련된 법제를 구축하고 표준화 시스템을 마련한다. 다섯째, 정보보호 예산은 정보화 예산과 함께 편성한다. 이후 후진타오의 지시에 따라 2006년 5월에는 「2006~2020년 국가 정보화 발전전략」을 발표하고 국가 정보보호 체계 구축 및 능력 강화 방안을 제시하였다. 2008년 3월에는 공업정보화부를 신설하여 국가 정보보호 업무를 주관하도록 하였다. 이에 따라 국무원 정보화 판공실을 해체하게 되었고, 각 부처가 독자적으로 업무를 추진함에 따라 컨트롤 타워의 역할에 대한 필요성을 느끼게 되었다. 국무원은 이를 해소하기 위해 2011년 5월 국가인터넷정보판공실을 설립하였다.

사이버 업무체계 기반 마련에 이어 사이버전에 대비한 네트워크 안전을 강조하며 사이버 공간의 안보 구축에 나섰다. 2014년 2월 시진핑이 조장을 맡은 〈중앙사이버안전 및 정보화영도소조〉를 설립하고 획기적인 통합 · 집권형 사이버 안보 체제를 구축하고자 하였다. 이러한 통합적 사이버 안보 체계를 구축하게 된 배경은 중국 사회 전반에 걸친 정보화의 가속화와 인터넷 기술 낙후, 네트워크 관리 체계의 문제, 미국 등 사이버 대국과의 경쟁, 에드워드 스노든 사건으로 중국 지도부 내 사이버 안전 위기감이 고조된 영향 때문이다.

2014년 4월 15일 개최된 중앙 국가안전위원회 1차 회의에서 시진핑은 '총체적 국가안보관'이라는 개념을 처음 사용했다. 그해 10월 20~23일까지 북경에서 중국공산당 제18기 중앙위원회 제4차 전체회의가 개최되었다.

이 회의에서 당 중앙기구 확정을 비롯하여 국가기관 지도자 인선, 당의 정책 방향, 방침 등 중요 사항이 결정되었다. 18기 4중 전회의 핵심 키워드는 '의법치국依法治國'이었다. 법에 근거하여 나라를 운영하겠다는 강력한 의지를 드러낸 것이다. 10월 28일 「의법치국을 전면적으로 추진하는 것과 관련된 약간의 중대 문제에 대한 중공중앙의 결정4중 전회 결정문」[20] 이 공표되었다.

사이버 안보 관련 법 · 제도가 체계를 갖추기 시작한 것도 이 무렵이다. 당면한 사회 문제에 대한 법률을 제정하거나 체계적으로 정비하며 반부패 운동이 지속적으로 펼쳐질 수 있는 여건을 조성했는데 특히 이때 사이버와 관련된 법률의 정비도 함께 이루어졌다. 그 결과 2015년 7월 국가안전법[21] , 2016년 11월에는 사이버안보법이 제정되어 2017년 6월부터 시행되었다. 사이버 안전이 국가 안보의 중요한 요소로 등장하게 된 것이다.

사이버안보법은 총 7장 79개 조문으로 구성되어 있다. 이법은 국가의 총체적 국가 안전관을 실행하는 중요한 조치로써 중국이 직면한 사이버 안전의 위협에 엄중히 대응하여 인민들의 이익을 지키기 위한 것이라고 설명하고 있다. 이 법의 주요 내용을 살펴보면 크게 다섯 가지로 분류된다. 첫째, 총칙에서 국가 사이버 안보전략을 수립하고 네트워크의 안전관리 체제를 구축한다. 둘째, 3장에서 네트워크 운영 안전을 보장하기 위해 네트워크 안전등급 보호제도를 시행하고 인터넷 실명제를 법제화한다. 셋째, 주요 정보 기반시설의 운영보안을 위해 보안 심사를 의무화하고 개인정보와 데이터는 중국 내 저장을 원칙으로 한다. 넷째, 네트워크 정보 안전을 위해 네트워크 운영자의 개인정보 수집 절차와 유관기관 보고를 의무화한다. 다섯째, 경보 및 긴급 대응을 위하여 네트워크 보안 모니터링체제를 구축하도록 한다.

2017년 6월 1일에는 네트워크안전법網絡安全法 [22] 을 시행하여 통신, 방송 등 일련의 전파 서비스를 제공하는 기반정보 네트워크와 전력 · 물 · 가스 공급망, 금융 · 의료 · 사회보장 등 국민생활과 밀접한 중요 업계의 정보 시스템, 군사 네트워크, 시市급 이상의 국가기관 정무 웹 사이트, 서비스 이용자 수가 많은 네트워크 서비스 제공자 및 관리자의 네트워크 시스템 등을 핵심

정보 인프라로 정하고 이에 대한 사이버 규율 체계를 규정하였다.

중국의 사이버 관련 법 · 제도와 전략을 정리하면 다음 【표 2-2】와 같다.

【표 2-2】 중국의 사이버 관련 법 · 제도 · 전략의 발전 경과

년도	법 · 제도 · 전략	주요 내용
2014	의법치국을 전면적으로 추진하는 것과 관련된 약간의 중대 문제에 대한 중공 중앙의 결정	• 모든 분야에서 법치주의의 확립
2015	국가안전법	• 인터넷 통제 강화
2016	사이버안보법	• 국가가 총체적 국가 안전관을 실행하는 중요한 조치 • 사이버 안전 위협대응, 인민의 이익을 지키기 위한 것 - 국가 사이버 안보전략 수립, 네트워크 안전관리 체제 구축 - 네트워크 안전등급 보호제도 시행 - SCADA 운영보안을 위한 보안심사 의무화 - 개인정보 · 데이터의 중국 내 저장 원칙 - 네트워크 운영자의 개인정보수집 절차, 유관기관 보고 의무화 - 네트워크 보안 모니터링 경보 및 긴급 대응체제 구축
	사이버안보전략	• 사이버 안보 4대 원칙 - 사이버 공간 주권 존중 및 보호 - 사이버 공간 평화적 이용 - 법에 따른 사이버 공간 관리 - 사이버 안전과 발전의 동시 추구 • 사이버 안보 9대 전략 임무 - 사이버 공간 주권 수호 - 국가 안보 보호 - 주요 정보 기반시설 보호 - 사이버 문화 건설 강화 - 사이버 테러 및 사이버 범죄 단속 - 네트워크 관리체계 완비 - 사이버 안전 기초 내실화 - 사이버 공간 방어능력 제고 - 사이버 공간 국제협력 강화
	반테러리즘법 발효	• 공안 당국이 테러방지의 조사 목적으로 네트워크나 인터넷의 기술적 인터페이스를 사용하거나 사용자에게 암호해독을 위한 요구 가능
2017	네트워크안전법	• 핵심 정보 인프라(기반체계, 정보, 군사, 정무 등)에 대한 사이버 규율 체계 규정
2019	암호법	• 정보보안 핵심요소인 암호화 분야에서 최초로 제정된 기본법 • 국가 암호 표준화 및 관리수준 향상, 산업발전 촉진

3. 독자생존을 모색하는 러시아

러시아는 1996년 2월 독립국가연합에 속한 국가들과 협력하여 기본 형법을 채택하면서 사이버 범죄에 대한 형사상의 책임을 분명히 하였다. 1996년 3월에 제정된 「컴퓨터 정보영역에서의 범죄에 관한 법」에는 비인가 컴퓨터 정보에의 접근, 부당한 컴퓨터 프로그램의 제작·사용·배포, 컴퓨터 시스템 또는 네트워크 운영규칙의 위반 등 사이버 범죄 대응을 위한 사안들이 포함되어 있다.[23)]

이러한 형사법적인 규정은 타인의 사이버 정보에 대한 불법적인 접근과 유해한 컴퓨터 프로그램의 제작·사용·유포 등의 범죄를 처벌하는 법률의 근거가 되고 있으며 컴퓨터 시스템 및 네트워크 운용 규정에도 적용되고 있다.

1995년에 전화, 인터넷 통신에 대한 러시아연방보안국FSB의 감청을 허용하는 법을 제정하였고, 이를 위해 1996년 SORMSystem for Operative Investigative Activities-1, 1998년에 SORM-2를 설립하였다. 2000년 정보통신부장관은 「130호 명령전화기, 휴대폰, 무선통신, 무선호출망에서의 조사활동을 보장하는 기술적 수단의 도입」을 법제화하였다. 2014년 통신부장관은 SORM-3의 감청 기능을 지원하기 위한 요구 사항을 발령하고 2015년에는 SORM-3에 대응하는 장비들을 설치하였다.

이외의 사이버 안보와 관련한 법은 2006년 7월에 러시아 연방법으로 발효된 정보·정보기술 및 정보보호법이 있다. 이 법으로는 각 기관이 정보 체계를 구축할 때에 보안대책을 구비하고 접근이 통제된 정보에 대해서는 비밀을 지키며 동시에 적절한 정보 접근을 구현하기 위한 기술적, 법률적 조치들을 담고 있다. 그러나 러시아는 아직도 독립된 사이버기본법 없이 정부의 정보 보안 정책으로 이를 대체하고 있다.[24)]

러시아는 사이버전과 관련하여 공식적인 문서를 발표한 적이 없다. 그러나 2000년 9월에 「러시아연방 정보보안정책Doctrine of the Information Security of the Russian Federation」[25)] 을 발표하고 인터넷 정책을 국가 안보의 주요 의제로 간주한다고 선포하면서 개인의 권리도 제한할 수 있다는 내용을 포함하였다. 2007년 4월에는 러시아 해커들이 에스토니아의 전산망을 3주간 마비시키는 사이버 공격을 감행하였다. 이를 통해 러시아는 지금까지의 전쟁으로부터 그 패러다임이 완전히 전환되었다는 것을 실전적으로 증명하였으며, 정보 시스템 등에 대한 공격의 중요성을 여실히 보여주었다.

2016년 12월 푸틴은 러시아 연방보안국이 작성한 「신 정보보안정책President of the Russian Federation, 2016」을 승인했다. 이 정책에서 러시아는 주변국이 군사적 목적으로 자국의 정보 인프라에 대한 영향력 확대를 추구하는 것에 대한 우려를 나타내면서, '세계 여러 나라의 국가급 정보기관들이 다른 나라의 주권을 침해하고 영토 보전 노력을 훼손하며 세계를 불안정한 상황으로 몰고가는 사이버 심리전을 하고 있다'고 적시하고 있다. 물론 정책은 법이 아니기 때문에 직접적인 효력보다는 선언적 의미가 강하지만 후속 문건이나 법률을 제정하는 데 중요한 기반을 제공하게 될 것은 분명하다.

러시아는 독립국가연합 중 컴퓨터 범죄에 대한 형사 책임을 강화한 최초의 국가[26] 이지만, 정보보안과 관련된 법과 제도는 국제적 기준에 부합하기보다는 러시아의 독자 생존을 모색하기 위한 것처럼 보인다. 【표 2-3】은 러시아의 사이버 관련 법과 제도 등을 정리한 것이다.

【표 2-3】 러시아의 사이버 관련 법 · 제도 · 전략의 발전경과 종합

년도	법 · 제도 · 전략	주요 내용
1995	러시아연방보안국 감청허용법	• 전화, 인터넷 통신에 대한 러시아연방보안국의 감청을 허용 • SORM-1(1996), SORM-2(1998) 설립
1996	컴퓨터정보영역에서의 범죄에 관한 법	• 비인가 컴퓨터 정보에의 접근, 부당한 컴퓨터 프로그램의 제작 · 사용 · 배포, 컴퓨터 시스템 또는 네트워크 운영 규칙의 위반 등 사이버 범죄 대응
2000	130호 명령	• 전화기, 휴대폰, 무선통신, 무선호출망에 대한 조사 활동을 보장하는 기술적 수단의 도입
2000	러시아연방 정보보안 독트린	• 인터넷 정책을 국가 안보의 주요 의제로 간주한다고 선포 • 개인의 권리도 제한 가능
2006	정보 · 정보기술 및 정보보호법	• 정보 체계 구축 시 보안대책 구비 • 접근통제 정보의 비밀성 유지 • 적절한 정보 접근을 위한 기술적, 법률적 조치
2014	통신부장관	• SORM-3의 감청 기능을 지원하기 위한 요구사항을 발령

년도	법 · 제도 · 전략	주요 내용
2016	신 정보보안정책	• 주변국이 군사적 목적으로 러시아의 정보 인프라에 대한 영향력 확대를 추구한다는 인식 • 세계 여러 나라의 국가급 정보기관들이 다른 나라의 주권을 침해하고 영토보전 노력을 훼손하며 세계를 불안정한 상황으로 몰고가는 사이버 심리전 증강에 대한 대비책

4. 치밀하게 준비하는 일본

일본은 1997년 9월부터 관방성을 중심으로 사이버전 대비 체제를 갖추기 시작했다. 정부와 산업시설에 대한 사이버 위협이 증가함에 따라 〈산업설비 · 네트워크 보안대책위원회〉를 설립하고 다른 국가의 사례, 사이버 테러 조직의 동향, 사이버 대응 체제, 보호 대책의 조사와 분석을 통해 사이버전을 연구하였다.

1999년 9월부터는 국가 전복 등을 꾀하는 컴퓨터 네트워크의 부정 접근을 근절하기 위하여 관방성 · 방위성 · 경찰청 · 금융감독청 등 13개 부처가 참석하는 〈정보보안 관계 성 · 청 국장회의〉를 설립하여 해커 대책 등 정보통신 기반 정비에 관한 행동계획을 수립 · 시행하였다.

또한 2000년 2월부터는 정부 차원의 대응체제를 구축하기 위해 국장급 회의체인 정보보안대책 추진회의, 정부와 민간 간 정책협의를 위한 학자 · 보안전문가 · 중요 민간시설의 대표자로 구성된 정보보안부회를 신설하였다. 2000년 12월에는 「사이버 테러 대책에 관한 특별 행동계획」을 발표하고 내각 관방을 중심으로 관 · 민의 긴밀한 협력을 천명하였으며, 민간 주요 인프라 사업자와 지방자치단체는 자율적인 대책을 강구할 것을 촉구하였다.[27]

일본은 상당 기간 사이버 보안 분야 기본법을 제정하지 않았고, 정보화 분야의 기본법인 「고도 정보통신네트워크사회형성기본법(2000)」에 의거한 기구 설치와 정책을 시행하였다. 이후 「부정 액세스 행위금지 등에 관한 법률」을 제정하고 부정행위자를 처벌하는 등으로 단편적인 사이버 보안 분야에서 조치를 취하여 왔다.[28] 일본에서 사이버 보안과 관련된 기본법을 제정하려는 활동은 2003년 변호사협회에서 정보보안기본법의 제정을 요구하면서부터라고 볼

수 있다.[29]

그러다가 2020년 개최 예정이었던 도쿄 올림픽을 계기로 사이버보안기본법 제정의 필요성을 느끼게 되었다. 이에 따라 2014년 11월 사이버 안보를 위한 사이버 보안의 기본 이념과 국가 책무를 명확히 한 사이버보안기본법을 제정하였다.[30] 이 법은 사이버 보안 강화를 위한 다양한 조치들을 규정하고 있다.[31]

첫째, 사이버 보안을 '전자적 방식, 자기적 방식, 기타 사람의 지각으로는 인식할 수 없는 방식으로 기록되거나 발신, 전송 또는 수신되는 정보의 누설, 멸실, 훼손방지 및 그 밖의 정보의 이전 관리를 위한 필요 조치와 정보 시스템 및 정보통신 네트워크의 안전성 · 신뢰성의 확보를 위하여 필요한 조치가 강구되고 그 상태가 적절하게 유지 관리되는 것'이라고 규정하였다.

둘째, 사이버보안기본법이 추구하는 기본 이념을 제시하고 있다. ①사이버 보안 위협에 대해 국가, 지방자치단체, SOC사업자 등의 주체가 적극적으로 대응한다. ②국민 각자 사이버 보안 인식을 제고하여 자발적으로 대응하고 피해 방지와 신속한 복구 체제를 구축하며 적극적인 대응 태세를 추진한다. ③인터넷 등 고도 정보통신 네트워크 정비와 ICT 활용을 통한 활성화된 경제 사회를 구축한다. ④사이버 보안과 관련된 국제 질서의 형성과 발전에 선도적 역할과 국제 협조를 적극 추진한다. ⑤2001년 제정된 고도정보통신네트워크사회형성기본법의 기본 이념을 배려한다. ⑥이를 통하여 국민의 권리를 부당하게 침해하지 않는다.

셋째, 사이버보안기본법의 조항에는 사이버 관련 국가의 법률적 주체들에게 요구되어지는 기본 책무가 들어 있다. ①제4조, 국가는 사이버보안기본법의 기본 이념에 따라 종합적인 시책을 수립(시행)할 책무를 진다. ②제5조, 지방자치단체는 국가의 역할을 분담하여 사이버 보안에 관한 자주적 시책을 수립(시행)할 책무를 진다. ③제6조, SOC사업자는 사이버 보안에 대한 관심과 이해를 높이고 적극적으로 사이버 보안 확보를 위해 노력하며 국가 및 지방자치단체의 시책에 협력한다. ④제7조, 인터넷 등 고도정보통신망의 정비, ICT 활용, 사이버 보안 사업을 하는 사이버 사업자는 해당 사업에 관하여 자주적이고 적극적으로 사이버 보안 확보를 위해 노력하고 국가 및 지방자치단체의 시책에 협력한다. ⑤제8조, 대학 등 교육기관은 자주적이고 적극적으로 사이버 보안의 확보를 위해 노력하고 사이버 보안 인재육성, 연구수행, 그 성과의 보급을 위해 노력하며 국가 및 지방자치단체의 시책에 협력한다. ⑥제9조, 국민은 사이버 보안에 대한 관심과 이해를 높이고 사이버 보안의 확보에 주의를 기울이도록 노력한다고 규정하였다.

넷째, 사이버 보안 전략의 수립을 위해 정부는 사이버 보안에 관한 시책을 종합적이고 효과적으로 추진하기 위해 사이버 보안 기본계획을 수립하며 사이버 보안 수행을 위한 예산을 확보하도록 하였다.

다섯째, 내각 관방장관이 본부장이 되는 사이버보안전략본부를 내각에 설치하였다. 사이버보안전략본부의 임무는 ①국가 사이버 보안 전략을 수립하고 시행한다. ②정부 및 독립행정법인의 사이버 보안 관련 대책의 기준을 작성하고 이 기준에 따른 시행실적을 평가한다. ③원인 규명을 위한 조사 등 정부에서 발생한 사이버 보안 관련 중대사건에 대한 시책을 평가한다. ④그 외 사이버 보안 관련 시책 중요사항의 기획에 관하여 조사 및 심의한다. ⑤관련 행정기관의 경비 견적 방침, 시책 시행지침 작성, 시책평가 등 시책을 추진하기 위한 종합적인 조정을 한다.

여섯째, 사이버보안전략본부의 대외 협력관계를 명시하였다. 관련 행정기관의 장은 관련 사무에 필요한 자료와 정보를 사이버보안전략본부에 적시에 제공한다. 그 외 관련 행정기관의 장은 사이버보안전략본부의 요청에 따른 필요한 사이버 보안 관련 자료와 정보를 제공하고 설명하는 등의 협력을 한다. 그 외에도 지방자치단체를 비롯한 관계자들에게도 정보 제공 등에 협력할 의무를 부여하였다.

일본의 사이버보안기본법은 법치국가의 원리를 사이버 분야에도 반영하여 준비한 것이다. 국가의 기본 이념에 바탕을 두고 범국가적 사이버 보안을 추진하기 위한 법적 근거를 마련하였으며, 국가 사이버 보안 총괄기구를 법제화하여 위상을 확보하였다. 사이버 보안을 강화하기 위한 활동의 투명성을 확보하여 국민의 참여를 유도하고, 사이버 보안을 위한 국제협력에도 적극 참여할 수 있도록 하였다.[32)]【표 2-4】는 일본의 사이버 관련 법과 제도 등을 정리한 것이다.

【표 2-4】 일본의 사이버 관련 법 · 제도의 발전경과 종합

년도	법 · 제도 · 전략	주요 내용
1997	산업설비 · 네트워크 보안대책위원회	• 다른 국가의 사례, 사이버 테러 조직의 동향, 사이버 대응체제, 보호대책 조사 · 분석, 사이버전 연구
1999	정보보안 관계 성 · 청 국장회의	• 관방성 · 방위성 · 경찰청 · 금융감독청 등 참여 • 해커 대책 등 정보통신 기반 정비에 관한 행동계획 수립 · 시행
2000	정보보안대책 추진회의	• 정부 차원의 대응체제를 구축하기 위한 국장급 회의체
	정보보안부회	• 정부와 민간 간 정책협의를 위한 학자 · 보안전문가 · 중요 민간시설 대표자로 구성
	사이버 테러 대책에 관한 특별 행동계획	• 각 관방을 중심으로 관 · 민의 긴밀한 협력을 천명 • 민간 주요 인프라 사업자와 지방자치단체에 의한 자율 대책 촉구
	고도정보통신네트워크 사회형성기본법	• 정보화 분야의 기본법
2014	사이버보안기본법	• 사이버 보안의 정의 규정 • 사이버안보기본법의 기본 이념 제시 • 국가 법률적 주체들의 기본 책무 요구 • 사이버 보안 기본계획 수립, 예산 확보 • 사이버보안전략본부(본부장 : 내각 관방장관) 내각에 설치 • 사이버보안전략본부의 대외 협력관계 명시
2016	사이버보안정책의 평가에 관한 기본방침 개정	• 사이버보안전략본부는 개정된 규범 및 지침에 따라 평가대상과 방법을 수정
	IoT 보안 대강령 발표	• IoT의 취약점에 대비 SBD(Security by Design)가 접목된 이원적 보안 요구사항 개발

5. 비대칭 전력의 일환으로 육성 중인 북한

북한의 사이버 관련 법과 제도는 공식적으로 외부 세계에 알려진 것이 거의 없고, 언론 등의 매체를 통해 현 상황이나 방향을 짐작할 뿐이다. 노동신문은 '자본주의 사회에서는 컴퓨터가 사람들에게 불안과 공포를 주는 파괴무기가 되고 있으며, 특히 테러분자들이 전산망을 이용해 지하구조물 도면 등 중요정보가 입력된 권력기관의 인터넷 사이트를 파괴하고 군사기관, 발전소, 은행, 운송부문, 원거리 통신망 등을 파괴하는 행위는 가장 위험하다'고 적고 있다.[33)]

또한 최고통치자의 언명이 곧 법인 북한사회의 특성상 법률과 제도에 못지않게 최고지도자의 관심과 언급은 매우 중요한 단서를 제공한다. 김정일은 1993년과 1995년에 최고사령관 명령으로 북한군 총참모부에 새로운 사이버전 능력을 구축할 것에 대하여 지시하였다. 이에 따라 인민군에 사이버 관련 부서와 부대가 창설되었으며, 1998년부터 사이버전에 대한 본격적인 준비에 나섰다. 이 즈음에 사이버전의 개념과 전법, 전략이 수립되기 시작한 것으로 보인다.

따라서 북한 최고지도자들이 언급한 사이버 능력에 대한 강조는 시사하는 바가 크다. 북한의 사이버 공간에 대한 인식은 '전략적 중요성이 매우 높은 전장'으로 보고 사이버전 능력을 전략적 비대칭 전력의 하나로 적극 활용하고 있다. 김정일과 김정은은 사이버전에 대하여 다음과 같이 언급하였다.[34)]

사이버전 관련 김정일의 언급 내용

- "인터넷은 남한의 국가보안법이 무력화되는 공간이므로 남한 내 인터넷을 적극 활용하라."
- "사이버 공격은 원자탄이고 인터넷은 총이다."
- "현대전은 전자전이며 전자전에 따라 승패가 좌우된다."
- "지금까지의 전쟁이 총알 전쟁, 기름 전쟁이었다면 21세기 전쟁은 정보 전쟁이다. 누가 평소에 적의 군사기술 정보를 더 많이 장악하고 있는가, 전장에서 적의 군사 지휘정보를 얼마나 강력하게 제어하고, 자신의 정보력을 구사할 수 있는가에 따라 전쟁의 승패가 좌우된다."
- "더 많은 정보 전사를 양성하라."
- "사이버 부대는 나의 별동대이자 작전 예비전력이다."

사이버전 관련 김정은의 언급 내용

- "사이버전은 핵, 미사일과 함께 인민군대의 무자비한 타격 능력을 담보하는 만능의 보검"
- "강력한 정보통신 기술, 정찰총국과 같은 용맹한 (사이버)전사들만 있으면 그 어떤 제재도 뚫을 수 있고, 강성국가 건설도 문제없다."

이처럼 북한이 바라보는 사이버전 능력은 핵, 특수전(Guerilla) 등과 함께 3대 주요 비대칭 전력 중 하나이다. 북한이 사이버 무기체계를 전략 무기체계로 보는 이유는 무엇보다도 최소 비용으로 최대 효과를 달성할 수 있다는 점 때문이며, 특히 익명성의 보장은 서방국가의 제재와 보복으로부터 자유롭다는 장점 때문이다.[35)]

북한은 미국 중심의 인터넷에 참가하지 않은 유일한 나라로 1996년에 자국 안에서만 통용되는 일반 국민용 인트라넷 '광명' 체계를 구축했는데 3,700여 기관과 단체가 가입하였다. 이후 군용 인트라넷인 '금별', 국가보안성의 인트라넷인 '붉은 검', 국가보위부용 인트라넷인 '방패'를 구축하였고 5만 명 정도가 이용하고 있는 것으로 밝혀지고 있다. 북한은 중국 단동을 통해 차이나텔레콤의 광통신 회선을 할당받고, 중국 IP를 이용하여 인터넷에 접속하고 있기 때문에 중국의 필터링 정책에 따라 1차 걸러진 콘텐츠만 접속이 가능하다.[36)]

또한 북한 전기 사정의 열악함과 인터넷 사용 가능자에 대한 철저한 정부 통제에 의해 간부급 수백 명 정도만 사용이 가능할 것으로 평가된다.[37)] 그러나 북한의 열악한 인터넷 환경은 사이버 방호 측면에서는 강력한 전략적 장점으로 부각되고 있다. 2000년에는 이라크전의 교훈을 토대로 사이버 전략의 기본 틀이 구축되었으며, 2002년부터는 사이버 공간에서 공격자로 활동하기 시작하였다.

김정일, 김정은 등 국가 최고지도자의 사이버 및 전자전 영역에 대한 관심과 직접적인 통제는 국가 전략 차원에서 사이버 조직을 관리하게 하였고,[38)] 고성능 컴퓨터 장비와 인터넷 훈련망의 설비 등에 엄청난 투자를 하게 하였다.[39)]

6. 그 외 나라들의 사이버 법과 제도적인 장치

영국의 총리실에서는 2009년 6월에 「사이버 안보 전략-사이버 공간의 안전, 보안, 회복탄력성CSSUK: Cyber Security Strategy of the United Kingdom: safety, security and resilience in cyber space 보고서」를 발표했다. 이를 통해 영국의 사이버 안보는 국가안보전략에 따라 여덟 가지 원칙을 준수해야 한다고 밝히고 있다.

첫째, 인권과 법에 의한 지배를 확립하여 정당하고 신뢰할 수 있는 정부를 만들기 위해 정의, 자유, 관용, 기회라는 핵심가치를 기초로 해야 한다. 둘째, 냉철하게 사이버 측면에 대한 위험, 목표, 능력을 평가해야 한다. 셋째, 안보적 도전 과제를 가능한 한 조기에 해결해야 한다. 넷째, 국제협력을 통해 다자적인 접근을 해야 한다. 다섯째, 국내적으로는 가용한 모든 자원과 협력

관계를 구축해야 한다. 여섯째, 정부 기관 안에서는 보다 통합적 접근 방법을 개발해야 한다. 일곱째, 강력하지만 유연하고 균형 잡힌 능력을 확보해야 한다. 여덟째, 안보 강화를 위해 계속적인 투자, 교육시스템 등을 개선해야 한다는 것 등이다.

이러한 원칙에 따라 영국은 2010년 국가 사이버 안보 전략을 포함한 「국가안보 보고서 A Strong Britain in an Age of Uncertainty: The National Security Strategy」를 발표했는데 테러 공격에 이어 사이버 공격을 두 번째로 강력한 국가 위협으로 간주했다. 이에 따라 사이버 공간에서 안보 전략적인 지식 · 능력 · 정책 결정을 통하여 사이버 공간에서의 위험을 해소하고 기회를 활용해야 한다고 주장했다. 이는 사이버 위험을 저하시키기 위해 적성 국가의 동기와 능력을 감퇴시켜 사이버 운용의 위협을 감소하고 국가 이익에 영향을 미치는 사이버 영향력을 낮춘다는 의미다. 이 보고서에서는 국가와 범죄자, 테러리스트 목록 등을 사이버 위협의 행위자로 보고, 사이버 위협의 유형을 전자적 공격, 부품 공급망의 파괴, 무선신호의 조작, 고출력 주파수를 통한 공격 등으로 분류하였다. 사이버 안보의 여러 도전적인 과제를 해결하기 위해 영국 정부가 범정부 차원의 사이버 대응 프로그램을 준비하고 협력자들과 긴밀히 협력해야 하며 사이버안보국과 사이버안보운용센터를 설립할 것을 조언하고 있다.[40] 【표 2-5】는 영국의 사이버 관련 국가급 보고서를 정리한 내용이다.

【표 2-5】 영국의 사이버 관련 국가급 보고서 종합

년도	법 · 제도 · 전략	주요 내용
2009	사이버안보전략 보고서 (사이버 공간의 안전, 보안, 회복탄력성)	• 국가안보전략의 8가지 원칙 - 인권과 법의 지배 확립, 정부는 정의, 자유 등 핵심가치에 기초 - 사이버 측면에 대한 위험, 목표, 능력 평가 - 안보적 도전과제를 가능한 한 조기에 해결 - 국제협력을 통한 다자적인 접근 - 국내 모든 가용 자원과 협력관계 구축 - 정부 안에서 보다 통합적 접근방법 개발 - 강력하지만 유연하고 균형 잡힌 능력 확보 - 안보 강화를 위해 계속적인 투자, 교육시스템 등 개선
2010	국가안보보고서	• 테러 공격과 사이버 공격은 강력한 국가 위협 • 안보 전략적 지식 · 능력 · 정책 결정으로 사이버 공간의 위험 해소, 기회 활용

프랑스는 「국가사이버안보전략」을 통해 사이버 안보 정책을 제도화하고 국가정보보안청 ANSSI: Agence nationale de la securite des systemes d'information을 설립하였다. 국가정보보안청의 주요 기능은 첫째, 사이버 공격 발생 시 빠른 개입을 포함한 사이버 방어 능력을 개발한다. 둘째, 국가 기간망의 방어 능력을 향상시킨다는 것이다. 2008년[41] 과 2013년[42] 국방백서에서 지속적으로 사이버 보안과 방어가 국방의 최우선 과제임을 천명하고 있다.

2015년 10월에 유럽의 '디지털 전략 자율성을 위한 로드맵'[43] 의 선두주자를 목표로 「국가 디지털 안보전략」을 발표했다. 이는 2010년 이후 국가적 우선 과제로 채택된 사이버 안보 추진을 위한 총괄적인 국가 전략이 수립된 것을 의미한다. 이 전략서에는 EU 전체에 걸친 네트워크와 정보시스템 보안 향상을 목적으로 주요 사이버 위기 대응을 위한 다자간 협력을 강조하고, 국제적인 영향력 강화를 목표로 국제법 준수와 UN, 유럽안보협력기구OSCE: Organization for Security and Co-operation in Europe의 다자간 협상에 참여할 것을 강조하였다.

프랑스 국방부는 「사이버방위조약Cyber Defense Pact」[44] 에서 2014~2016년 사이버 방위 실행 계획을 발표하였다. 이 계획에 의해 첫째, 공세적 대응을 펼치기 위하여 식별 역량과 공격 역량이 필수적이며 군 작전 지원을 위한 공격 역량을 준비한다. 둘째, 2014년 2월 프랑스 최초의 공격용 사이버 무기체계 개발을 위한 연구기관을 설립하고, 사이버 역량 개선에 10억 유로를 투자한다. 셋째, 10억 유로 중 4억 유로는 정체불명의 전략적 기업의 데이터 보호와 암호화, 해킹탐지, 내부 네트워크 감시수단 구축에 사용한다. 넷째, 해킹과 스파이 활동에 노출되어 있는 민감한 컴퓨터 시스템의 단속을 위하여 안전한 전화, 암호화 기술, 네트워크 감시를 구현할 조치들을 발표한다. 국가정보보안청ANSSI 외에도 국방부에 별도의 사이버 부대가 존재하며 MoD, 침해사고대응팀CERT, 사이버위기관리부대, 사이버방위분석센터CALID 등을 보유하고 있다.

또한 2014년 「사이버방위정책Pacte Defense Cyber」[45] 을 발표하였는데, 사이버 국방 정책과 관련된 정보 시스템 보안수준 강화, 국방부와 안보기관의 적극적인 대책 강구, 미래 국방태세 강화 · 기술 · 학문 · 작전수행 · 연구개발, 세계 주요국의 사이버 안보전략 강화와 산업기반 지원, '브르타뉴Bretagne 단지'로 알려진 사이버안보협력단지 조성 등이 포함되었다.

2016년 12월에는 사이버 안보 강화를 위한 국방정책을 발표했다. 사이버 공격에 응전하고 제압할 공격력을 갖춘 별도의 군사 조직을 추진하며 국방 사이버전 병력 3,200명을 확보하고 국방 예산 중 연간 약 5천억 원을 투자하여 사이버안보예비군제도를 운영하는 것을 골자로 하는 것이었다. 이전까지는 프랑스 국방부가 국방 분야 사이버 방어 인력을 세인트사이버국방아카데미에서 양성하고는 있었지만 인력 수급에 어려움이 있었다. 이에 따라 민간 인력을 국방 분야로 유입되도록 하는 인력충원의 필요성이 대두됨에 따라 수립된 계획으로 보여진다.

2019년 8월 5G 네트워크 통신 운영과 관련된 국가의 사이버 보안 안전보장을 강화하기 위해 자국 내에서 공급되는 5G 네트워크 장비의 사전 승인을 의무화하는 「5G 네트워크 통신 운영에 대한 국가안보법」[46] 을 시행하였다. 5G 네트워크 통신 상용화로 인해 야기될 수 있는 국가 주요 인프라에 대한 사이버 보안 위협을 사전에 방지하고 궁극적으로 국가 사이버 안보 수준 향상에 초점이 맞춰졌다. 이후 5G 네트워크 통신과 관련된 사업자 및 운영자에 대한 관리 · 감독 강화에 대한 법안도 마련되었다.

2019년 11월 국가정보보안청은 공공 · 민간 분야의 사이버 보안 관리자 및 위험 관리 담당자를 대상으로 「디지털 위험관리 가이드」를 발표하였다. 국가정보보안청은 정보시스템의 보호와 관련된 규정과 정책지원 업무를 담당하는 사이버 보안 핵심기관이다. 이번 발표된 가이드 방향에 따라 관련 법 · 제도의 제 · 개정 및 정책 수립에 사이버 보안 위험관리 및 보험 부문이 강화될 것으로 전망된다. 【표 2-6】은 프랑스의 사이버 관련 전략과 국방백서를 정리한 것이다.

【표 2-6】 프랑스의 사이버 관련 전략과 국방백서 종합

년도	법 · 제도 · 전략	주요 내용
2008	국가사이버안보전략	• 사이버안보정책 제도화 • 국가정보보안청 설립
2013	국방백서	• 사이버 보안과 방어가 국방 최우선 과제임을 천명 • 사이버 공격에 대한 예방과 대응 강조
2014	사이버방위정책	• 정보시스템 보안수준 강화 및 국방부와 안보 관련기관의 적극적 대책 강구 • 국방 태세 강화를 위한 기술 · 학문 · 작전수행 · 연구개발 • 세계 주요국의 사이버 안보 전략 강화, 산업기반 지원 • '브르타뉴 단지(사이버안보협력단지)' 조성
2014~2016	사이버방위 실행계획	• 공세적 대응을 위해 식별/공격 역량 필수, 군 작전 지원을 위한 공격 역량 준비 • 공격용 사이버 무기체계 개발을 위한 연구기관 설립 • 사이버 역량 개선 : 10억 유로 투자 - 10억 중 4억 유로 : 정체불명의 전략적 기업의 데이터 보호와 암호화, 해킹 탐지, 내부 네트워크 감시 수단 구축에 사용 • 해킹, 스파이 활동에 노출된 컴퓨터 시스템 단속을 위해 안전한 전화, 암호화기술, 네트워크 감시 구현 조치 발표
2015	국가디지털안보전략	• 안전한 디지털 전환을 위한 전략목표 제시 • 사이버 안보 및 디지털 경제의 신뢰성 강화 • 사이버 안보와 경제적 역동성 간 적절한 균형 유지 • 디지털 신원확인 로드맵 수립
2016	사이버국방정책	• 사이버 공격에 응전, 제압할 공격력 갖춘 군 조직 추진 • 사이버전 병력 3,200명 확보 • 국방예산 연간 약 5천억 원 투자 • 사이버안보 예비군제도 운영
2019	5G네트워크통신운영에 대한 국가안보법	• 사이버 보안 위협에 대응하기 위해 5G 네트워크 통신장비에 대한 총리의 사전 승인을 의무화
2019	디지털 위험관리 지원을 위한 가이드	• 디지털 위험 이해 및 체계화 • 보안 기반 구축 • 디지털 위험 관리 및 사이버 보안 강화

독일은 사이버 관련법의 분산 입법으로 법률적인 난맥상을 겪던 중 「독일연방기본법」에 전자정부 조항을 입법하면서 연방 수준의 일반법인 「전자정부법EGovG: E-Government-Gesetz」을 갖추게 되었다. 이 법을 근거로 IT-행정계획회의IT-Planungsrats에서 표준화 결정과 이행이 가능하게 되었고, 연방 IT-위원회IT-Rat, der Rat der IT-Beauftragten der Bundesregierung를 통해 위의 표준화 결정을 연방 행정 수준에서 실행하게 되었다. 「연방정보기술보안청BSI: Bundesamt für Sicherheit in der Informationstechnik의 설치를 규정한 법률」은 정보기술을 준용하여 사이버 안보에 대한 다양한 역할을 수행하게 되었다.[47]

또한 행정절차법에 사이버 행위를 규율하고자 전자적 소통 조항을 추가하여 사이버 안보의 기반을 구축하였고, 2015년 사이버 안보에 관한 일반법인 「정보기술시스템의 안보를 제고하기 위한 법률일명: IT 보안법」이 제정되었다. 이로써 기술적 기준과 규제에 대한 정보 규범의 절차와 2012년에 개정된 유럽공동체 규정을 준수할 수 있게 되었다.

독일 연방군은 전략적인 측면에서 군사 및 보안 정책의 구조조정 또는 재설계가 필요하다고 보고 세 가지 필수요소를 제시하였다. 첫째, 교육과 관리 구조의 개편 둘째, 군대의 축소 개편 셋째, 이러한 변화 관리와 조치의 개념적 기초가 그것이다.

국방정책가이드라인에는 2011년 3월 18일에 채택된 독일의 방위 정책에 보안 정책이 추가적으로 보완되었다. 특히 독일의 보안 정책에서 군대의 역할을 자세히 설명하고 보안 정책 지휘부의 부족에 대해 일관되게 지적하고 있다. 군사적 위험이 수반되는 새로운 보안의 역할이 기존의 군사기지 보안 활동과 상이하다고 규정하면서 이 새로운 보안은 군사적 절차에 입각한 계획과 응용을 통해 위협 시나리오를 새롭게 정의하고 국제 환경과 국가표준을 구체적으로 정해야 한다고 설명하고 있다.

또한 보안 정책의 방향에 대해 네 가지 안을 제시하였다. 첫째, 외교 정책의 일부 둘째, 독일과 국제 안보를 위한 관심과 책임 셋째, 독일 연방군의 독특한 기능인 위협과 조직폭력을 사용하지 않는 인도적 지원 넷째, 포괄적 위험방지이다.[48]

국방정책가이드라인(VPR)
독일 연방군의 전략적 프레임워크를 설명하고 있으며, 정부의 일원으로서 독일 연방군의 예방적 보안을 임무로 상정하고 있다. 독일 연방공화국의 안보 이익과 현 상황의 평가, 현재와 미래의 가능성을 반영하는 개발 등이 정기적으로 검토되도록 하며 독일 연방군의 결합기초를 개념적으로 구성하고 있다.

또한 2015년 9월 17일 우어줄라 폰 데어 레옌Ursula von der Leyen 국방장관은 다음과 같은 명령[49] 을 통해 사이버 공간에 대한 새로운 인식을 현실화시켰다. 레옌은 "미래 사이버전에 대비하기 위한 연구 TF를 조직하라"고 지시한 후에 2016년 4월에 국방부에 사이버전을 위한 군 조직을 편성하라고 하는 등 국가 차원에서의 사이버군 창설을 주도하였다.[50]

독일 연방군은 2015년 4월 16일에 발표한 「독일 연방국방부 소관 사항의 사이버 방어전략 지침」에서 향후 사이버 작전의 이행에 있어서 사이버 공간에서의 방어작전이 지속 가능하게 편성되어야 하며 더 나아가 사이버 공간에서 더욱 발전된 작전지휘 능력을 갖출 것을 강조했다.

일례로 독일 연방정보보안청은 의료기기를 제조 · 공급하는 업체에게 의료기기 보안에 대한 생산자 공개문MDS2을 작성하도록 권장하는 가이드를 발표하였다. 이에 따라 기존에 미국에서 사용 중인 MDS2의 작성을 연방정보보안청이 권장함에 따라 독일 의료기기 제조업체들의 MDS2 작성이 확대될 것으로 보이며 독일 내 의료기기의 전반적인 사이버 보안수준이 향상됨과 동시에 사이버 보안에 대한 소비자들의 관심도 증대될 것으로 예상된다. 【표 2-7】은 독일의 사이버 관련 법 · 제도를 정리한 것이다.

【표 2-7】 독일의 사이버 관련 법 · 제도 종합

년도	법 · 제도 · 전략	주요 내용
2011	국방정책가이드라인	• 사이버 보안 : 군사적 절차에 따라 위협 시나리오를 새롭게 정의, 국제 환경과 국가 표준 구체화 • 보안 정책의 네 가지 비전 – 외교 정책의 일부 – 독일과 국제안보를 위한 관심과 책임 – 위협과 조직폭력을 사용하지 않는 인도적 지원 – 포괄적 위험 방지
2013	전자정부법	• IT–행정계획 회의에서 표준화 결정과 이행 가능 • 연방 IT위원회를 통해 표준화 결정을 연방행정 수준에서 실행 • 연방정보기술보안청의 설치
2014	행정절차법	• 사이버 행위 규율 목적 전자적소통 조항 추가
2015	정보 기술시스템의 안보 제고를 위한 법률	• 사이버 안보에 관한 일반법
	국방장관 명령	• 미래 사이버전 대비 위한 연구 TF 조직 • 2016년 4월 국방부에 사이버전을 위한 사이버 부서 조직 편성
	독일 연방국방부 소관 사항의 사이버 방어전략 지침	• 사이버 공간에서 방어 작전이 지속 가능하도록 편성 • 사이버 공간에서 더욱 발전된 작전지휘 능력 확보
2016	사이버 보안 전략 결정	• 국내를 통과하는 국외에 있는 외국인 간의 인터넷 통신을 전략적으로 감시 가능 • 독일 내 안전 확보를 위해 BND의 권한 확대
2019	의료기기의 사이버보안 강화 가이드	• 산업계와 공공기관에서 의료기기의 사이버 보안과 관련된 특징과 기능을 구조화된 형태로 표시하는 MDS2를 통신수단으로 권장

캐나다는 공공안전청PSC: Public Safety Canada이 사이버 전략과 계획에 대한 전반적인 책임을 맡아 국가 차원의 사이버 보안 전략을 수립하였다. 사이버전 관련 예산이 증액되고 있으며 다양한 정보보호업체도 보유하고 있다. 그러나 영연방 국가의 정보공유체인 에셜론 회원국으로서 정보를 공유하고 있음에도 불구하고 캐나다의 사이버 수준은 주요 우방국들에 비해 낮은 실정이며 따라서 여러 가지 사이버 위협에도 취약한 편이다.

호주는 사이버 안보기관으로 국가침해사고대응팀과 사이버보안운용센터를 설치하였고 법무부와 방송통신국, 안보국 등도 사이버 안보 업무에 관여하고 있다. 이와 같은 법 · 제도적 대응체계는 2009년 법무부에서 발표한 사이버안보전략CSS: Cyber Security Strategy에 자세히 설명되어 있다.

이 보고서에서는 사이버 안보를 '전자적 수단에 의해 처리, 저장, 전파된 정보의 기밀성, 가용성, 무결성과 관련된 조치'라고 설명하며, '국가 안보를 뒷받침하고, 디지털 경제의 혜택을 극대화하는 안전하고 복원 가능하며 신뢰받는 전자적 운용 환경의 유지'가 전략적 주요 목표임을 밝히고 있다. 이를 구현하기 위한 세부 목표는 첫째, 국민이 사이버 위험을 인식해 안전하게 자기의 컴퓨터를 보호하며 온라인에서 국민 자신의 정체성, 프라이버시, 금융 자산을 보호할 수 있는 조치를 취한다. 둘째, 기업은 무결성과 국민 자신의 정체성, 프라이버시를 보호할 수 있는 안전하고 복원 가능한 정보기술을 운용한다. 셋째, 호주의 정보 통신 기술의 안전성과 가용성을 정부가 보증한다는 것이다.[51] 호주사이버보안센터ASCS: Australian Cyber Security Centre에서는 소규모 기업이 사이버 보안 위협으로부터 적절한 대응방안을 마련하도록 필수 점검 사항을 제시하는 가이드를 발표하였다. 소기업의 경영 · 관리자를 대상으로 중요한 사이버 보안 관련 조치를 자체적으로 점검할 수 있도록 기준을 제공한다는 점에서 그 의의가 있으며 향후 소규모 기업에서 사이버 보안 대응능력을 강화하기 위한 활동이 증대될 것으로 전망된다. 【표 2-8】은 호주의 사이버 관련 법 · 제도를 정리한 것이다.

【표 2-8】 호주의 사이버 관련 법 · 제도 종합

연도	법 · 제도 · 전략	주요내용
2009	사이버 안보전략	• 사이버 안보 : 전자적 수단에 의해 처리, 저장, 전파된 정보의 기밀성, 가용성, 무결성과 관련된 조치 • 전략적 주요 목표 : 국가 안보 지원, 디지털 경제 혜택 극대화, 안전하고 복원 가능한 신뢰받는 전자적 운용 환경 유지 - 국민이 사이버 위험 인식, 자기 컴퓨터 보호, 국민 자신의 정체성, 프라이버시, 금융 자산 보호 조치 - 기업은 무결성과 국민 자신의 정체성, 프라이버시 보호를 위한 안전하고 복원 가능한 정보 기술 운용 - 정보통신기술의 안전성과 가용성을 정부가 보증
2019	소규모 기업을 위한 사이버 보안 가이드	• 소기업 대상 사이버 공격의 유형별 특징 및 조치 방법 제시 • 소기업의 사이버 보안 대응을 위한 방안 및 주요 내용

제2절 세계의 사이버 기술 확보 및 R&D[52)]

디지털 시대에 등장한 사이버 안보는 국제관계에서 기존의 이론들로 설명하기 어려운 분야이다. 전통적인 국제관계의 행위자인 국가뿐만 아니라 비국가행위자, 악성 소프트웨어와 같은 비인간 행위자가 복합적으로 관여하며, 새로운 시각을 필요로 하는 복합 네트워크적인 국제관계라고 볼 수 있다.[53)]

기술의 발달이 사회적 변화 양상을 결정할 것이라는 기술결정론[54)] 은 첨단기술의 군사 분야 진입이 향후 전쟁 양상을 변화시킬 것이라는 예측을 가져왔다. 그러나 군은 보수성이 강한 집단인 탓에 새로운 기술이 고유의 군사전통이나 문화와 충돌할 경우에도 기존 전통을 고수해 왔다. 기술 환경이 물리적인 공간에서 사이버 공간으로 급속히 전환되어 가고 있음에도 불구하고 사이버 공간을 새로운 전장으로 인식하는 나라와 사이버 군대를 창설하는 나라가 많지 않은 것도 이 때문이다. [55)]

시간이 흐를수록 사이버 공간에 대한 중요성은 점차 커지고 있다. 첨단 무기체계와 전투 요원의 융합, 각종 센서의 발달, 그 모든 것들의 능동적 결합을 통한 실시간 정보의 공유 등은 현실이 되고 있다. 그럼에도 불구하고 사이버 공간에서 사이버 기술을 통해 적의 컴퓨터 시스템 및 통신망을 공격하여 사이버 체계를 파괴하고 아군 측의 사이버 체계는 보호하는 것을 의미하는 사이버전의 개념[56)] 은 정립되었으나 아직도 사이버전에 대한 대비태세 확립은 미미한 수준이다.[57)]

무기체계는 일반적으로 공격 또는 방어 전투의 도구로 이해되며 '사람을 죽이거나 상처를 입히거나 물자 및 지역을 사용하지 못하게 하거나 재산을 파괴하거나 파기하도록 설계된 장치'로 정의된다.[58)] 그러나 이러한 물리적인 무기체계의 정의가 사이버 무기체계를 정의하는데 적합하다고 할 수는 없다. 이는 사이버 무기체계의 매개 변수인 대부분의 악성코드 또는 멀웨어는 간접적인 활동 결과를 가지도록 설계되었기 때문에 결과에 영향을 미칠 수도 있고 그렇지 않을 수도 있기 때문이다.

다른 말로 하면, 악성 프로그램 자체는 일반적으로는 사람을 죽이거나 상해를 입히거나 무능력하게 만들거나 필연적으로 유형 자산을 손상시키거나 파괴하도록 설계되지 않았기 때문이다. 재산이 디지털 네트워크 시스템, 프로그램 및 데이터를 포함하는 것이라 할지라도 재산의 피해 또는 파괴가 협소하게 정의된다면 사이버 상황을 포괄하는 정의라고 보기 어렵다는 것이다.

예를 들어, 2011년 9월에 발견된 원격조정 바이러스 트로이 목마Trojan인 듀큐Duqu의 목적은 스턱스넷Stuxnet과 같은 웜Worm의 공격을 가능하게 하도록 사전에 필요한 정보 데이터와 자산을 수집하는 것이었지만,[59] 듀큐는 시스템을 손상시키거나 파손시키지 않도록 설계되었다. '스턱스넷'이 설계 목표를 달성할 수 있었던 이유는 4년 동안 발견되지 않은 듀큐의 이러한 능력 때문이었다고 본다.

그럼에도 불구하고 사이버 무기체계가 해로움을 초래할 수 있는 능력을 지닌 것으로 정의될 수 있다는 생각이 지나치게 포괄적인 것이라고 보기도 어렵다. 그래서 등장한 대체 정의는 '공격적인 능력을 가진 악성 SW'이다.[60] 이 정의의 문제는 자명하다. 네트워크 침투 및 악의적인 코드 삽입, 정보 다운로드와 해당 네트워크에서 제공하는 서비스 중단에 이르기까지 어떤 행동을 묘사하는데 일반적으로 사용되는 '사이버 공격'이라는 용어와 마찬가지로 법적 규제에 필요한 증거가 부족하다.[61] 따라서, 지금 그것이 일반적인 효과라고 인정되는 것처럼 무력충돌법이 운영되는지 여부를 결정하는 사이버 공격 중에서 악성코드는 본질적 성격이나 목표로 하는 결과에 따라 무기체계로 간주될 수도 있다. 이것은 악성코드가 공격 능력을 가지고 있음을 입증하고 공격능력에 부합하는 방식으로 사용할 의도가 있는 경우에만 멀웨어가 사이버 무기체계로 간주된다는 뜻이다.

2011년 6월 미 국방부는 적의 핵심 네트워크를 파괴할 수 있는 바이러스를 포함하여 사이버 무기체계와 사이버 기술의 분류 목록을 개발했다고 하였다.[62] 이 발표는 사이버 무기체계의 정의에 대한 국제적 공감대가 형성되지 않은 이유가 마치 사이버 무기체계가 정의에서 벗어나는 본질적인 특성이 아니라 정치적 어려움 때문이라는 것을 시사하는 것처럼 보인다.[63] 그러나 이 내용 안에는 정책 평가와 법적 분류를 하는 데 있어 막대한 걸림돌이며 공격능력에 의존하는 대부분의 기술이 본질적으로 이중용도임을 직시하고, 악의적이지 않은 SW가 최소한 악의적인 행동으로 용도가 변경될 수도 있다는 점을 포함하고 있다. 핵무기와 달리 멀웨어의 경우 다른 무기체계와 비교되는 첫 번째 요소는 사용하기 쉽고 두 번째는 저렴하다는 장점이다. 사용 편리성과 저렴함 이 두 가지 요소는 사이버 무기체계가 범죄 조직으로부터 고독한 해커에 이르기까지 비국가행위자들에게 널리 접근할 수 있도록 해준다.

글로벌 보안업체 맥아피McAfee에 따르면 웜에서 논리 폭탄에 이르기까지 백만 개의 새로운 바이러스가 해마다 발견된다고 한다. 또한 다른 무기체계와 다르게 사이버 기술은 최소한의 비용으로 전 세계적으로 복제가 되고 배포가 가능하다. 화학무기와 달리 사이버 무기체계는 물리적 위험 없이 저장도 가능하다. 공격적인 것과 방어적인 사이버 무기체계를 구별할 수 있고 전자가 금지대상이 된다면 여전히 이중용도 SW의 문제가 남는다.

미 국방부가 2011년 의회보고서에서 지적했듯이 '이 맥락에서 사용된 대부분의 사이버 기술은 본질적으로 이중용도이며 SW조차도 악의적인 행동을 위해 최소한 재사용 될 수 있다'[64]는 것에 많은 사람들이 동의한다.

사이버 무기체계가 파괴, 저하, 악용, 통제, 기만, 변경 등 여러 속성을 가지고 있기 때문에 이중용도가 잠재적으로 오도된 것으로 간주되기도 한다. 악용하려는 악성 프로그램이 상업적 이익 또는 정보를 수집(예: 정부가 후원하는 간첩)하기 위한 것일 경우, 파괴적이거나 통제하기 곤란한 멀웨어의 유형은 듀큐와 스턱스넷의 예에서와 같다는 것을 알 수 있다.[65]

동기와 관계없이 공격자는 시스템이나 네트워크에 접속하려고 할 것이며 공격을 용이하게 하기 위하여 HW, SW, HW-SW 인터페이스, 통신의 취약점 식별표와 가입자 구성표, 사용자 또는 서비스 공급자를 함께 제공할 수도 있다.[66] Bot 또는 Botnet은 때때로 웹사이트, 네트워크, 정보수집, 컴퓨터에 숨겨진 논리폭탄 등 중요한 시간에 회로를 정지시키거나 전자회로를 손상시키거나 파괴하도록 설계될 수도 있다. 컴퓨터 회로를 파괴할 수 있는 소자는 주로 파괴, 분산 서비스거부DDoS 프로그램 등 혼란과 다른 해킹을 목표로 한다. 바이러스, 웜, 스파이웨어 또는 트로이 목마와 같은 것은 사이버 무기체계의 속성상 금지대상이 될 악성코드의 특정 범주보다 훨씬 더 많다.[67]

악성코드의 또 다른 특징은 국가가 무기체계를 배치하는 수단을 완전히 통제할 수 있는 재래식 무기와 달리 네트워크를 통해 소유권과 운영권을 보유한 민간부문 또는 개인이 존재한다는 것이다.[68] 따라서 모든 국가 간 시스템은 민간부문이 전례 없이 복잡한 분야에서도 협력할 것을 약속해야 한다. 그러나 사이버 무기체계 통제의 아킬레스건은 그러한 국제협력체계에 믿을 수 있는 검증 매커니즘이 거의 없기 때문에 지키지 않아도 된다는 사실이다.

모든 국가는 분류된 시스템을 포함하여 정부가 소유 및 사용하는 모든 컴퓨터와 저장장치를 반드시 스캔해야 하는 외부 검증 조치에 동의하지 않을 것이다. 과거의 경험에 의해 견고한 규정 준수 여부를 독립적으로 검증할 수 있는 수단은 없으면서도 멀웨어가 분출될 수 있는 용이성과 사이버 공간에서의 높은 수준의 익명성이 존재한다는 것을 알기 때문이다. 또한 악의적인 SW의 출처와 저자의 정체성과 동기부여가 곤란하고, 정교한 사이버 공격이 발생했을 때 정부의 후원에 대한 비난이 격해질 것임을 의미한다. 이는 잠재적인 적대국과의 관계에 있어서 예측 가능성을 증가시키거나 더 우호적인 분위기를 조성하지는 못할 것으로 평가된다.

이중용도 표적은 발전소, 석유 및 가스 시설, 철도 또는 기타 운송 시스템과 같이 군사 목적과 민간 목적 모두에 사용된다. 디지털 시대에 이 목록은 특정 연구시설의 컴퓨터 네트워크, 민간 및 군용 항공기를 통제하는 항공교통 통제 네트워크, 군용물자가 이동되는 전산물류시스템, 전자 그리드 제어 네트워크, 통신 노드 및 위성, 기타 우주기반 시스템 등이다. 군사 목표가 될 수 있는 대상인 경우에는 적의 군사행동에 효과적인 기여를 해야 하며, 그 목표에 대한 파괴는 공격자에게 군사적 편익을 제공해야 한다.[69] 디지털화 시대에 본질적으로 이중용도 표적의 잠재적인 대상의 수가 전례 없이 증가했을 뿐만 아니라 네트워크가 상호 연결되어 있기 때문에 악성코드를 이용한 공격의 잠재적 위험은 엄청나다.

더 심각한 것은 사이버 무력충돌의 존재를 발견하는 것이 불가능할 수도 있다는 점이다. 네트워크 또는 연결된 시스템을 파괴하거나 약화시킬 수 있는 부패, 조작 또는 직접적인 활동을 포함한 파괴적인 행동은 무력 사용에 해당하지만 인명피해와 재산상의 손해가 발생하지 않는 한 무장공격으로 발전되지 않을 수도 있다. 그러나 이와 동등한 물리적인 공격과는 달리 악성 프로그램이 여러 국가의 서버를 통해 전달되기 때문에 식별하기가 어려울 수도 있다. 아마도 다른 모든 전쟁 영역보다 사이버 영역에서의 잘못된 악성코드와 특정 악성 프로그램의 배포가 민간인에게 초래할 수 있는 해악의 수준이 모두에게 가장 큰 문제가 될 것이다.

사이버 무기체계는 비교적 저렴하기 때문에 비국가행위자들에게 널리 확대될 수 있다. 또한 중요한 사이버 공격의 근원이 되는 상대방의 신원은 공격의 중요도에 비해 상대적으로 매우 쉽게 숨길 수 있다. 전 세계 수많은 디지털 장치에 저장될 수 있는 악성코드의 모든 복사본을 파괴하는 것은 불가능하다. 따라서 효과적인 검사 또는 검증 매커니즘이 현실화되기도 어렵다.

2009년 3월 러시아 안전보장회의에서 블라디슬라브 셔스테크Vladislav P. Sherstyuk 차관보는 "전쟁이 발발했을 때 먼 거리에서 활성화될 수 있는 악의적인 코드나 회로를 비밀리에 삽입하는 것을 금지하는 조약"을 체결하자고 언급하여 사이버 무기체계를 구성하는 요소에 관해 흥미로운 관점을 제시하였다. 그러나 '어떤 국가의 군대가 물리적인 군사력에 의지하지 못하도록 하는 악성코드를 삽입하거나 사상자나 피해를 일으키지 않고 무력충돌법에서 이해할 수 있는 무기로 사용할 수 있는가?'라는 의문점이 남는다. 이런 질문은 다자간 협정이나 행동강령에 의해서는 답변이 안 되겠지만, 긴장이나 위기 상태에 있는 국가 간의 직접적인 의사소통을 용이하게 하는 귀중한 기본 틀을 제공할 수 있다고 보여진다. 사이버 공간이 초래한 가장 심각한 위협은 오인된 정체성의 결과로써 초래되는 무력충돌 가능성 또는 의도에 대한 오해이기 때문이다.[70]

무력충돌법(LOAC: Law of Armed Conflict)

국제인도법(IHL: International Humanitarian Law)은 무력충돌 시 적대행위에 가담하지 않거나 더는 가담할 수 없는 사람들을 보호하고 전투의 수단과 방법을 규제하는 법으로 무력충돌법 혹은 전쟁법으로도 알려져 있다. 국제적십자위원회가 말하는 무력충돌 시 적용되는 국제인도법이라는 것은 국제적 또는 비국제적 성격의 무력충돌로부터 직접 야기된 인도적 문제를 해결하고자 특별히 고안된 국제조약 혹은 관습법을 말한다. 국제인도법의 가장 중요한 목적은 무력충돌 시 인간의 고통을 예방하고 최소화하는 것이며, 정부와 군대뿐만 아니라 무장단체 등 무력충돌 당사자 모두가 그 규칙들을 준수해야 한다. 국제인도법의 주요 조약은 1949년 4개 제네바협약과 1977년 2개 추가의정서와 2005년 1개 추가의정서이다. 2020년 현재 총 196개국 정부가 제네바협약에 가입해 있다.

- 국제적십자위원회 홈페이지, http://kr.icrc.org/ihl/introduction/

사이버 공격과 사이버 이용의 유사점은 대상자가 둘을 구별하지 못하여 응답에서 부당하거나 잘못 알고 있는 결정의 위험을 높일 수 없다는 것을 의미한다.[71] 이것은 사이버 공간의 본성으로 인해 나타나는 사실이다. 사이버 공간에서는 보다 신속한 대응이 필요하므로 높은 수준의 위험이 발생하여 실수가 생길 수도 있다. 따라서 정식 절차적인 매커니즘을 통해 공격원을 식별하거나 도움이 되는 독립적인 기술기관을 만들어 이 문제를 해결할 수도 있다.

다각적인 합의는 신뢰구축에도 기여할 뿐만 아니라 국가가 국제법적인 원칙과 규칙을 사이버 공간과 기술에 적용할 수 있는 기회를 창출한다. 국제협력을 통해 사이버 용어에 대한 정의를 명확히 하고 국가전력망, 금융시장 또는 기관, 항공교통 통제시스템을 포함한 핵심 기반 시설에 대한 사이버 무기체계의 사용을 금지하는 합의를 잠재적으로 허용할 수 있는 기회를 제공할 수도 있을 것이다.

1996년 재래식 무기와 전략물자, 기술 수출을 통제하기 위해 출범한 다자간 전략물자 수출제재를 위한 국제 조직인 「바세나르체제(정식명칭은 재래식 무기와 이중용도 품목 및 기술의 수출 통제에 관한 바세나르체제The Wassenaar Arrangement on Export Controls for Conventional Arms and Dual-Use Goods and Technologies)」가 2013년 12월에 오스트리아 빈에서 회의를 열고 감시 및 해킹 SW와 암호화 기술 등을 수출 통제 품목에 포함시키기 위한 논의를 하였다. 국가 간 전쟁이 물리적 공간을 넘어 사이버 공간으로까지 확대되고 있다는 인식을 공유하는 가운데 바세나르체제 동맹국들이 스파이 행위나 해킹을 통한 사이버전의 억제를 위해 사이버 보안 기술의 수출통제에 합의한 것이다.

기존 바세나르체제의 규제대상 품목은 크게 재래식 군사 무기체계와 이중용도 품목 및 기술로 구분하였다. 재래식 무기체계는 UN 재래식 무기체계 등록제도에서 명시하고 있는 8개 무기품목에 대한 무기체계 명칭 및 수량 등의 실적정보를 6개월마다 제공하였고, 이중용도 품목 및 기술은 일반, 민감 품목 및 초민감 품목으로 구분하여 연 2회 실적정보를 제공하였는데 각 구분에 따라 무기체계에 대한 실적 정보의 세부 항목은 상이했었다.

그러나 이 논의를 통해 바세나르체제의 규제대상 물품 중 이중용도 품목 및 기술에 사이버 보안 기술이 일부 포함되었다. 총 9개 카테고리 가운데 4번째인 컴퓨터와 5번째의 첫 번째인 통신에 사이버 보안 기술이 포함된 것이다. 이는 각국 정보기관이 사이버 보안 기술이 적성국의 손에 넘어갈 경우 이를 활용한 사이버 공격 계획이 좌절되거나 서방 진영의 스크리닝 시스템 전반에 대한 내용과 취약점이 유출될 가능성을 우려했기 때문인 것으로 보인다.

1. 사이버전 대비에 집중하는 미국

미국의 사이버 무기체계 개발을 위한 기술 확보 및 R&D 능력은 첫째, 국방수권법에 명시된 기술정책 방향에 따라 체계적인 계획에 의해 개발되고 있으며 인프라, 예방, 대비, 대응, 복구 등 사이버 작전 단계에 맞춰 추진되고 있다. 둘째, 사이버 기술의 획득 수준은 사이버전 능력과의 직접 관련성이 증가하고 있다. 기존 연구는 정보보증, 사이버 인프라 확보 등에 관한 연구에 집중되었던 반면 최근 연구는 'Plan X'처럼 사이버전과 직접적인 관련이 높은 분야로 변화하고 있다. 셋째, 사이버전을 지원하는 인프라 개발에도 박차를 가하고 있다. 사이버 작전에 활용되는 도구 외에도 작전수행을 위한 기반기술 확보 노력을 강화하고 있으며, 사이버 전장지도를 마련하고 사이버 게놈 프로젝트와 사이버 훈련장을 개발하고 있다. 넷째, 새로운 인프라 환경을 반영하고 있다. 사이버 작전이 수행될 정보시스템 환경이 급속히 변화함에 따라 대응기술 역시 발 빠르게 변화하고 있으며 클라우드 컴퓨팅 환경과 스마트폰 환경 등 최근 변화된 환경을 반영하는 연구가 진행되고 있다. 다섯째, 융합무기체계 보안연구를 추진하고 있다. 기존 무기체계에 정보통신기술이 결합되는 융합무기체계가 등장하였으며, 드론 등 최첨단 융합무기 대상 사이버 위협에 대응하기 위한 프로그램도 추진하고 있다. 여섯째, 내부자 위협에 적극 대응하고 있다. 악의적인 내부자와 내부 취약점 등이 최근 가장 큰 사이버 위협요인으로 부각되며, 이에 대한 대응을 위해 내부자 위협 탐지 및 대응을 위한 연구 프로그램이 추진되고 있다.

미국은 2000년 1월에 「NSTISSP No.11NSA Information Assurance Directorate, Frequently Asked Questions Regarding Nation Information Assurance(IA) Acquisition Policy」을 발표하여[72] 국가 정보통신 보안시스템에 대한 보안제품을 조달할 때 국가용GOTS: Government Off-the-Shelf의 배타적 사용

정책을 국가용과 상용COTS: Commercial Off-the-Shelf을 병용하는 정책으로 변경하였다.[73] 이 정책의 변화는 ICT의 비약적 발전과 그에 따른 사이버 위협이 급격하게 증가하여 미국의 국가 정보통신 보안시스템에 대한 접근방법과 개념이 전환되었기 때문이다.

이 정책에 따라 기밀뿐 아니라 일반 자료에 대한 보안 요구사항이 발생하였으며 국가안보국이 개발, 생산하는 기존의 국가용 제품을 상용으로 대체할 수 있게 되었다. 그러나 전형적인 국가급 통신체계에 대한 보다 확고한 정보보증의 필요성은 여전히 강조되고 있다. 이는 국가 안보와 관련된 정보의 활용을 위한 모든 시스템은 정보보증이 확립되어야 하고, 평가 및 인증된 제품을 사용함으로써 가용성, 무결성, 기밀성, 부인방지가 제공되어야 한다는 정책을 확립한 것이다.[74]

미국의 정보수집용 사이버 무기체계는 전 방위적인 감시정찰 기능을 보유하고 있다. 낮은 네트워크 계층의 신호정보에서부터 상위 계층의 정보까지 감시정찰이 가능하며 감시 대상의 통신 내용뿐 아니라 위치정보, 사회관계망SNS 등 작전을 위해 사용할 수 있는 모든 정보를 수집할 수 있다. SSLSecure Sockets Layer 암호화를 무력화하는 능력도 보유하여 암호화된 상용 네트워크에 대한 감시정찰이 가능하다. 구글의 경우 이 능력의 심각성을 인식하여 암호 키의 길이를 증가시키기도 하였다. 국방 분야에서는 야전 전술적인 차원에서 센서 네트워크[75] 를 이용한 경계지역 감시 등의 작전을 수행한다. 【표 2-9】는 미국의 정보수집용 사이버 무기체계를 표로 작성한 것이다.

【표 2-9】 미국의 정보수집용 사이버 무기체계

명칭	이력 및 현황	기술적 특성
Echelon	• 관계국 : 미국, 영국, 캐나다, 호주, 뉴질랜드 • 전 세계 전화통화, 팩스, 이메일 등 도청 • 신호정보 수집/분석 네트워크	• 전 세계 행정부, 기업 등에 대한 비군사적 첩보수집
NSA ANT Catalog	• NSA 고등네트워크기술부의 기술 목록 • 2013년 Der Spiegel(독)紙가 폭로 • 대부분 사이버 해킹 가능 장비	• NSA의 사이버 정보수집 HW, SW 포함 • 총 40개의 기술, 제품을 소개한 카탈로그

명칭	이력 및 현황	기술적 특성
Plan X	• 실시간, 광대역 동적 네트워크 환경 하 사이버 작전에 대한 직관적 이해, 계획, 관리가 가능한 시스템 프레임워크와 프로토타입	• 전 세계 컴퓨터와 관련 장비의 위치를 담은 사이버 전장지도 • 노드 간 링크를 전시 • 사이버 전장지도를 이용한 사이버 작전수행
ICAS	Integrated Cyber Analysis System • 네트워크 데이터를 연합형 DB에 통합시켜놓고 상시 포렌식과 사이버 방어에 활용 가능토록 해주는 통합 사이버 분석 시스템 연구과제	• 사이버 전사가 자신이 방어할 IT 환경을 모니터링 할 수 있도록 하고 APT 공격탐지 가능

미국의 공격용 사이버 무기체계는 대상국의 방호 시스템 무력화가 가능하며 네트워크 마비와 물리적 파괴도 가능함을 스턱스넷을 통해 입증하였다. 스턱스넷은 공격 수행 이전까지 보안시스템을 우회할 수 있었다. 탐지 우회기술을 통해 지휘통제가 가능하고 Root kit, DDL hooking, Process 우회 등 시스템 내 보안 프로그램을 회피할 수 있으며 이를 통해 작전지속 능력 또한 증가시킨다.

운용 측면에서도 공격용 사이버 무기체계의 침투를 위한 다수의 Zeroday 취약점을 보유하고 있으며 다양한 침투방식을 이용하고 있다. USB를 이용한 전파와 취약한 프린터 납품 등을 통해 악성코드를 이식하기도 한다. 침투 이후 네트워크 내 목적 시스템으로 악성코드를 전파하는 방식도 이용한다. 공개된 자료에 따르면 점유율이 높은 방화벽을 우회하는 등 기존 보안 시스템을 우회하거나 무력화하여 침투가 가능하다.

【표 2-10】은 미국이 지금까지 개발했거나 개발 중인 것으로 알려진 사이버 무기체계 중 공격용 사이버 무기체계를 표로 작성한 것이며, 【표 2-11】은 방호용 사이버 무기체계를 정리한 것이다.

【표 2-10】 미국의 공격용 사이버 무기체계

명칭	이력 및 현황	기술적 특성
스턱스넷	• 관계국 : 이스라엘 • 2010년 6월 VirusBlokAda가 처음 발견 • 시만텍은 스턱스넷에 감염된 전 세계 컴퓨터 중 60%가 이란 소재 컴퓨터라고 발표	• Windows 3개의 Zeroday 취약성으로 제작, 감염되는 최초의 산업시설 감시, 파괴용 악성코드 • 500KB의 대용량, C와 C^{++} 등 여러 언어로 작성
듀큐(Duqu)	• 산업용 제어시스템의 정보수집용 원격접속이 가능한 트로이 목마 • 다수의 변형 듀큐 지속 발견	• 산업용 제어시스템 제조업체 등에 침투하여 핵심 정보를 수집 • 향후 제3자 공격이 용이하게 백도어 설치
Flame	• 관계국가 : 이스라엘 • 2012년 발견, 고급 표적공격형 악성코드 • 보안 시스템 해제 기능 • 이란 핵 개발 겨냥, 사이버 전쟁용 악성코드	• Windows의 Zeroday 취약성으로 감염 • 네트워크, USB로 감염 후 백도어 설치 • ITU는 '슈퍼사이버 무기체계'로 명명

【표 2-11】 미국의 방호용 사이버 무기체계

명칭	이력 및 현황	기술적 특성
CGC	Cyber Grand Challenge • DARPA 주최 AI사이버해킹대회	• 현 사이버 방어의 수작업을 AI로 전환하기 위한 대회 • 2016년 8월 : Mayhem 최종 우승
HACMS	High Assurance Cyber Military System • 안전요건, 보안요건을 만족시키는 것을 보장할 수 있는 물리-사이버 융합무기 개발을 위한 설계 및 검증기법 연구과제	• 정형기법에 기반 한 실행 코드의 보안성, 안전성, 기능성 검증기법 제공 • 쌍방향의 SW 합성 시스템과 모델 점검도구, 이론 증명도구와 같은 검증도구들과 명세 언어로 구성
CSFV	Crowd Sourced Formal Verification • 정형기법 검증 시 요구되는 보안 기능 집합을 최소화하고 검증을 대중적으로 수행하기 위한 게임 형식의 접점 역할로 개발	• 효율적이고 효과적인 소스 보안 검증 수행방법 개발
MRC	Mission Oriented Resilient Clouds • 군 클라우드 네트워크 환경의 보안 위험들에 효과적으로 대응하기 위해 공격을 탐지하고 대응하기 위한 기술연구 과제	• 군 클라우드가 공격을 받는 중에도 본연의 기능과 임무수행 가능 • 분산 클라우드 보안을 통해 효과적으로 네트워크를 방어할 수 있는 복원력 있는 클라우드 기술
XD3	Extreme DDoS Defense • 저용량 DDoS 공격에 대한 복원력 향상 기술 • DDoS 공격에 대한 전반적인 방어기능을 극대화하기 위해 새로운 알고리즘의 공식화, SW Prototyping을 통한 시연과 평가 포함	• 공격자를 혼란스럽게 하기 위해 자산을 분산 • 네트워크 기동을 통해 자산의 특성과 동작을 위장 • Endpoint에 적응형 완화기술 적용

명칭	이력 및 현황	기술적 특성
CFAR	Cyber Fault Tolerant Attack Recovery • 사이버 결함, 허용 공격 복구 과제 • 모든 군용, 민용 정보체계의 기존 작업개념을 변경하지 않고 기존 및 미래의 SW체계를 보호하기 위한 사이버 방어 기술 분야의 획기적 돌파구를 연구	• 접근이 불가능한 소스 코드에 접근을 가능하게 하는 기술
RADICS	Rapid Attack Detection, Isolation and Characterization System • 미국의 중요 인프라에 대한 사이버 공격 탐지 및 대응을 위한 기술 개발	• 전력망의 임박한 사이버 공격에 대한 초기 경고, 상황 인식, 네트워크 격리 및 위협 특성 파악에 관심 • 잠재적 기술에 이상 탐지, 작전계획, 자동화된 추론, 기존 산업 제어시스템 장치의 사이버 위협에 대한 신속한 포렌식 특성 분석 등 포함
CKC	Cyber Kill Chain • 록히드마틴이 최초로 제시한 사이버전 운용 개념 • APT방어에 관한 백서에서 첨단 공격활동을 파악하기 위한 기준 수립 • 기존 인프라 방어 장치를 이용한 대응방안 제시	• 적 공격이 이루어지기 전 공격 과정의 하나를 사전에 탐지하여 제거함으로써 모든 공격을 수포로 돌아가게 함
EdgeCT	Edge Directed Cyber Technologies for Reliable Mission Communication • WAN 또는 암호화 경계를 변경할 필요가 없는 보안 네트워크 기술 • 실시간 Streaming 비디오와 오디오 파일 전송, 상황인식 등 다양한 사용자 어플리케이션을 가능하게 하는 강력한 통신을 인식하고 지원	• WAN Edge단에서 사용자 독립 영역 내의 컴퓨팅 장비에 새로운 기능을 추가하여 IP 네트워크에 대한 통신탄성을 강화함 • 실시간 망 분석, 전체적인 의사결정 시스템, 동적으로 설정 가능한 Protocol Stack을 통해 사이버 공격을 완화시킴 • 군 암호 장비 앞, 독립 영토 내에 단독 배치
CP / CV	Cylance Protect / CylanceV • Cylance는 사이버 보안에 AI와 DL을 적용한 최초 업체로 컴퓨터 바이러스나 악성코드가 사용자 컴퓨터에 영향을 미치기 전에 방어하는 것을 목표로 함	• Cylance Protect : 종단에서 실행되는 악성코드를 AI 기법으로 실시간 탐지 방어 • CylanceV : 네트워크 장비, Endpoint SW, Service Platform을 로컬 단에서 보안 관점으로 통합관리 할 수 있는 솔루션
NCR	National Cyber Range • 온라인 사격장에서 사이버 공격 연습 및 효과 확인 • 2011~2012년 개발	• 사이버 전장의 특성 파악 및 창조적인 전략을 수립하고 고도의 기술 사용을 위한 능력 배양
In-Q-Tel	사이버 기술 확보 정책 • CIA가 정보수집과 비밀공작에 필요한 신기술을 확보하기 위해 관련 벤처기업을 육성하는 투자회사 • 1990년말 의회 승인, 운용자금 연 1억2,000만 달러 • NSA, FBI, DoD가 소액 투자자로 참여	• 사이버 보안 가시화 기술, 실시간 비주얼 분석 기술, AI기술을 적용해 악성코드가 문제를 일으키기 전에 차단하는 기술 등 연구 및 확보

【표 2-12】는 위키피디아에 공개된 NSA ANT Catalog를 정리하여 사이버 무기체계의 명칭과 기술을 표로 작성한 것이다. NSA ANT Catalog에는 NSA에서 사용할 수 있는 HW 및 SW 감시기술에 대한 코드 워드Code Word 참조가 들어 있다. NSA ANT Catalog의 문서목록은 NSA의 맞춤형 액세스 작업TAO과 사이버 감시에 도움이 되는 고급 네트워크 기술ANT별로 분류되어 있다.

대부분의 장치는 이미 미국인 및 Five Eyes 동맹 회원이 사용할 수 있는 것으로 설명되어 있다. 2013년 12월 30일에 NSA ANT Catalog를 공개한 독일의 일간지 「Der Spiegel」에 따르면 '목록은 다른 NSA 직원이 ANT 부서의 기술을 주문하여 대상 데이터를 도청할 수 있는 우편 주문 카탈로그와 비슷하다'고 한다.

【표 2-12】 NSA ANT Catalog에 수록된 사이버 무기체계[76)]

명칭	기술 / 제품 내용
BULLDOZER	• NSA 직원이 시스템을 무선으로 원격 제어할 수 있도록 숨겨진 무선 Bridge를 만드는 기술
CANDYGRAM	• GSM Handphone Tower를 Emulate하는 40,000달러 Tripwire 장치
COTTONMOUTH	• Trojan SW를 설치하고 무선 Bridge로 작동하여 대상 컴퓨터에 대한 은밀한 원격 Access를 제공하는 데 사용할 수 있는 수정된 USB 및 Ethernet Connector 제품
COTTONMOUTH-I	• Trinity를 Digital Core로, Howlermonkey를 RF Transceiver로 사용하는 USB Plug • 2008년 비용 : 50대 / 1백만 달러
COTTONMOUTH-II	• USB Socket에 설치되며 50Unit 당 200K에 불과 • 대상 시스템에 추가로 통합되어 배포된 시스템으로 전환
COTTONMOUTH-III	• 50대 / 1.25M 누적 Ethernet, USB Plug
CROSSBEAM	• 음성 데이터를 수집하고 압축할 수 있는 GSM 통신 모듈
CTX4000	• 'off net' 정보복구를 위해 목표 시스템 조명이 가능한 연속파 레이더 장치
CYCLONE-HX9-GSM	• 기지국 Router
DEITYBOUNCE	• Mother Board BIOS 및 RAID Controller를 통해 Dell Power Edge Server에 Backdoor SW 삽입물을 설치하는 기술
DROPOUTJEEP	• Module식 임무 Application을 사용하여 특정 신호정보 기능을 제공하는 Apple iPhone의 SW 완성 기능 장치에서 파일을 원격으로 Push/Pulling 하는 기능 • SMS 검색, 연락처 목록 검색, 음성 메일, 위치정보, Hot microphone, Camera Capture, Cell tower 위치 등 명령, 제어, 데이터 출입은 SMS Massaging과 GPRS Data 연결을 통해 발생

명칭	기술 / 제품 내용
EBSR	• 802.11 / GPS / Handset 기능이 내장된 Tryband 활성 GSM 기지국
FEEDTROUGH	• Juniper Network 방화벽에 침투할 수 있는 SW로 NSA가 배포한 다른 SW를 Main Frame 컴퓨터에 설치 가능
FIREWALK	• 표준 RJ45 Socket과 동일하게 보이는 장치로 무선기술을 통해 데이터를 주입하거나 모니터링 하고 전송 가능 • Howlermonkey : RF 송수신기 사용. 대상 컴퓨터에 VPN 구성 가능 • 2008년 비용 : 50 대당 537,000달러 • FOXACID : Packet 수준에서 Spyware를 감염시킬 수 있는 'Quantum insert'를 사용하여 Spyware를 설치할 수 있는 기술
GINSU	• 컴퓨터에서 PCI bus장치를 사용하고 시스템 부팅 시 자체적으로 재설치할 수 있는 기술
GOPHERSET	• 전화의 SIM Card API (SIM Toolkit 또는 STK)를 사용하여 원격으로 전송된 명령을 통해 전화를 제어하는 GSM SW
GOURMETTROUGH	• 특정 Juniper Network 방화벽을 위해 사용자가 설정할 수 있는 지속성 Implant
HALLUXWATER	• Huawei Eudemon 방화벽에 대한 Backdoor
HEADWATER	• Huawei Router의 Packet 수준에서 Spyware를 감염시킬 수 있는 'Quantum insert'를 사용하여 Spyware를 설치할 수 있는 영구 Backdoor 기술
HOWLERMONKEY	• Digital Process 및 다양한 이식방법과 함께 시스템에서 데이터를 추출하거나 원격으로 제어할 수 있게 하는 RF Transceiver
IRATEMONK	• Maxtor, Samsung, Seagate 및 Western Digital에서 제조한 HDD의 Firmware에 침투할 수 있는 기술
IRONCHEF	• 컴퓨터 I/O BIOS에 자체 설치하여 네트워크에 '감염'시킬 수 있는 기술
JETPLOW	• Cisco PIX 시리즈 및 ASA 방화벽에 영구 Backdoor를 만들기 위해 이식할 수 있는 Firmware
LOUDAUTO	• 30달러의 오디오 기반 RF 역반사기 청취 장치
MAESTRO-II	• 타 제품의 HW Core 역할을 하는 Multichip Module. 이 Module은 66MHz ARM7 Processor, 4MB Plash, 8MB RAM 및 50만 Gate FPGA를 포함 • 2008년 단가 : 3~4,000달러 • 이 Module은 HC12 microcontroller를 기반으로 한 이전 세대 모듈을 대체
MONKEYCALENDAR	• 숨겨진 Text Massage로 휴대전화의 위치를 전송하는 SW
NIGHTSTAND	• 최대 8 mile의 거리에서 Microsoft Windows를 무선으로 설치하는 휴대용 시스템
NIGHTWATCH	• AGRANT 신호의 비디오 데이터를 재구성하고 표시하는 데 사용되는 휴대용 컴퓨터. CTX4000과 같은 Radar Source와 함께 사용되어 대상을 비추어서 대상으로부터 데이터를 수신

미 국방부는 2011년 5월 「사이버 보안을 위한 국제전략International Strategy for Cyberspace」[77]을 발표하여 사이버 공간에 대한 기본원칙을 확립하고 국제적인 공조체제를 강화하는 계기를 마련하였다. 사이버 공간에 대한 기본원칙은 세 가지로 첫째, 기본적 자유권의 보호 둘째, 프라이버시 셋째, 정보의 자유로운 흐름이다. 또한 같은 해 7월에 발표한 「사이버 공간에서의 작전 행동에 대한 국방부 전략」은 첫째, 사이버 공간을 새로운 전쟁공간으로 규정하고 둘째, 수동적 방어를 넘어선 적극적인 방어를 제시하고 있다.

2013년 6월 오바마 대통령은 「대통령 행정명령 20호 : PPD-20」를 발령하고 사이버 보안과 사이버 공간을 보호하기 위한 원칙과 절차를 제시하였다. 이는 2012년 10월에 오바마 대통령이 서명한 행정명령으로써 2003년에 부시 대통령이 서명한 기밀 지침인 국가안보지침NSPD-38을 대체하는 것인데 국가안보국 분석관인 에드워드 스노든에 의해 2013년 6월에 공개되었다. 또한 오바마 대통령은 PPD-20에서 국가 기간망을 흔드는 사이버 공격을 전쟁행위로 간주한다고 천명하면서 이러한 사건이 발생하면 사전 경고 없이 무력으로 대응하겠다는 방침도 발표하였다.

오바마 「행정명령 PPD-20」의 주요사항은 첫째, 정부의 사이버 보안에 중점을 두고 있다. 둘째, 사이버 위협의 진화와 발전을 고려한다. 셋째, 사이버 운영원칙과 프로세스를 수립하여 사이버 도구가 모든 국가 보안 도구와 통합되도록 한다. 넷째, 이전에 사이버 공간을 위한 국제전략에 명시된 대로 국내 및 국제적 가치에 부합하는 정부 차원의 접근방식을 제공한다. 다섯째, 이러한 원칙과 프로세스의 목표는 미국의 역량을 보다 효과적으로 계획, 개발, 사용하는 것이다. 여섯째, 이 정책을 통해 미국은 사이버 위협에 유연하게 대응할 수 있으며 동시에 미국이 직면한 위협을 다루는데 자제력을 행사할 수 있다. 일곱째, 위협을 완화하는 데 필요한 최소한의 조치를 취하고 네트워크 방어 및 법 집행을 우선처리 하는 방침으로 우선순위를 정하는 것이 미국의 방침이라고 하였다.[78]

2015년 4월 미 국방부는 「국방사이버전략The DoD Cyber Strategy」을 통해 사이버 공간을 기존 물리적인 공간과 동일하게 취급하여 물리적인 군사력도 사용하겠다는 구상을 발표하였다. 미 국방부 사이버 임무의 5가지 전략목표는 첫째, 사이버 작전수행을 위한 전력과 역량을 구축하고 유지하는 것이다. 둘째, 국방부의 정보망과 자료보호 및 임무에 대한 위협을 제거하는 것이다. 셋째, 사이버 공격으로부터 미국 및 미국의 필수적인 국익에 대하여 방어준비를 완비하는 것이다. 넷째, 분쟁이 확대되는 것에 대한 통제를 위하여 선택지를 준비하고 적대 세력의 교란을 위한 사이버 작전계획을 수립하고 유지하는 것이다. 다섯째, 위협의 억제를 위한 동맹국과 협력국과의 관계를 공고히 하는 것이다. 이를 위해 사이버 기술과 수단으로 미국의 안보에 위협을 가하는 적대세력에게 억제력과 사이버 공격을 통해 미국의 사이버 안보수호 의지를 강력하게 전달하려는 것이다.

미국은 1990년대 냉전이 종식되면서 본격적으로 사이버전에 대한 역량을 구축하기 시작하였고 사이버전 수행의 중심 기관을 국가안보국으로 정하였다. 국가안보국의 핵심 임무 중 하나는 컴퓨터네트워크작전CNO: Computer Network Operations이다. 이는 미국과 그 동맹국들이 어떠한 상황에서도 정보우위를 달성하기 위한 작전이다.[79]

그러던 중 911 테러 이후 사이버전에 대한 역량도 통합의 과정을 거쳤다. 당시까지 각 정보기관에 분산되어 있던 사이버전 수행기구를 정부기관 및 민간기관과 국방 분야로 구분하여 통합하였다. 정부기관 및 민간 분야는 국가사이버보안처NCSD로 통합하였고, 국방 분야는 전략사령부 예하의 사이버사령부로 통합하였다.

(그림 2-1)은 미국의 사이버 조직을 도식화한 것이다. 백악관으로부터 국방부와 국토안보부가 사이버안보조정관과 유기적인 관계를 형성하고 있으며 말단 조직까지 원활한 지휘관계가 구축되어 있는 것을 알 수 있다.

(그림 2-1) 미국의 사이버 조직

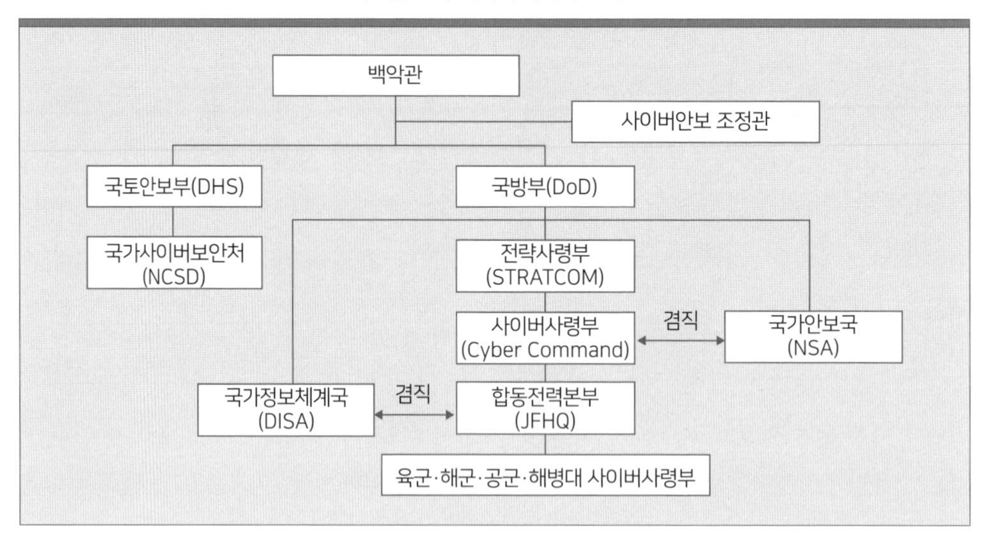

국방 사이버사령부는 예하에 각 군 사이버사령부를 두고 있다. 사이버사령부는 각 군에서 파견된 6,000여 명이 130여 개의 작전팀에 배속되어 주요국에 대한 사이버 공격과 미국의 기반시설 보호 임무를 담당한다. 미 국방부는 사이버전의 핵심기관으로써 방어에서 공격으로 전환하는 Key Player의 위치를 점하고 있다. NSA는 PRISM[80] 을 통해 전 세계를 대상으로 안보위해(危害) 첩보를 수집하고 있다.

미 방위고등연구계획국DARPA: Defence Advanced Research Project Agency은 1958년 위성 개발에서 러시아에 선두자리를 빼앗긴 이후일명: Sputnik Shock 창설되었는데, '경쟁 국가에게 기술로 기습당하지 말자'를 모토로 정하고, 인터넷의 기원이 되는 ARPA Net을 최초로 만들어냈다. 최근에는 사이버 무기체계에 대한 연구도 꾸준히 진행하고 있는 것으로 알려져 있는데 미국이 사이버전을 준비하기 위한 사이버 무기체계 관련 R&D는 【표 2-13】과 같다.

【표 2-13】사이버전 대응기술 유형과 미국 사이버전 관련 R&D 사례[81]

대분류	중분류	소분류	미 DARPA 연구 Program
사이버전 방어무기체계 기술	예방	사용자 인증	능동 인증
		군사 데이터 및 통신보안	암호화 데이터 실행
			안전한 전장 통신
		국방 시스템 / 네트워크 취약점 최소화, 정보 보증, 공급망 보안	사이버 보안프로그램 자동분석
			보안 호스트 설계
			고 신뢰 사이버 융합무기체계
			클라우드 소스 정형 기법 검증
			군용 네트워크 프로토콜
			신뢰할 수 있는 집적회로
사이버전 방어무기체계 기술	대비	내부자 위협 탐지	대규모 이상 탐지
			사이버 내부자 위협
		국방시스템 위협 모니터링	통합 사이버 분석 시스템
			복원력 있는 임무 기반 클라우드
			확장 가능한 네트워크 모니터링
	대응	국방시스템 공격 대응 및 포렌식	컴퓨터 기반 웜 공격에 대한 동적 검역
			사이버 게놈 프로젝트
	복구	국방시스템, 데이터, 통신복구	복원력 있는 임무 기반 클라우드
			안전한 전장 통신
사이버전 지원 인프라 기술		사이버전 참조 데이터 세트 개발	사이버 게놈 프로젝트
		사이버 전장 프레임워크 및 시각화 기술 개발	플랜
			통합 사이버 분석 시스템
		사이버 훈련장 개발 및 운영	국가사이버 훈련장

또한 방위고등연구계획국은 2012년 9월부터 'Plan X'를 가동하여 미 국방부의 사이버 임무를 실시간으로 파악하고 대규모 네트워크 환경을 이해 · 운용할 수 있는 혁신적 기술개발을 목표로 하고 있다.

Plan X의 핵심전략은 첫째, 공격 국가의 통신 및 레이더를 무력화하여 정보시스템을 교란하고 재래식 혹은 디지털 전투력을 지원하는 것이다. 둘째, 전 세계 컴퓨터의 위치를 담은 사이버 지도를 작성하여 사이버 공격으로부터 미국을 보호하고 즉각적인 대응으로 공격 국가를 반격하거나 제압하는 것을 목표로 하고 있다. 미국은 【표 2-13】에서 보는 바와 같이 사이버 공간을 어떻게 방호할 것인가에 대한 끝없는 연구와 기술개발에 박차를 가하고 있다. 특히 이것을 정부가 주도함으로써 국가가 안전한 사이버 공간을 국민들에게 제공한다.

우리 실정과 이를 비교해 본다면 우리나라는 사이버전을 대비하기 위한 높은 기반기술을 확보하고 있음에도 불구하고 사이버 무기체계를 무기체계로 뒤늦게 편입시켰으며 운영개념 확립 또한 미미하다. 이에 따라 국가 및 군사적으로 정보통신망에 대한 공격이 급증함에도 불구하고 공격에 대한 능동적인 대응이나 공격자에 대한 신속한 식별이 불가하여 적절한 대응을 못하고 있는 실정이다. 반면 사이버 전투력 분야에서도 역시 최강을 자랑하는 미국은 사이버 위협에 어떻게 대응하고 있는지를 보여주는 사례를 좀 더 자세히 알아보자.

사례 #1. 록히드마틴(Lockheed Martin)

*2011년 3월 미국의 보안업체인 RSA사의 Secure ID정보가 탈취당하는 해킹사고가 발생하였다. RSA사의 Secure ID는 세계 많은 나라에서 고객인증 수단으로 사용하는 토큰 방식의 OTP 시스템이다. RSA를 해킹한 범죄자들은 RSA 직원들을 대상으로 한 이메일 공격을 시도하여 직원들이 백도어가 심겨진 메일*2011 Recruitment plan.xls*에 첨부된 엑셀 파일을 열어보도록 유인하였다.*

채용과 관련된 메일은 이직이 비교적 자유롭고 활발한 IT업계의 직원들에게는 너무나도 흔한 것이었기 때문에 아무런 의심도 받지 않았다. RSA 직원들은 파일을 열어보았고, 그 순간 악의적인 백도어가 PC 내부에 설치되었다. 백도어는 RSA Secure ID 정보에 접근할 수 있도록 프로그래밍 되어 있었다.[82]

*범죄자들은 파일에 어도비 플래시 플레이어의 Zeroday 취약점*CVE-2011-0609*을 이용하여 공격하였다. 이 공격의 특징은 최종 목표를 공격하기 위해 보안업체를 먼저 공격했다는 점이다. 이는 정교한 목표를 공격하기 위한 정밀 준비 작업을 통해 더 큰 공격을 예고하는 것이었지만 당시에는 아무도 알지 못하였다.*

2011년 4월 12일에 한국에 있는 농협 전산망의 자료가 대규모로 손상되고 서버 273대가 파괴되는 해킹사건이 발생했다. 그 후 4월 26일에 이 사건을 우리나라 검찰에서는 북한의 소행이라고 발표하였다. 농협의 서버 유지보수를 맡은 외주업체인 '한국 IBM' 소속의 직원이 업무용 노트북으로 커피숍에서 웹 하드드라이브의 영화를 내려 받다가 악성코드에 감염되었고, 이를 이용하여 7개월 동안 IP, 최고관리자 비밀번호 등 정보를 탈취한 후 원격제어로 공격 프로그램을 실행한 것이라는 설명이었다.

당시 검찰이 발표한 결과는 다음과 같다.

① 해킹에 사용된 IP는 북한 정찰총국이 사용하는 IP이다.
② 농협 측의 허술한 보안 구조도 원인 중 하나다.
③ 악성코드의 구조가 77DDos, 34DDos 때 사용된 것과 같다.
④ 한국 IBM 직원의 노트북 PC에 있는 랜 카드의 맥(Mac) 주소가 북한이 사이버공격용으로 관리해 온 좀비 PC 201대 중 하나의 번호와 같다.
⑤ 무선통신을 사용하여 방화벽을 우회해 노트북에 접근하였다.
⑥ 북한은 1990년대부터 사이버전을 준비하고 있었고 세계 최고의 해킹기술을 보유하고 있다.

그러나 이 발표 후에 국내 보안업계에서는 무리한 조사 결과라는 비판이 제기되었다. 가장 큰 이유는 해킹의 목적이 불분명하다는 점이었다. 북한이 한국의 제1금융권을 공격한 후에 얻은 이익이 없다고 봤기 때문이다. 7개월 동안 공을 들인 해킹의 결과가 불특정 다수의 개인정보 피해자만 발생시키는 결과를 초래했다는 것을 수용하기 어렵다는 것이 당시 보안업계의 분위기였다.[83)]

그러나 이는 2011년 록히드마틴 등 미국의 방산업체가 공격당함에 따라 RSA사 Secure ID를 사용하는 농협을 대상으로 동일 시스템을 사용하는 록히드마틴을 공격하기 전 예행연습을 한 것으로 추정되면서 해킹의 목적이 수긍되는 분위기로 반전하였다.

미국의 대표적인 방산기업 록히드마틴은 F-35와 사드THAAD 등을 생산하는 세계 10위권의 방산업체이다. 당시 록히드마틴의 전산망에는 이라크, 아프가니스탄 등에서 사용되는 첨단 군사기술과 개발 중인 첨단 무기체계 등에 대한 민감한 정보가 포함된 것으로 알려졌다.

록히드마틴의 시스템 보안은 EMC사가 맡고 있었는데, 이 회사가 RSA사의 보안체계인 Secure

ID를 사용하고 있었다. Secure ID는 특정 사이트에 접속 시 다른 비밀번호를 사용하는 토큰 등의 이중 인증 요소를 기반으로 기업 데이터와 네트워크를 보호하는 기술을 사용 한 것이다.[84]

록히드마틴을 공격한 해커는 RSA사의 Secure ID인증과 관련된 정보를 빼내어 농협에서 실습을 한 후 최종 목표인 록히드마틴에서 첨단 무기체계 기술을 빼내간 것으로 판단된다. 이를 증명이라도 하듯이 중국은 2014년 11월 11일 광동성에서 개최된 주하이(珠海) 에어쇼에서 J-31이라는 스텔스 기를 일반에 최초로 공개하였는데 그 외형이 록히드마틴이 개발한 F-35와 똑같았다.

중국은 원래 J-60이라는 명칭의 스텔스기를 개발할 예정이었다. 그러나 당시 중국의 기술력으로는 너무나 복잡한 기술이 요구되어 부득이 취소한 것으로 알려졌으나, 록히드마틴 해킹사건 이후 F-35와 동일한 외형과 엔진 추력을 가진 비행기가 사람들 앞에 출현한 것이었다.[85]

2011년 발생한 중국의 해킹 사건 이후 록히드마틴은 사이버 무기체계 분야로 업무영역을 확장하였다. 이후 록히드마틴이 사이버전 운용개념으로 내세운 것이 바로 사이버 킬 체인Cyber Kill Chain[86] 이다. 킬 체인이란 '파괴하려는 표적에 대한 탐지부터 파괴까지의 연속적이고 순환적인 과정으로, 그 단계를 몇 개의 활동으로 구분한 것'을 의미하는데, 이 개념은 미국 방산업체가 사이버전에 대하여 선제적으로 주장한 대표적인 운용 개념으로 현재까지도 많이 인용되고 있다.

록히드마틴의 사이버 킬 체인은 총 7단계로 구성된다. [87]

① 정찰(Reconnaissance) : 공격 목표와 표적을 조사하여 식별하고 선정, 해커는 스피어 피싱 메일에 사용하기 위하여 록히드마틴의 직원들 이름을 회사 웹 페이지나 회사의 공식적인 발표문에서 찾아낸다. 특히 정부사업 담당이나 홍보분야 일을 하는 사람의 경우가 좋은 표적이 된다.
② 무기화(Weaponization) : 자동화 도구 등을 이용하여 공격을 위한 사이버 무기체계 준비, 분석팀이 멀웨어의 증거를 세밀히 찾아서 이메일에 첨부된 감염된 PDF 파일 등을 찾아내어 DB로 구축한다.
③ 유포(Delivery) : 표적 시스템에 사이버 무기체계를 전달, 이메일이나 감염된 USB 드라이버를 이용하여 멀웨어를 보낸다.
④ 악용(Exploitation) : 애플리케이션이나 OS의 취약점을 이용하여 사이버 무기체계의 작동을 촉발, 분석팀이 Zeroday Attack을 위한 취약점을 발견하는데 집중한다.
⑤ 설치(Installation) : 표적 시스템에 악성 프로그램을 설치한다.
⑥ 명령 및 제어(Command & Control) : 표적 시스템에 원격 조작을 위한 채널을 구축하여 호스트 컴퓨터와 통신을 한다.
⑦ 목적달성(Actions on Objectives) : 정보 수집이나 시스템 파괴와 같은 소기의 목적을 달성하는 것으로 자료 · 민감 정보 수집, 데이터의 무결성 훼손, 시스템 파괴 등을 한다.

2011년에 발생한 록히드마틴 해킹사건은 사이버 무기체계에 대한 보다 직접적인 관심을 촉발하였고, 국가를 포함한 기업까지도 사이버 무기체계에 관심을 갖게 되는 계기가 되었다.

사례 #2. 미 국가안보국

2004년 국가안보국은 이라크 반군이 공격이나 부비트랩 설치를 위해 이용하는 통신체계를 해킹하여 정보수집 프로그램을 심고 적의 중요정보를 탈취하는 계획을 수립하였다. 미국이 만든 해킹 기술과 도구에는 악성 컴퓨터 바이러스처럼 가장 혁신적이고 그 효과를 예측하기 어려운 무기들도 포함된다. 멀웨어라고 불리는 악성 SW 하나가 컴퓨터 속으로 침입하면 그 컴퓨터 안에서만 활동하지 않고 연결된 컴퓨터로 퍼져나갈 위험이 항상 있다.

2004년 9월 국가안보국은 휴대폰 전원이 꺼진 상태에서도 위치 확인이 가능한 'The Find'라는 사이버 비밀 기술을 개발하였다. 이 기술을 통해 알카에다 이라크 지부에서 주요 IED 공격을 자행하는 인사들을 찾아내었다. 이 기술이 주효했던 것은 이라크 대통령 사담 후세인이 축출된 후 최초로 이라크에서 사업을 전개한 사람들이 휴대폰 사업자들이었기 때문이다. 무선통신은 유선통신보다 저렴했기 때문에 휴대폰 사업은 급속한 신장세를 보였다. 국가안보국은 15개월 동안 IED 공격을 해당 지역에서 90%나 줄일 수 있었다.[88] 또한 무선으로 인근의 컴퓨터를 도청할 수 있는 '폴라브리즈Polarbreeze'[89] 를 개발했다. 이 무기체계는 일종의 데이터 도청장비인데 몇십 미터 떨어진 방에 있는 컴퓨터를 무선으로 해킹할 수 있다.

국가안보국이 개발한 사이버 기술에는 익명으로 인터넷에 접속할 수 있게 해주는 토르Tor: The Onion Routing도 있다. 이 프로그램은 인터넷 활동 중에 자신의 위치를 숨기려는 사람들이 이용한다. 토르는 인터넷에 어두운 구석Dark web을 만들어 주고 이용자들은 그곳에서 익명으로 마약과 무기, 컴퓨터 바이러스와 해킹 서비스 등 불법 상품과 서비스를 매매한다. 그러나 익명성은 사이버 활동의 걸림돌이 되기도 한다. 표적의 위치를 모른다면 아무리 뛰어난 해커도 공격을 할 수가 없다.

토르는 사용자가 익명으로 접속하고자 할 때 SW가 자동으로 수천 개의 중개지점이 있는 네트워크로 끌어들이고 토르 내부의 트래픽은 네트워크의 여러 층을 거치면서 암호화된다. 사용자가 사이트에 접속하면 그의 데이터는 여러 차례 암호화되면서 여러 중개지점을 돌아다니므로 그 위치를 특정하기가 거의 불가능해진다. 따라서 토르를 이용하여 익명성을 확보하면 법집행 기관이나 정보기관의 추적을 피할 수 있다.[90] 그래서 2006년부터 토르의 익명성을 없애기 시작했다.

국가안보국 분석팀은 전 세계의 수많은 SW와 HW, 네트워크의 장비들을 대상으로 취약점을 찾고 있다. 이것이 소위 Zeroday Attack[91] 용 사이버 무기체계(이하 Zeroday)를 만들기 위한 소중한 재료가 된다. 아직 알려지지 않은 취약성을 찾아내어 방호방법이 갖춰지기 전에 공격하는 것으로 Zeroday는 가장 효과적인 사이버 무기체계로 불린다. 그러나 단 1회성이라는 단점이 있기는 하다. 시스템 내에서 방어가 결여된 지점의 표적이 Zeroday Attack을 파악하면 빠르게 패치를 할 것이기 때문이다.

정보기술 연구 및 자문회사인 미국 가트너Gartner사가 발표한 2017년 보고서에서 "취약점 공격의 99%가 알려진 취약점에 기초하고 있으며 그 중 상당수는 해결할 수 있는 보안 업데이트가 있다"고 하였다.[92] 국가안보국이 중국 시스템에 사용할 목적으로 구매하여 비축해 둔 Zeroday만 2,000개가 넘는다는 보고도 있다.[93] 미국이 이스라엘과 협력하여 만든 스턱스넷도 Zeroday Attack 도구 3개로 구성한 것이다. 그러니 2,000개의 Zeroday Attack 도구를 비축한 것은 사이버전의 핵무기 저장고라고 할 수 있다.

미 국가안보국이 Zeroday Attack 지식을 IT 기술의 허점을 막는 데 이용하는 것은 분명하겠지만 군사용이나 정보기관용으로도 제공할 것이 틀림없다. 그러나 그것을 공개하지는 않을 것이다. 만일 공개한다면 Zeroday Attack 도구로서의 효과도 없어지고 무용지물이 될 것이기 때문이다. NSA는 2013년에만 Zeroday 구매 예산으로 2,500만 달러 이상을 배정했으며, 예산 확보를 위한 내부 문서에는 'SW 취약성을 은밀히 구입'이라고 기록되어 있다.[94]

2. 미국을 능가하는 수준의 중국

중국은 1990년대 초반 미국의 네트워크 중심전NCW: Network Centric Warfare에 영향을 받아 사이버 무기체계를 본격적으로 개발하게 되었다. 2008년 이후에는 네트워크전과 전자전을 결합하여 인터넷 폭탄 등의 공격수단과 전자기 엄폐물 등의 방어수단으로 구성되는 '망전일체전網

電一體戰 전략'을 수립하였고 우선적으로 방호용 사이버 무기체계를 개발하기 시작하였다.

마이크로소프트사의 Windows로 대표되는 미국 운영체제로부터의 종속에서 탈피하기 위하여 '기린麒麟'[95] 이라는 독자적인 운영체계를 개발하였고 이를 근간으로 사이버 공격에 대한 방어망을 구축하였다. 2007년부터는 중국 정부기관과 군 · 보안업체들에게 보안상의 이유로 기린을 사용하도록 통제하면서 중국에서 판매되는 델(Dell) PC의 42%에 '우분투 기린'을 설치하도록 하였다. 이처럼 공격적인 사이버 전략을 추진하여 미국과 사이버 안보 경쟁에서 승리하고자 하는 의지를 극명하게 보여주고 있다.

또한 중국산 라우터 등의 기술을 확보하고 'Great Cannon萬里大砲, 중간자 역추적 악성 공격 무기체계' 등 사이버 공격 무기체계의 독자적인 개발과 운용 능력을 확보하고 있다. 최근에는 전자전의 기반이 되는 ICT 기초에 관한 인력확보, 논문, 응용분야에 대한 기반역량이 급속히 신장되는 가운데 「통합네트워크 전자전INEW: Integrated Network Electronic Warfare」 전략도 마련하였으며, 사이버전 핵심기술에 대한 완전한 자립이 가능한 국가로 평가된다. 【표 2-14】는 중국이 개발한 것으로 추정되는 정보수집용 사이버 무기체계를 종합하여 표로 작성한 것이다.

【표 2-14】 중국의 정보수집용 사이버 무기체계

명칭	이력 및 현황	기술적 특성
Great Cannon	• 2015년 4월 캐나다 토론토대학에서 본 무기체계 분석 결과를 발표	• IP 간 트래픽을 탈취하여 중간자 공격 수행, 비암호화 자료를 임의로 수정 가능 • 해외 트래픽 조작, 대규모 디도스 공격 가능
Fexel	• Windows 플랫폼을 타겟으로 하는 트로이 목마	• C&C 서버와 통신하며 정보수집과 백도어 역할을 수행
ZoxPNG	• RAT의 일종 • Key logging, 화면 캡처, 파일 실행 등의 기능은 없음	• C&C 서버와 통신할 때 데이터를 PNG 이미지 파일 포맷에 담아서 전송
Derusbi	• RAT의 일종 • C&C 서버와 통신을 하고, 시스템의 중요 정보를 전송	• Windows 방화벽을 Hooking 하기 위해 디바이스 드라이버를 사용
Plugx	• Poison Ivy와 같은 방식의 RAT	• Key logging, 화면 캡처, 네트워크 정보 등 시스템의 민감한 정보수집

중국의 사이버 공격은 이미 알려진 사례도 많을 뿐만 아니라 실행 능력 면에서도 세계 최고 수준임이 입증되고 있다. 2009년 미국 내 34개 IT기업을 공격한 'Operation Aurora'[96] 의 배후가 중국이라고 마이크로소프트사에서 발표하였을 정도로 국가 차원의 사이버 부대를 직접 운영하고 있으며 전 세계 모든 국가에 대한 해킹 및 정보수집 활동을 감행하고 있다.

중국은 경쟁국인 미국의 사이버 방어체계를 무력화시킬 수 있는 사이버 기술을 보유하고 있으며 전 세계에서 가장 많은 악성코드를 개발하고 공격을 수행할 수 있는 인력, 예산 및 기술력을 보유하고 있는 것으로 알려져 있다. 2007년 이후로 중국은 인민해방군 예하의 사이버 공격 및 방어를 위한 대책수립에 투자를 아끼지 않고 있으며 총참모부 사이버사령부 예하에 상세 임무가 알려지지 않은 61398부대 등을 운영하고 있다.

2012년 미국의 경제 관련기관인 미 · 중 경제안보검토위원회에 제출된 한 보고서는 중국군 지도자들이 정보우위를 점하기 위하여 공격적인 컴퓨터 네트워크 공격역량을 평가하였는데, 이는 전술적 수준의 중요 요소일 뿐만 아니라 추가 확전 위험을 최소화하면서 적을 공격하는데 사용 가능한 핵심적인 도구라고 인정했다는 사실을 지적하고 있다.

2014년 5월 미 법무부는 중국군 장교 5인을 미국 체계에 대한 해킹 혐의로 기소하였다. 이에 중국은 미국산 IT제품과 서비스에 대한 '인터넷 안전검사' 의무화를 강제하는 조치를 하였고, 중국의 보안검사는 미국의 대표적인 IT회사인 마이크로소프트사와 IBM, 씨스코Cisco, 애플 등에 집중되었다.[97] 중국은 외국산 운영체계를 사용하면 보안 문제가 발생할 수 있다는 우려를 제기하면서 보안 강화를 위해 공공기관용 PC에 마이크로소프트사의 Windows 8 운영체제 사용을 금지시켰다. 그 후 미국의 RAND연구소는 2015년 중국의 사이버전에 관한 보고서를 발표하면서 중국인민해방군, 중화인민공화국 국가안전부, 중화인민공화국 공안부를 중국 사이버전 프로그램의 핵심 주체들로 선정하였으며, 공격역량을 갖추고 있는 '연동형 패쇄적 소통방식'을 주요 특징으로 꼽았다. 중국은 합동성과 고효율화 원칙에 따라 주요 무기체계의 디지털화, 최신 무기와 재래식 무기의 배합에 기반을 둔 통합 운용능력 강화에 주력하면서 사이버전을 위한 기술 및 인력 확보 노력도 병행하고 있다. 【표 2-15】는 중국이 개발했거나 개발하고 있는 공격용 사이버 무기체계를 표로 작성한 것이다.

【표 2-15】중국의 공격용 사이버 무기체계

명칭	이력 및 현황	기술적 특성
61398부대	• 중국 사이버 프로그램의 핵심 주체 • 공격역량을 갖춘 '연동형 폐쇄적 소통방식'	• 미국에 대한 지속적인 사이버 절도작전 수행
61419부대	• 청도 주둔, 한국 · 일본을 대상으로 하는 사이버 부대	• 한국과 일본의 주파수 정보 획득 • 기업 정보수집 및 방산업체 공격
61486부대	• 상하이 주둔, 사이버 공격부대	• 2007년 이후 이메일 공격을 통한 멀웨어 전송 방식으로 서방국의 방산 및 항공업체를 공격
Hydraq	• 인터넷 익스플로러의 Zeroday 취약점(CVE-2010-0249) 사용	• 백도어를 심고 커스텀 프로토콜을 통해 C&C 서버와 통신

중국 사이버 무기체계의 기능과 능력을 분석해 보면 사이버 무기체계의 침투를 위한 Zeroday 취약점을 보유하고 있으며, 네트워크를 이용한 통상적인 침투 방식과 Windows Device Driver Hooking을 통한 방화벽 우회 등 기존 보안시스템을 우회 및 무력화하는 침투 능력을 보유하고 있다. Root kit시스템 침입 후 침입 사실을 숨긴 채 차후 침입을 위한 백도어 혹은 Trojan을 설치하여 원격 접근, 내부 사용을 통해 흔적 삭제 및 관리자 권한 획득 등 주로 해킹 기능들을 제공하는 프로그램의 모음, PNG 파일PNG는 특허 분제가 얽힌 GIF 포맷의 문제를 해결하고 개선하기 위해서 고안된 그래픽 파일 포맷 중 하나을 이용한 데이터 전송, Custom Protocol을 통한 C&C 통신컴퓨터와 통신의 정보처리기술을 일체화시킨 종합정보기술 등은 사이버 공격 수행 전까지 보안 시스템 회피가 가능하며, APTAdvanced Persistent Threat 공격 수행이 가능하다.

사이버 감시정찰 활동은 미국, 대만 정부, 민간기업 등을 대상으로 한 사이버 정보수집에 주력하는데 주로 Key logging사용자가 키보드로 PC에 입력하는 내용을 낚아채는 해킹 기술, 화면 캡처, 네트워크 및 프로세스 정보 등의 시스템 내 주요정보를 수집하거나 중국의 특수한 인터넷 구조인 Great Firewall을 이용한 네트워크 트래픽을 수집한다. 아직까지 물리적 피해를 입힌 사례는 식별되지 않았으나 네트워크 트래픽 변조가 가능한 Great Cannon 등을 이용한 디도스 공격은 가능할 것으로 평가된다.

중국 사이버 무기체계의 특징은 첫째, 특수한 인터넷 구조를 기반으로 한 독자적인 자산이 존재한다는 것이다. 중국 인터넷은 국가통제 하에 있으며 1998년부터 운영된 중국의 디지털 공안체계인 Great Firewall을 기반으로 공격을 수행하는 Great Cannon을 보유하고 있다. 둘째, 사이버 무기체계의 정보 수집용과 공격용의 경계가 불분명하다. 중국 사이버작전 조직의 특성상 민 · 군 경계가 불분명하며 악성코드를 통해 개인정보 유출 등의 비군사적 작전과 국가 차원의 정보수집, 능동 대응 등 군사적 작전을 병행한다. 셋째, 강력한 인터넷 통제정책을 통해 자국 내 감시정찰이 가능하다는 점을 들 수 있다.[98)]

(그림 2-2)와 같이 중국의 사이버전 수행기관은 〈중앙사이버안전 및 정보화 영도소조〉에서 총괄하며 전략지원부대에서 전자전과 사이버전을 담당한다. 전략지원부대 3부는 평시 정보수집과 유사시 사이버 공격을 담당하는 부대로 알려져 있다. 현재까지 확인된 바에 의하면 전략지원부대 2국(61398부대)은 미국과 캐나다를 대상으로 정치, 경제, 군사정보를 수집하며, 4국(61419부대)은 한국과 일본을 대상으로 정보 수집을 하고, 12국(61486부대)은 미국과 유럽의 신호정보를 집중 수집하여 산업기밀을 생산하고 있다. 전략지원부대 4부는 1990년에 설립되었으며 전자전과 네트워크 공격 등 사이버전을 중점적으로 연구하고 사이버 무기체계와 관련된 기술을 전담 개발하고 있다.

(그림 2-2) 중국의 사이버 조직

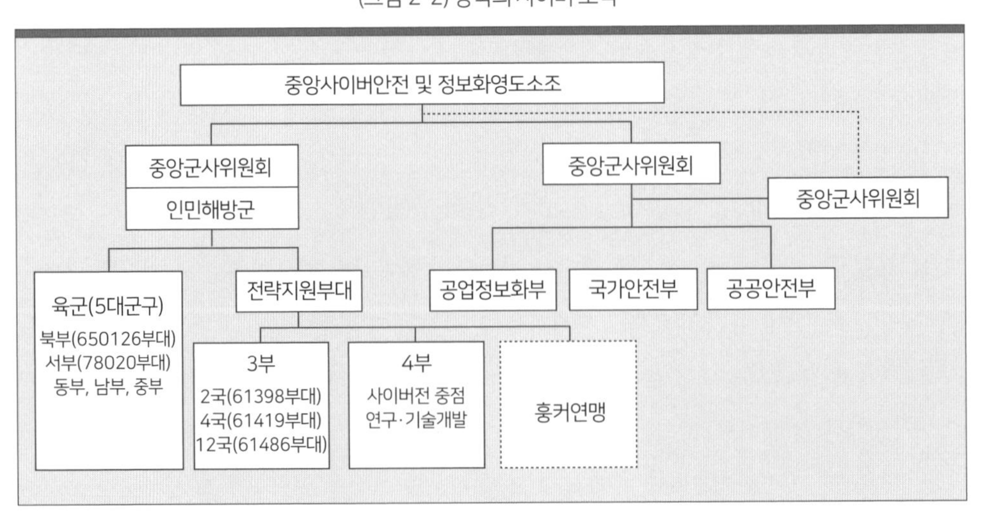

3. 사이버전의 숨은 강자, 러시아

러시아의 사이버전 수행기관은 연방보안국FSB: Federalinaya Sluzhba Bezopasnosti[99] 으로 사이버전 전담 조직인 알파Alpha부대를 통해 통신 감청과 국가통신을 관리하는 임무를 수행하며 사이버 안보 관련 기관을 총괄하고 있다. FSB는 국가기밀을 포함한 중요 정보의 통제와 예방 조치, 관련 기관에 대한 보안기술과 암호 서비스를 제공한다. FSB 예하 정보보안센터ISC: Information Security Center는 통신보안과 정보보호체계의 평가와 인증을 조정 · 통제하고 침해사고대응팀RU-CERT: Computer Security Incident Response Team from the Russian Federation을 운영한다. 또한 사이버 공격기술을 개발하고 각종 정보수집 임무도 담당하고 있다. FSB 예하에는 국가사이버범죄조정본부가 설치되어 러시아 연방기관들의 인터넷 홈페이지 보안을 담당하고 있다. 러시아는 세계 최초로 2002년에 해커 부대를 창설했으며 사이버 전문인력의 양성과 기술개발에 노력한 결과 물리적인 전쟁의 지원역량으로써 사이버 공격작전을 병행해 왔다. 그러나 2008년 8월 조지아와의 전쟁에서 사이버 작전을 병행한 결과 원하는 효과를 달성하지 못했다는 내부 평가에 따라 해커 기능을 강화한 사이버전 전담 부대를 확대 · 창설하였다. 특히 전자전 부대는 사이버전 기술개발과 능력을 강화하는데 중요한 역할을 담당한다. 이후 러시아는 분쟁 시마다 물리전과 사이버전을 결합하는 양상을 보이면서 상당한 수준의 사이버 공격 기술과 전술을 확보한 것으로 추정된다.

2008년 8월에 러시아와 조지아 간 분쟁이 발발하자 사이버 공격 기술을 재래식 전쟁에 접목시켜 물리적인 공격과 사이버 공격을 결합한 통합적인 공격 능력을 보여주었다. 물론 러시아의 승리로 전쟁은 종료되었다. 이 전쟁을 통해 러시아의 사이버전에 대한 교훈을 분석해 보면 첫째, 사이버 공격과 물리적인 공격을 완벽하게 결합한 것이 승리의 요인이 되었고, 이는 향후 군사작전에서도 이 기술적인 기능을 병합한 작전이 수행될 것이라 예측된다.

러시아는 조지아에 대한 지상군 투입과 동시에 사이버 공격을 감행하여 조지아 대통령 궁과 군 정보체계 등을 마비시켰으며, 조지아는 전반적인 군사작전에 대한 차질이 불가피하였다.

둘째, 러시아의 '내쉬Nashi' 등 애국적 해커들은 크렘린의 조종을 받아 물리적인 공격이 감행되기 몇 주 전부터 사이버 공격을 시작하여 사이버전이 물리적인 군사작전의 준비단계 성격을 보였다. 이처럼 선제적인 사이버 공격에 의해 조지아는 반격능력이 현저히 저하되었다. 셋째, 청년 단체나 범죄 집단을 사이버 공격에 활용함으로써 군사작전에서의 저비용, 고효율 성과와 더불어 러시아 정부의 정치적인 부담 또한 완화시켜 주었다.

사이버 전쟁 (러시아 vs 에스토니아)

발트 3국(에스토니아, 라트비아, 리투아니아)에 속하는 에스토니아는 아랍 탐험가에 의해 최초로 문명권에 소개되었다. 1219년 덴마크가 Tallinn('덴마크의 도시'라는 뜻)을 건설하였고, 13세기 중반 이후 독일 상인들이 이주하여 16세기 중반까지 독일의 식민지였다. 1558년 이후에는 러시아의 세력 확장으로 시작된 리보니아 전쟁으로 덴마크(중동부), 스웨덴(북부) 및 폴란드(남부)에 의해 분할 지배되었다.

1918년 2월 24일 독립 공화국임을 선포하였으나 곧바로 독일군에게 점령되었다. 그러나 1939년 8월 몰로도프-리벤트롭(Molotov-Ribbentrop) 비밀협정에 따라 러시아의 세력권으로 묵인되었으며 1940년 8월 소련연방의 16번째 공화국으로 편입되어 소련식 사회주의 체제가 정착되었다. 1941년 6월 독일에 점령되었다가 1944년 소련 공군의 공격으로 수도인 Tallinn의 약 30% 이상이 파괴되면서 그해 9월에 소련이 에스토니아를 재점령하였다. 1985년 소련의 개혁 · 개방을 계기로 1988년 11월 에스토니아 최고 의회가 주권 선언을 채택하여 1991년 8월 20일 독립을 선언하였고 소련은 독립을 승인하였다.

1949년 에스토니아가 소련에 편입된 후, 수도 탈린의 국립도서관 앞에 세워진 청동 동상은 2차 대전 중 독일에 맞서 싸우다 숨진 러시아군대를 추모하기 위한 것이었으며 동상 밑에는 군인들의 시신이 안치되어 있었다. 2007년 4월 에스토니아 의회는 소련의 상징물 철거를 합법화하는 법안을 통과시켰고 그 법에 따라 이 동상은 철거될 위기에 처하게 되었지만, 인구의 30%를 차지하는 러시아계는 이 동상을 소련이 나치와의 전쟁에서 승리를 거둔 기념으로 여겨 철거에 반대하였다.

2007년 4월 26일 에스토니아 정부는 이 동상을 에스토니아 국군묘지로 이전할 계획으로 동상을 파헤쳤으나, 러시아계 사람들은 동상을 철거하는 것으로 오해하여 1,500여 명이 시위를 하였고 진압과정에서 1명이 숨지고 156명이 부상하는 유혈사태가 벌어졌다. 이 사건에 대해 러시아는 단지 양국 간의 문제가 아니라 유럽연합과 나토와의 관계에도 악영향을 미칠 것이라고 하면서 에스토니아에 대한 물리적 보복도 서슴지 않을 것이라고 경고하였다.

그 다음 날인 2007년 4월 27일 에스토니아 정부, 언론, 방송, 은행의 전산망이 일제히 DDoS 공격을 받았다. 인구 150만 명의 기술선진국이며, 모든 시민이 디지털 ID를 통해 선거, 세금, 의료 등을 체크하고 전 국민의 97%가 디지털 금융시스템에 접속할 만큼 정보화가 앞선 나라에 대한 사이버 공격의 효과는 처참하리만치 가혹한 것이었다. 전 세계의 컴퓨터 100만대 이상이 일제히 가담한 이 공격은 컴퓨터의 주인도 모르는 사이에 악성코드에 감염된 좀비 PC 1대에서 초당 5,000번 이상의 접속을 시도하는 DDoS 공격이 감행되었다. 특히 2차 대전 당시 히틀러에게 승리한 것을 기념하는 5월 9일에는 최대 규모의 공격이 이루어졌다.

사이버 공격은 먼저 에스토니아의 최대 은행인 한자뱅크에 대한 봇넷의 공격으로부터 시작되어 주요 대학들과 신문사로 퍼져나갔다. 이 공격은 컴퓨터 바이러스에 감염된 기간통신망의 전화교환기가 잦은 고장으로 기능을 상실하고 컴퓨터 논리 폭탄과 EMP(전자기펄스 폭탄) 공격을 통해 정부기관의 컴퓨터 시스템을 파괴하는 것으로 확대되었다. 논리 폭탄은 정해진 시간에 컴퓨터 데이터를 지워 SCADA 시스템을 마비시켰고, 전자기펄스 폭탄은 중요 국가기관이나 중앙은행 부근에서 강력한 전자기를 방사하여 해당 건물의 모든 전자부품을 녹여버렸다. 2007년 5월 18일까지 지속된 사이버 공격으로 에스토니아는 대통령 궁을 비롯한 58개의 주요 사이트가 서비스를 중단하였으며, 에스토니아 은행의 피해액은 100만 달러에 달하였지만 아직까지도 공격의 배후를 밝혀내지 못하였고 정황상 러시아가 공격자로 강력히 의심되고 있다.

러시아는 독자적으로 현존하는 모든 무기체계의 개발이 가능한 기술을 보유한 국가이며, 미국과 기술경쟁력 면에서 비교가 가능한 국가라고 할 수 있다. 최근에는 외산 SW의 의존도를 낮추고 도입 비용 절감에도 기여하는 SW를 자체 개발하였고 정부 공공체계를 공개 SW로 전환하였다. 그러나 러시아의 사이버전 교리는 미국의 상대적 우월성에 대한 두려움의 소산이라고 볼 수 있다. 또한 사이버전에서 승리를 거두기 위하여 공격과 방어수단을 총체적으로 개발하는 방향으로 사이버전 전략을 추진하면서 사이버 무기체계 개발 프로그램의 중요성을 강조하고 있는 것으로 알려져 있다.

러시아는 사이버전에 대한 위상이 높아지기 이전부터 사이버전을 임상적 경험으로 확보하였다. 에스토니아, 조지아, 키르기스스탄, 우크라이나, 미국 등을 상대로 한 사이버 공격을 통해 공격역량을 확인하였다. 러시아는 미 국무부 보안시스템 무력화, 2015년 4월의 백악관 컴퓨터 접근 제어시스템 침투 성공과 군 정보시스템 오작동 및 군사작전 지연 등 사이버전 수행 능력과 사이버전 승리 경험을 보유하고 있다. (그림 2-3)은 러시아의 사이버 조직도이다.

(그림 2-3) 러시아의 사이버 조직

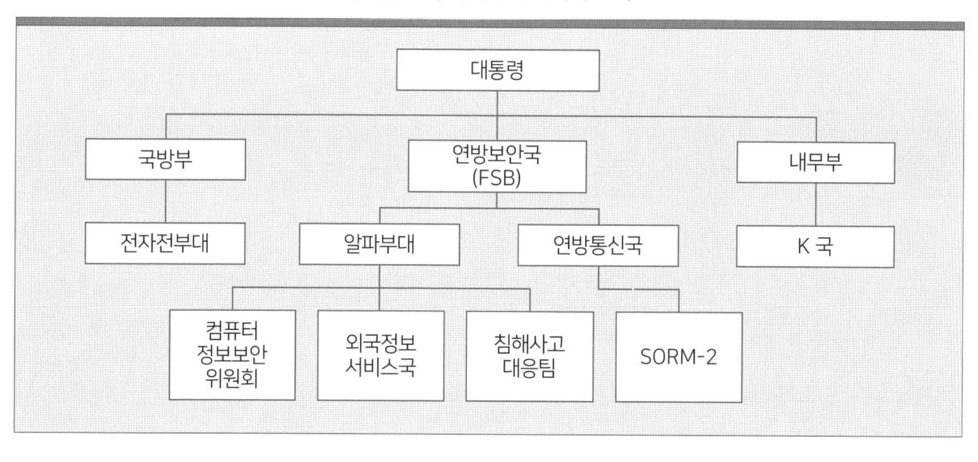

러시아는 1995년 FSB에 전화와 인터넷 통신에 대한 감청을 허용하는 법을 제정하였고, 전화망 감청을 위하여 1996년 SORM-1System for Operative Investigative Activities을 설립하였다.

1998년에는 SORM-2를 설립하여 전화 통신망은 물론 인터넷 감청을 추가하였다. 2000년 7월 25일 정보통신부 장관은 '130호 명령'을 발령하여 '전화기, 휴대폰, 무선통신, 무선 호출망에서의 조사 활동을 보장하는 기술적 수단의 도입'을 법제화하였다.

2014년 FSB는 소치 동계올림픽에 앞서 소치 지역 SORM-2의 성능개량을 통해 소치 거주자를 대상으로 한 모든 이동통신망에서 통신과 인터넷 트래픽을 DEEP Packet 감시 체계로 수집하고 필터링할 수 있게 하였다. 2014년 SORM-2의 사용처는 SNS, 채팅방, 포럼 등으로 확장되었다. 2014년 4월 통신부장관은 SORM-3의 새로운 감청기능을 위한 요구사항을 발령하였으며, 통신망 운용자들은 2015년 3월까지 SORM-3에 대응하는 장비들을 설치하였다.

SORM-3 지원을 위한 요구사항은 첫째, IP v4 또는 IP v6 Address Mask로 식별되는 네트워크 둘째, 서비스 통신망 내 ID 검색지원 셋째, 이메일 주소POP3, SMTP 또는 IMAP4의 목적지 주소와 암호화 제거 넷째, 웹 메일을 사용하는 경우 이메일의 대상지 주소, 암호화 제거 다섯째, 사용자 전화번호, IMSI, IMEI, ICQ, UIN, 사용자 장비의 MAC 주소이다. SORM은 이동형 조작이 가능하기 때문에 노트북을 통신망 허브에 직접 연결하여 운용자 트래픽을 가로채거나 기록하는 것이 가능하다. 【표 2-16】은 러시아의 정보수집용 사이버 무기체계를 정리한 것이다.

【표 2-16】 러시아의 정보수집용 사이버 무기체계

명칭	이력 및 현황	기술적 특성
SORM-1	• 1995년 FSB에 전화와 인터넷 통신에 대한 감청 법안 제정 • 1996년, 전화망 감청	• 전화, 인터넷 통신 감청
SORM-2	• 1998년, 전화망에 인터넷 감청을 추가	• 사용처는 SNS, 채팅방, 포럼으로 확장
SORM-3	• 2014년 소치 동계올림픽 대비 소치 지역 SORM 주요 장비의 성능개량 • 모든 소치 거주자를 대상으로 통신 감청	• 소치 거주자 대상, 모든 이동통신망과 인터넷 트래픽을 DEEP Packet 감시체계로 수집 및 필터링 • IP v4 또는 IP v6 Address Mask로 식별되는 네트워크 • 이동형 조작이 가능하기 때문에 노트북을 통신망 허브에 직접 연결

4. 사이버 대응 체계 구축에 적극 나서는 일본

일본 방위성은 2000년 10월 시험용 바이러스와 해킹 기술의 독자 개발 방침을 발표하였으며, 육 · 해 · 공군 자위대의 사이버 인력을 통합하여 사이버부대를 창설하였다. 이듬해에는 최초로 방위 예산에 사이버 방호를 위한 첨단장비 및 기술개발 비용을 책정하여 미래전에 대비하기 시작하였다. 2001년부터는 정부기관에 해커들의 침해가 빈발하는 것과 관련하여 '차기 중기 방위력 정비계획 기간' 중에 사이버 기술에 대한 연구를 강화하고, 사이버 부대를 창설하여 방위력 증강에 본격 착수하는 등 범정부 차원의 사이버전 대책을 마련하였다.

일본의 2005년 내각 관방에 사이버전 수행조직인 정보보안센터와 정보보안정책회의를 설치하였고, 정부 각 부처의 사이버 방위역량을 정보보안센터가 조정하도록 하였다. 정부기관과 방위사업체를 대상으로 한 사이버 공격에 대응하기 위하여 경시청에 사이버포스센터와 생활안전국을 설치하여 사이버 대응을 총괄하도록 하였다. 또한 같은 해 각 군 자위대에 사이버전 담당 시스템방호대를 창설하였고, 2008년 7월에는 160여 명 규모의 자위대 지휘통신시스템대로 확대하였다. 2015년 1월에는 내각 산하에 사이버보안센터NISC를 설치하여 사이버 공격을 담당하도록 하였다.

2014년 3월에 자위대에 창설된 사이버방위대는 육 · 해 · 공군 자위대 및 정보보안센터에서 파견된 90명으로 구성되었는데, 사이버 공격 · 방어 수단을 연구하고 사이버 공격의 대처 방안을 마련하기 위해 외국의 사이버 공격사례를 수집분석 하는 임무를 수행하고 있다. 2017년 7월 16일 교토통신 보도에 의하면 방위성은 2019~2022년 중기 방위력 정비계획으로 사이버 공간에서 사이버 공격 대응을 담당하는 사이버방위대를 2023년까지 현재의 110명 수준에서 1,000여 명 수준으로 증가하여 사이버 공격용 무기체계 연구조직으로 키울 것이라고 발표하였다.

당시 이는 자위대가 공격 받을 때만 방위력을 행사한다는 기존의 방침을 뛰어넘는 것이기에 논란이 되었다. 자위대는 사이버 방어를 넘는 공격수단을 개발하여 군사 작전의 일부로 사이버전을 활용하는 것으로 추정된다. (그림 2-4)는 일본의 사이버 조직도이다.

(그림 2-4) 일본의 사이버 조직

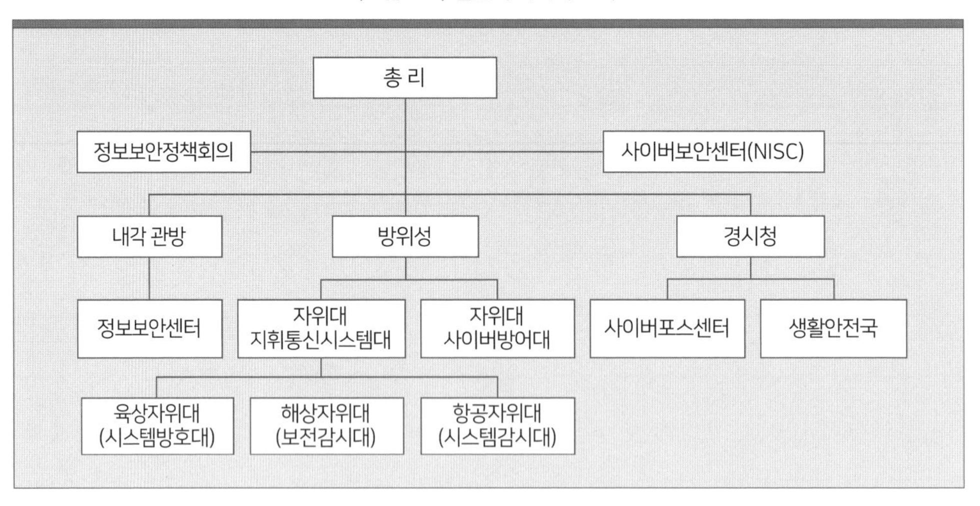

현재 일본 자위대는 사이버 공격보다는 대응에 관한 예산 비중이 높다. 사이버 공격에 대해서 국가가 직접 대응하는 법률을 제정하였으며, 미국과 이스라엘 등 사이버 무기체계 개발 선진국들과의 협조체제를 잘 유지하고 있다. 또한 사이버 공격에 대응하기 위한 특별방위조직인 사이버방위대를 창설하였고, 아시아의 정보보호정책에 관한 주도권을 확보하고자 노력하고 있으며, 2021년으로 개최가 연기된 도쿄 올림픽의 안전을 위하여 사이버 대응활동에 대규모 투자를 하였다. 또한 풍부한 민간 사이버 역량을 바탕으로 미국과의 사이버 대화를 개최하는 등 공세적인 사이버전 대응체계를 구축 중이다. 민간 정보보호업체는 많지 않지만 주요 기술을 확보하여 자체 생산능력이 높고 다양한 정보보호 기술에 유연하게 대처 하고 있다.

자위대는 사이버전 역량을 확보하기 위하여 사이버 요격 무기체계바이러스형를 개발한 바 있고 2015년에는 미국과 사이버 공격에 대한 방위조약을 체결하였다. 사이버전에 대비하기 위해 매년 약 5,000억 원 이상을 집행하는 등 정부 예산을 과감히 투자하고 있으며, 최근 방위성 지원 하에 후지쯔에서 사이버 공격자를 추적하여 파괴하는 멀웨어를 제작한 바 있다. 방위성은 중장기적으로 사이버 공격 대책에 대한 기획 입안을 담당하는 사이버기획조정관을 신설하고 다른 나라에서 발생한 사이버 공격에 대한 정보를 수집, 분석하기 위해 정보본부에 전담요원을 배치하였다. 또한 사이버전 선진국들의 기술을 대거 도입하여 자체 사이버 무기체계 개발 시스템을 구축 · 운영하고 있다.

5. 사이버전 세계 3위 능력을 갖춘 북한

북한은 정찰총국 예하에 약 3천 명 정도의 전문 해커와 총참모부 직속에 지휘자동화국을 두고 사이버 기술을 개발하고 있으며, 전체 사이버 인력을 1만 명 수준으로 보유하는 등 전반적인 사이버전 능력이 세계 3위권이라고 인정받고 있다.[100] 북한의 사이버전 역량은 미국에 버금간다는 평가를 받고 있을 정도로 상당한 수준에 와 있는 것으로 평가된다.

북한은 이미 1990년대부터 사이버전을 준비해 왔고 대량 살상무기와 투발수단 개발에 대한 국제사회의 경제제재로 인하여 재래식 전력의 유지와 증강이 곤란해지자 비용 대비 효과가 큰 사이버전을 집중 육성하기 시작한 것으로 판단된다. 더구나 2003년 미국이 이라크전쟁을 통해 사이버전을 실전에서 보여준 것이 계기가 되어 더욱 철저한 준비를 한 것으로 알려지고 있으며 공격전용 네트워크를 인터넷과 분리 운용하는 등 사이버전에 최적화되어 있다.[101]

북한의 사이버 공격 방법은 특정 기관의 홈페이지에 침입하여 다운시키거나 변조시키는 등의 단순 해킹 및 좀비 PC Zombie PC를 이용한 디도스 공격으로부터 신분 사칭, 명의 도용 등 사회공학적인 해킹 기법으로 변화 발전하고 있다. 리차드 클라크 Richard A. Clarke는 2009년 7월 북한의 디도스 공격은 한 · 미간 인터넷 연결을 차단하는데 몇 대의 좀비 PC가 동원되어야 하는가를 알아보기 위한 공격이었다고 주장한 바 있다.[102] 이는 북한이 사이버전을 위해 관련 DB를 충분히 확보하였다는 것을 의미한다. 예를 들어 공격자들이 목표로 하는 인원에게 종교 단체, 동호회 등으로 가장하여 직접 접촉을 통해 신뢰를 구축한 후 이메일, 메신저 등의 자료에 오염된 프로그램을 식재하여 자연스럽게 열어보게 하고, 악성코드에 의해 시스템을 장악하여 자료를 빼내고 변조시키거나 암호화하거나 삭제하는 등 원하는 일을 행할 수 있는 준비를 이미 마친 것으로 판단된다.[103]

또한 북한의 사이버 공격 대상도 기존에는 국가기관, 언론, 금융기관 홈페이지 등의 물적 대상에서 정부 고위관계자의 휴대폰을 해킹하는 등 인적 대상으로 변화하고 있다. 이처럼 북한의 사이버 공격은 점차 대형화 하고 있으며 정치 · 군사적인 목적에서 경제적인 목적으로 확장되고 있다.

세계적인 수준의 해커를 이용하여 지속적인 대남 사이버 공격을 감행하고 있으며, 2004~2010년 간 북한이 저지른 것으로 추정되는 사이버 공격은 48,000여 건이고 전국의 화학물질 취급소와 정수장 및 취수장 1,700여 개소의 위치 및 관련 정보와 '작전계획 5027' 등에 대한 수집 활동을 하였다.[104)]

2018년 10월 3일 미국 워싱턴 D.C.에서 열린 사이버 디펜스 서밋Cyber Defence Summit에서 글로벌 보안기업인 파이어아이FireEye는 "APTAdvanced Persistent Threat38은 전 세계에서 가장 규모가 크고 위협적인 해커 조직이며 이들은 2013년 3월 UN 안보리의 대북 제재가 개시된 후 약 1년이 지난 2014년 2월경부터 본격적인 활동에 들어갔다"고 발표했다. FireEye는 또 미 FBI를 비롯한 각국의 정보 · 수사기관이 이미 APT38의 존재를 확인하였고 이들의 활동을 공동으로 추적하고 있다고 강조하였다. FireEye 관계자는 "북한 정찰총국 소속 해킹 연구기관 〈110호 연구소〉가 APT38에 기술지원을 하는 것으로 추정된다"고 밝혔다.

APT(지능형 지속 보안 위협)
보안업계는 이름을 밝히지 않는 해커조직을 발견하면 APT와 숫자로 이름을 붙인다. 예컨대 'APT33'(이란에 거점을 둔 해커조직), 'APT29'(러시아 조직)와 같은 식이다. 해커 조직명의 APT는 장기간에 걸쳐 타겟을 분석 · 공격하는 치밀한 해킹 수법을 일컫는다.

– http://news.chosun. com/site/data/html_dir/2018/10/04/2018100400265.html, 2018.10.5.일 검색

APT38
이 조직은 미국 · 멕시코 · 브라질 · 러시아 · 베트남 등 최소 11개국의 주요 금융기관과 NGO(비정부기구)를 해킹했고, 11억 달러(한화 약 1조2,300억 원)어치 외화 탈취를 시도해 수억 달러를 북한으로 빼돌린 것으로 확인됐다. 2017년 5월 세계 150여국 30여만 대의 컴퓨터를 감염시킨 '워너크라이' 공격의 배후로 지목된 북한의 해커 조직 '라자루스'와는 다른 조직이다. 'APT38'의 소행으로 추정되는 해킹은 2015년 베트남 TP은행, 2016년 방글라데시 중앙은행, 2017년 대만 Far Eastern 국제은행과 2018년 1월 멕시코 Banko Mext, 2018년 5월 칠레 Bankode Chille 등 총 5건이라고 밝혔다.
파이어아이 측이 북한 소행으로 추정한 이유는 첫째, 평양과 중국의 IP가 'APT38'의 악성코드에서 발견된 점 둘째, 2018년 9월 미 법무부가 기소한 북한 해커 '박진혁'이 해킹 프로그램 개발을 도운 흔적이 발견된 점을 들었다.

'APT38'은 최장 2년간 평균 155일 동안 은행 전산망에 잠입하여 보안시스템을 분석하고 은행별 맞춤 해킹 프로그램을 만들어 피해 은행이 해외송금을 할 때 은행 간 송금망을 해킹해 돈을 빼냈다. 돈세탁을 위해 다른 국가 전산망을 중간에 이용하고, 흔적을 없애기 위해 피해 은행 전산망 전체를 파괴하는 지능적 수법도 사용했다.
파이어아이는 'APT38'이 북한의 후원을 받는다는 것에 주목하여 이 조직을 'FIN(Financial Threat)'이 아닌 'APT'로 분류한다. 이는 'APT38'의 공격이 간첩 활동과 매우 흡사하다는 것을 반영하는 것이다.

- http://news.chosun.com/site/data/html_dir/2018/10/04/2018100400265.html, 2018.10.5.일 검색
- http://www.itworld.co.kr/news/110955#csidxb6853bd6d3b8b 95ab74833805e40300, 2018.10.5.일 검색

미국의 폭스 뉴스는 2011년 북한이 미 태평양사령부 지휘통제소를 마비시키고 미국 본토 전력망에 피해를 줄 수 있을 정도의 사이버 공격 능력을 가진 것으로 보도하였다.[105] 2012년 4월에는 KBS 등 우리나라 4개 언론사에 대한 초토화를 언급하면서 '지금까지 없었던 특별 행동', '3~4분 만에 초토화', '일단 개시되면 3~4분, 아니 그보다 더 짧은 순간에 지금까지 있어본 적이 없는 특이한 수단과 우리 식의 방법으로 초토화해 버릴 것'이라며 사이버 공격을 암시하는 협박을 하였다.[106]

2016년 9월에는 북한의 해킹 조직 안다리엘이 국방망인트라넷망을 해킹하는 사건이 발생하였다. 2017년 5월 2일에 국방부 검찰단은 "북한이 2015년 국방부에 백신을 납품하는 업체를 해킹하여 인증서와 백신의 소스 코드에 대한 정보를 수집하였고, 이를 분석한 후 국방부의 인터넷 백신 중계 서버에 침입하여 군 인트라넷망 서버와 PC에 악성코드를 유포하였다. 그 후 국방 통합데이터센터 내부의 국방망과 인터넷망의 접점을 찾아내어 침입하였으며 국방부장관의 업무용 PC를 포함한 3,200여 대가 악성코드에 감염되었다"고 발표하였다.[107] 이 사건을 통해 북한은 작계 5027과 5015까지 확보한 것으로 파악되고 있다.[108] 【표 2-17】은 북한의 해킹 그룹이며 【표 2-18】은 2017년부터 2019년까지 북한으로 추정되는 조직에 의한 사이버 공격사례를 표로 작성한 것이다.

【표 2-17】 북한의 해킹 그룹

명칭	식별/설립년도	주요 임무	활동 사례
라자루스 히든 코브라 평화의 수호자	2007년 조직	• 북한 해킹조직의 최상위 그룹 • 하위 그룹 지도 · 통제	• '14년 소니픽처스 해킹 • '16년 방글라데시 중앙은행 8,100만 달러 해킹 • '17년 워너크라이 랜섬웨어 공격 • '18년 美, 박진혁 기소
안다리엘	2015년 식별		• '16년 한국군 내부망, 국방장관실 등 해킹 • 작계 5015, 참수작전 계획 등 A4용지 1,500만 장 탈취
블루노로프 APT38 스타더스트 천리마	2014년 식별	• 외국 금융기관 공격으로 확보한 불법 수입을 핵·미사일 증강에 지원	• 외국 금융기관에서 11억 달러 탈취 시도
금성121 APT37 Group123 스카크러프트 레드아이즈 그룹 물수제비 천리마	2010년 식별	• 한국의 대북단체, 외교, 안보, 통일, 국방분야 및 탈북민 등을 상대로 집중적인 APT 공격	• 한국의 화학, 전자, 제조, 항공 우주, 자동차, 의료 등 표적 • HWP와 XLS 문서파일 공격을 주무기로 활용 • '18년 남북이산가족찾기 전수조사 사칭 공격 • '18년 로켓맨 캠페인 공격 시 IP 주소가 '175.45.178.133(평양시 류경동)'으로 노출 • '19년 OLE기법을 활용한 HWP 벡터 공격 • '20년 태영호 의원 휴대폰 해킹
킴수키	2010년 식별	• '13년 러시아 보안업체가 해커의 이메일 계정인 '김숙향(kimsukhyang)'이라는 이름으로 보고서를 발표 • 한국 주요기관 자료탈취 • 한국인 개인정보 수집	• '10년 통일부 내부자료 해킹 • '14년 한수원 해킹 • '19년 문정인 특보 사칭 악성코드 유포 • '19년 암호화폐 거래사이트 해킹 • '20년 코로나 - 19 위장 악성코드 유포

【표 2-18】 2017년부터 ~2019년까지 북한 추정 사이버 공격 사례[109)]

일자	사이버 공격 내용
2017	
6.10.	웹 호스팅업체 '나야나' 고객 서버 153대(5,496개 홈페이지) '에레버스(Erebus)' 랜섬웨어 감염, 복구 비용 13억 요구, 금액 지불했으나 복구 불가
6.28.	국내 중소기업 10여 곳 페트야 랜섬웨어 감염
7.13.	정부 기관 사칭 악성코드 첨부형 해킹 메일 발송
8.16.	LG전자 서비스센터에 랜섬웨어로 인한 서버 마비 사태 발생
9. 6.	2017년 3월 국내 ATM 서버 해킹은 북한의 소행으로 확인, 해킹으로 금융정보 24만 건 유출, 이를 활용한 현금 인출 등 2차 피해 발생
9.11.	국내 가상화폐거래소에 2월, 5월에 악성코드 첨부형 피싱 메일 발송 사실 확인
9.20.	'다음' 이메일 취약점을 이용한 계정 정보 탈취 목적의 공격 감행
10.17.	하나투어 홈페이지 해킹, 고객과 임직원 정보 100만 건 탈취, 공항출입국 시스템 관련 업체의 홈페이지 Watering hole 기법으로 장악되는 피해 발생 * Watering Hole 기법 : 사자가 먹이를 습격하기 위해 물웅덩이(watering hole) 근처에서 매복하다가 사냥하는 모습을 빗댄 용어로, 공격자가 공격대상이 주로 방문하는 웹사이트를 사전에 해킹하여 악성코드를 설치하고, 공격대상이 웹사이트 방문 시 악성코드에 감염시키는 공격방법
10.27.	영국 정부, 2017년 5월 전 세계를 강타한 '워너크라이 랜섬웨어' 공격이 북한 소행이라고 공식 발표
11.25.	삼성 스마트폰 보안프로그램(KNOX) 대상 악성 애플리케이션 유포, '14년 패치 내용을 발표했으나, 패치가 안 된 스마트폰에 악성 애플리케이션 설치를 유도하여 정보 유출
12. 1.	자유아시아방송(RFA), 최근 탈북자 대상 '카카오톡 피싱'이 식별되었다고 발표
12.22.	미 보안업체 Proofpoint, 북한 해커조직 '라자루스(Lazarus)'가 국내 POS 단말기를 겨냥하여 '라탕크바 POS(Ratankba POS)'라는 악성코드를 유포하였다고 발표
2018	
1. 9.	월스트리트저널과 로이터통신, 가상화폐의 한 종류인 모네로(Monero) 채굴시 북한 김일성대학 서버로 송금하도록 설계된 악성코드가 발견되었다고 보도
1.12.	미 보안업체 맥아피(McAfee), 탈북자와 기자 대상 표적공격 식별, 특히 카카오톡과 페이스북 등 SNS를 이용한 사회공학적인 기법의 공격을 감행하고 있다고 발표
1.31.	UN 안전보장이사회에서 북한제재위원회의 전 전문가 패널 위원(루카와 카쓰히사)은 북한이 사이버 범죄를 통해 수조 원의 자금을 탈취하였다고 발표
3. 8.	Adobe Flash, MS word의 취약점을 이용하여 터키 가상화폐 거래소 및 금융기관, 정부 부처 등을 공격한 후 고객의 계정 정보 탈취

일자	사이버 공격 내용
3.20.	'금성121'이 스마트폰 내 정보 탈취를 위해 국내 대북단체 및 국방 분야 인사를 대상으로 모바일용 네이버 백신을 사칭한 악성코드 유포
4.25.	'라자루스', 미 등 17개 국가 대상 사회기반시설, 통신 · 의료 · 교육기관 등을 대상으로 정보 탈취 및 자료 파괴 목적의 사이버 공격
4.26.	'금성121', 한글문서 파일의 취약점을 이용한 공격 기법 '오퍼레이션 스타크루저(Operation Starcruiser)'로 가상화폐 관계자 대상 스피어 피싱 공격
5.17.	청와대를 사칭하여 '2018년 남 · 북 정상회담에 대한 중국의 반응과 전망'이라는 제목의 해킹 메일 유포, 주요 포털 사이트 계정 정보 탈취 시도
5.23.	'킴수키(Kimsuky)', 정보수집 목적으로 '제2강 가야할 길 : 통일을 지향하는 평화체제 구축'이라는 제목의 해킹 메일을 국내 대북 관련단체와 전문가에게 유포
6.20.	'라자루스', 해킹 메일 및 외주업체 직원 PC를 통해 국내 가상통화거래소 '빗썸' 서버에 저장된 3,150만 달러(한화 약 351억여 원) 가상통화 탈취
	미 상원, 북의 사이버 공격역량을 지원하는 국가에 대한 원조 중단을 포함한 '2019 회계년도 예산안' 가결
7.4.	'금성121', 국내 대북 관련 단체를 표적으로 한국 정부 기관 사칭, '남북이산가족찾기 전수조사'라는 제목의 해킹 메일 유포
8.24.	'금성121', 중국 기반 해커그룹인 것처럼 위장하여 국내 대북관련단체를 겨냥한 스피어 피싱 공격 감행
	'라자루스', 애플사 Mac 운영체제에서 동작하는 신형 악성코드 '애플 제우스'를 개발하여 아시아 지역 가상화폐 거래소를 공격
9.10.	북 해커 '박진혁', 국내 공공기관 동향파악 목적의 허위 페이스북 계정 생성, 주요 공공기관(국무조정실, 총리비서실 국방부, 군인공제회 등) 정보 수집
9.20.	'라자루스', 신형 랜섬웨어 '류크(Ryuk)'를 유포하여 약 7억 원을 탈취, 'Celas'라는 위장 회사가 악성 가상통화 거래 프로그램 배포
2019	
9.13.	미 재무부, 북 해킹그룹 3곳 제재대상 지정 : 라지루스, 블루노로프, 안다리엘

상기와 같이 북한의 해킹능력이 각광받는 반면 북한의 사이버 방호능력에 대한 분석은 거의 없다. 자체적으로 백신이나 방화벽 등 보안 SW를 개발하고 있다는 것이 파편적으로 알려지고는 있으나 실질적인 방호능력이 검증된 바는 없다. 이는 북한의 인터넷이 사실상 폐쇄망으로 운영되는 것에 기인한다. 과거 '어나니머스Anonymous'가 북한의 내부 인트라넷인 '광명'을 공

격하겠다고 하였으나 성공하지 못하였다. '우리민족끼리'처럼 외부 홍보용 웹 사이트의 경우 2011년 'DC 인사이드' 회원들에 의해 공격당하였지만 홈페이지 변조와 일시적인 접속 장애, 가입자 명단 공개 등의 피해가 전부였다. 그러나 2013년 4월 7일 불명의 해커들과 '어나니머스 코리아'는 북한의 '우리민족끼리' 사이트에 침입하여 내부 인트라넷 시스템을 완전히 마비시켰고, 5월 12일에는 예고된 공격을 하여 북한 웹사이트 10여 곳과 라디오 방송 '조선의 소리' 홈페이지를 해킹하였다.

이 때문에 일부에서 북한 사이트는 이용자가 적고 서버의 규모가 작아 초보 단계의 해커들에게도 뚫린다는 주장과 함께 방호능력은 공격능력에 미치지 못한다는 평가를 받고 있다. 또한 북한은 독자적인 운영체제인 리눅스 기반의 '붉은 별'을 이용하고 있는데, 디도스, 백도어, 패킷 감청에 취약한 것으로 알려져 있다.[110] 특히 '붉은 별'에 탑재된 '내나라 열람기 2.5', '망 접속기', '파일 열람기' 등 웹 브라우저 3종은 사이버 공격에 쉽게 노출될 수 있는 것으로 평가되었다. 2016년 5월에 자체 개발한 '붉은 별 OS 3.0버전'의 성능저하와 상존하는 취약점, 프로그램 간 호환성 저하 등에 따라 향후 Windows OS의 사용률이 증가할 수도 있으리라 보여진다.

북한의 사이버 무기체계 연구개발은 국방과학원 예하의 정보전연구중심, 미림대학의 정보전연구센터, 제2경제위원회의 연구개발 부서들이 합동으로 개발하고 있으며,[111] 방화벽 등 정보보호 제품과 암호 연구는 주로 김일성대학에서 수행한다.[112]

2017년 4월 러시아의 보안업체인 카스퍼스키 랩Kaspersky lab은 북한의 해커조직 라자루스의 공격 패턴에 대한 조사 결과[113] 에서 "라자루스가 방글라데시 중앙은행 해킹 이후 동남아 금융기관을 대상으로 자금탈취를 시도하던 중 카스퍼스키 랩에서 저지하자 유럽으로 활동지역을 이동한 것이 포착되었다"고 보고하였다.

라자루스의 공격기술 및 절차는 첫째, 초기침투 단계로 원격 액세스가 가능한 취약 코드를 사용하여 은행 내부 시스템에 침투한다. 둘째, 발판마련 단계로 타 은행 컴퓨터로 이동하여 영구적인 백도어를 구축한다. 셋째, 내부정찰 단계로 상당 기간 해당 네트워크를 분석하여 리소스를 파악한다. 넷째, 전달 및 절도 단계로 금융 SW 내부 보안 기능을 우회하고 악의적인 거래를 생성하는 악성코드를 구축한다.

6. 그 외 다른 나라들의 현황 114)

영국은 각 무기체계 내장형 SW 개발과 운용에 상당한 기술력을 보유하고 있는데 아키텍처 표준화, SW 개발 절차, 체계 공학 기술 분야가 뛰어나다. 또한 SW의 신뢰성 확보와 분석 등에 대한 연구를 진행하고 있으나, SW 신뢰성 측정을 위한 데이터 서비스 플랫폼, SW공학 및 검사, 타당성 검사V&V: Verification & Validation 도구와 연동된 개발절차 관리체계, 의사결정 지원체계 등 SW 신뢰성 검증 체계는 미 구축되어 있다.

2009년에는 최초로 사이버 방위기구를 설립하여 군과 보안 조직, 민간부문 등을 통합하였으며 2011년부터 사이버 방호력 강화를 위해 국가사이버보안프로그램NCSP: National Cyber Security Program을 추진하면서 2016년까지 13억 달러의 예산을 투입하였다. 2013년에는 사이버 공격역량 개발을 공개적으로 인정한 첫 번째 국가가 되었다. 사이버 방호력은 막강한 사이버 보안산업에 크게 의존하고 있으며, 사이버 보안산업의 규모는 270억 달러이고 종사자는 약 4만 명 이상에 이른다. 영국에서 사이버 보안산업은 신호정보를 수집하고 분석하는 정부통신본부GCHQ: Government Communications Headquarters가 총괄하고 있다.

GCHQ와 MI5는 미국의 NSA, FBI 등과 긴밀히 공조하면서 이메일, 은행, 의료기록 보호에 사용되는 암호를 해킹하는 데도 성공하였다. 멀웨어에 대한 검증제도인 AV-TESTAnti Virus-Test와 공통기준인정협정CCRA: Common Criteria Recognition Arrangement 가입국으로 다양한 정보보호 인증 체계인 BS7799와 같은 선도적이고 우수한 시험 검증제도를 다수 운영하고 있다.

EU에서 사이버전 분야에 가장 적극적이며 GCHQ를 중심으로 민 · 군 합동의 대응책을 마련하여 사이버 예비군을 확보 운용하면서 사이버대응센터에서 160여 개 기업의 보안전문가들과 정보를 공유하고 있다. 사이버사령부와 GCHQ를 중심으로 공격형 사이버 무기체계 개발정책을 추진하여 선제공격용 첨단 사이버 무기체계를 독자적으로 개발하고 있다.

영국이 개발한 '레진Regin'은 스턱스넷과 비교되면서 자원을 풍부하게 지원받는 서방국가의 개발자 조직에 의해 여러 목적을 가진 데이터 수집 도구와 공격용 사이버 무기체계로 개발되었다. 레진의 설계는 침투와 장기간에 걸친 대량 감시 작전에 최적화되어 있다. 피 탐지 회피능력을 보유한 레진은 감염 시스템에 다수의 파일 흔적을 남기지 않으며 자체 암호화된 가상 파일 시스템을 사용하여 호스트 컴퓨터에는 무해한 이름의 단일 파일로 보이도록 가장한다. 이 가상 파일 시스템은 잘 사용하지 않는 RC5의 변종 암호화기법을 적용하고 있으며, ICMP/ping, HTTP 쿠키에 포함시킨 명령어와 자체 개발한 지휘통제용 TCP/IP 등을 사용한다. 【표 2-19】는 영국이 개발한 공격용 사이버 무기체계인 '레진'에 대한 설명이다.

【표 2-19】 영국의 공격용 사이버 무기체계

명칭	이력 및 현황	기술적 특성
레진 (Regin)	• 2014년 11월 식별된 매우 정교한 악성코드 Toolkit • Prax 또는 Warrior Pride로도 알려짐 • MS Windows 기반 컴퓨터 사용자를 공격목표로 함	• USB, BIOS 변조를 통해 다량의 악성코드를 1, 2, 3, 5번 포트로 유입 • 목표 맞춤형 첩보활동 수행, 공격 목표에 정확히 부합하도록 모듈방식의 접근법 사용

프랑스는 NCW 수행능력과 무인전투기 기술의 고도화를 위하여 집중 투자하고 있으며 함정, 잠수함의 SONA 시스템에서는 세계 최고의 기술력을 보유하고 있다. 또한 내장형 SW 플랫폼, 미들웨어 분야와 SW공학 분야에서 세계적인 기술력을 자랑하며 해 · 공군 무기체계 SW 애플리케이션 기술개발을 추진 중이다.

2014년 민간 전문가가 참여하는 사이버전 군사훈련을 개시하였고 사이버 예비군을 창설하였다. 사이버 공격을 물리적 공격으로 간주하고 군사적 목적의 사이버 무기체계 개발을 추진하고 있으며 특히 산업스파이 분야에서 적극적인 사이버 작전을 구사하고 있다. 강력한 사이버 공격능력을 성공적인 사이버 방호의 주요 요소로 인식해 방위예산을 국가적인 사이버 공격능력 개발에 투자하고 있으며 다수의 정보보호업체 등을 통해 민간 차원의 정보보호 기술 향상도 꾀하는 중이다. 그럼에도 역설적으로 유럽에서 가장 많은 사이버 공격을 받는 나라이기도 하다.

독일 연방군은 2015년 7월 8일 사이버 공간 안에서 작전 지속 가능성을 지지해주는 근본적인 기능과 디지털 주권의 보호를 위하여 독일 내 핵심기술의 개발 및 공급을 목적으로 하는 독일 연방정부의 전략 계획을 작성하였다.[115] 이러한 기술 영역에는 필요한 능력 및 독일 연방군 공급의 안정적 확보와 확실한 기술적 경제적 협력 동맹관계자로서의 역할이 있다.

독일 연방군은 지휘, 정찰, 작전, 지원 등 네 가지 활동 영역에서 사이버상의 핵심기술들을 정리하였다. 이를 통해 개혁적인 과학 기술들을 이용하여 신설 기업들이 복잡하고 오랜 기간 지속되고 있는 공개위임자의 공급절차 접근을 용이하게 해야 한다고 본다. 사이버 영역에서 활동하는 병력들의 지속가능성을 보장하기 위해 관련된 분야와 산업 간에 새로운 협력 방법들을 모색해야 하며, 개혁에 대한 국방 분야의 유용성을 평가하는 데에 있어서도 자체적인 평가와 평가할 수 있는 능력이 필요함을 지적하고 있다.

독일은 잠수함 등 수중전투체계에 대한 뛰어난 기술력과 SW기술력을 확보하고 있지만, 사이버 기술을 각 무기체계에 적용하는 다양성은 다소 부족하다. 독일 연방군 사이버작전사령부ZCSBw, Zentrum Cyber-Sicherheit der Bundeswehr는 2017년 독일 연방군의 IT센터를 독일 연방군 사이버작전사령부로 개명하고 독일 연방군 IT사령부 산하의 기관으로 편성하였다. 이 부대는 2018년부터 사이버 공간 공격에 대비한 독일 연방군의 IT시스템 보호와 정보보안 보장을 위한 역할을 담당해왔다. 새로운 〈SW지식 및 IT시스템전문센터ZSKBw: Zentrum Software kompetenz IT-System der Bundeswehr〉를 위해 해당 사령부 내 업무 영역의 관련성이 떨어지는 부분은 사령부로부터 분리시킴과 동시에 언급된 업무 능력들은 사이버 방어 및 발전을 위해 강화한 것이다.

독일 연방군은 IT 보안과 암호 조직의 발전을 위하여 독일 연방군 사이버작전사령부 예하의 4개 조직의 설립과 독일 연방군의 사이버 관련 전문적인 인적 지원을 하고 있다. 그리고 독일 연방군은 IT보안, 암호조직, 사이버 공간[116] 부서 간 관련 과제와 인사 사항에 대한 정보 교환에 관심을 기울이고 있다.

또한 독일 연방군의 SW지식 및 IT시스템전문센터는 독일 연방군 사이버작전사령부로부터 분리된 후 인력 증강을 통해 다시 설립되었다. 차세대 센터는 SW 관련 요구에 대해 독자적이고 단계적인 형태를 가진 요구 분석으로부터 시험 과정을 거쳐 프로그램 생성까지 수행하게 된다.

독일 연방정보기술보안청BSI: Bundesamt für Sicherheit in der Informationstechnik은 각 정보통신 분야의 기반기술에 대한 연구, 분석, 평가를 수행한다. 사이버 보안 기반기술 연구와 신 정보통신 기술에 대한 분석실험을 하며, 암호기술을 연구하고 암호 키 관리 및 인증을 위한 암호 알고리즘과 프로토콜을 개발한다. 보안수준에 대한 기술적인 형식을 지원하고 평가하며 인증, 사용 추천, 정보통신시스템에 대한 인증, 암호기술 평가와 분석방법 연구를 통해 신기술에 대한 잠재적 위협과 대응방안 등을 연구하고 있다.[117)]

캐나다는 현재 정부 네트워크의 모니터링을 맡고 있는 포토닉 프리즘Photonoic Prism과 수동적인 신호정보SIGINT 모니터링에 집중하고 있는 EONBlue 등 2개 이상의 적극적인 사이버 방호 프로그램을 유지하고 있다. 최근에는 캐나다 신호정보 기관인 CSECommunication Security Establishment가 미 국가안보국과 긴밀한 관계를 유지하면서 네트워크 도청과 공격 능력을 확보하고, 정부기관을 중심으로 사이버전 발발 시 네트워크 공격 부분에 대한 강점을 확보하기 위하여 사이버전 툴박스를 유지하고 있다.

또한 데이터 중심의 보안 서비스 프로젝트를 추진하고 있는데, 정보 자원과 서비스에 대한 통제된 접근 등 데이터 보안을 제공하고 표준화된 보안 라벨, 지정된 승인, 사용자 자격증, 보안 정책에 근거한 정보공유를 구현한다. 상용 위성 제작업체인 COM DEV는 스위스의 IDQ사와 협력하여 양자암호 통신이 가능한 마이크로 인공위성을 개발 중이다.

호주는 2011년부터 보안정보국 내에 사이버조사팀을 설치하여 사이버 공격에 대한 대응과 정보업무를 수행하고 있으며, 일부 사이버 방호 무기체계에 대한 독자적인 개발 능력을 보유하고 있다. 에셜론Echelon[118)] 회원국FiveEye: 미국, 영국, 호주, 뉴질랜드, 캐나다이기 때문에 회원국 간 정보공유를 하고 있지만 미국 의존도가 높아 자체 기술력 수준은 의문시되기도 한다.

호주 국방통신국 내에 설치된 사이버보안운영센터를 통해 다양한 기술을 개발하고 있으며, 사이버전 훈련장 구축 등에 대한 연구개발을 추진하고 국방부 예하에는 호주 사이버보안센터를 설치하였다.

호주 신호정보국은 에셜론 회원국들과 공동으로 정교한 Trojan 멀웨어인 레진 개발에 협력하여 기술을 축적하였다. ASD 개발자들은 레진의 데이터 복제, 암호 절도, 삭제 파일 복구, 네트워크 트래픽 감시, 적의 네트워크 및 시스템에 대한 원격 접근 등의 기능 개발에 참여하였다. 사이버 공격작전 수행을 위한 폭넓은 컴퓨터 네트워크 작전을 개발 중이거나 이미 개발했을 것으로 추정된다. 이러한 작전에는 DDoS 공격, 적 시스템에 멀웨어를 심어 민감한 데이터를 삭제하거나 시스템을 마비 혹은 파괴시키는 등의 활동이 포함된다.

2013년 방위백서에서는 사이버 보안 및 사이버전 위협에 대한 이해가 크게 늘어났다고 천명하고 한층 정교한 침입 탐지 체계, 분석 및 위협평가 역량은 물론 특정 공격에 대한 신속하고 공조된 대응역량을 보유하고 있다. 또한 호주 연구협의회에서 양자 컴퓨터 연구를 장기적으로 지원하고 있다.

이탈리아는 2014년 사이버전 국가 전략 프레임워크를 설정하고 이스라엘과 공조하여 사이버 군사작전의 수행이 가능한 수준으로 발전하고 있다.[119] 그러나 이탈리아 해킹 팀이 개발하여 상용화한 해킹 도구인 RCS 제품은 다른 나라들도 쉽게 개발할 수 있는 수준의 기술이다. 그럼에도 불구하고 이탈리아의 해킹 팀은 사이버 침입, 감시 능력을 정부와 기업에 판매하고 있다. 원격제어시스템은 인터넷 사용자의 통신을 모니터링하여 암호화된 파일이나 이메일을 해독할 수 있고 스카이프 등 VoIP 통신의 감청은 물론 원격 대상 컴퓨터 내장 마이크와 카메라를 이용한 감시가 가능하다.

이러한 제품을 인권유린 국가에 판매하는 것에 대하여 국제사회로부터 인권의식의 결여라고 지적을 받았다. 이에 대해 해킹 팀의 SW가 비윤리적으로 사용되는 경우 이를 해제할 수 있는 능력을 갖추고 있다고 발표하여 위기를 모면하려 하였지만, 2014년 이탈리아 정부는 인권 관점에서 해킹 팀의 제품 수출을 동결시킨 바 있다.

핀란드는 2012년부터 사이버 공격에 맞서기 위하여 악성코드와 바이러스 등 사이버 무기체계 개발에 투자하겠다고 선언하였으며, 2015년까지 사이버 보안 분야에서 최고의 국가가 된다는 목표 아래 투자에 적극 나섰다.

그 결과 2012년 벨기에의 안보-국방 아젠다SDA: Security & Defence Agenda는 미국의 맥아피사에서 발표한 사이버 보안 관련 평가자료와 세계 27개국 80여 명의 보안전문가들과 인터뷰한 것을 바탕으로 세계 각국의 사이버 보안수준에 대한 보고서를 발표하였는데 핀란드가 5점 만점에 4.5점을 받아 사이버전 능력에서 세계적인 수준임을 입증하였다.[120]

이스라엘은 다양한 사이버 공격 기술과 사이버 무기체계를 확보하고 있다. 2007년 시리아와 분쟁 당시 사이버 무기체계로 시리아군의 방공망을 무력화시킨 적이 있으며, 사우디아라비아 해커그룹인 Group-XP의 공격에 대응하여 페이스북 아랍계 사용자 2만 명의 로그Log정보를 공개하였고, 사우디아라비아의 주식거래소에 대한 사이버 공격과 UAE 중앙은행의 서비스를 정지시킨 바 있다. 미국과 공동으로 사이버 무기체계를 확보하고 굴지의 정보보호업체 등을 통해 풍부한 정보보호 기반기술을 보유하고 있다.

사이버 무기체계 관련 핵심기술은 대부분 국내에서 확보되고 있으며 민간 정보보호 기술은 최선진국으로 미국의 실리콘밸리와 견줄 수 있는 수준이다. 2014년 기준 정보보호 제품의 수출은 60억 달러 이상이었고 세계 SI시장의 약 10%를 점유하고 있다. 【표 2-20】은 지금까지 식별된 이스라엘의 방호용 사이버 무기체계를 종합하여 표로 작성한 것이다.

【표 2-20】 이스라엘의 방호용 사이버 무기체계

명칭	이력 및 현황	기술적 특성
CID	Cyber Iron Dome • 이스라엘 방산업체 '라파엘(Rafael)'이 자체 설비를 보호하기 위해 개발한 사이버 방호 시스템 • 이스라엘 국가 방호용 극비 기술이나 2015년 이후 한국 등 일부 국가에 판매 허용	• SCADA(전력, 화학, 철도 등) 대상 사이버 공격과 테러 방호 체계 • 기존 보안 솔루션과 달리 산업제어기술 분야에 최적화 • SCADA Dome은 설비보호 계층, 네트워크 인프라 계층, 컴퓨팅 인프라 계층, 보안 상황인식 계층 등 4단계 적층구조로 구성 • 솔루션의 핵심은 보안 상황인식과 설비 보호 계층임

이란은 2011년 미국과 이스라엘에 의해 자국 핵 시설이 사이버 공격을 당한 것을 인정하고 사이버전을 위한 전담부대를 창설하였다. 그 후 스턱스넷으로 공격한 미국에 대한 보복으로 사우디아라비아, 카타르 등에 있는 친미, 친이스라엘 기업들에게 사이버 공격을 하였으며 미국의 대형 금융회사도 공격하였다. 또한 미국의 Stealth UAVRQ-170[121] 를 해킹하여 완벽한 상태로 공중 나포하였다.[122]

이란의 사이버 방호 능력은 서방국가의 해킹 공격에 대항할 수 있는 일정 수준을 보유하고 있는 것으로 평가된다. 또한 북한과 해킹 관련 상호협정을 맺어 서방 국가에 대한 다양한 해킹 정보 및 공격 기법을 공유하고 있다. 이란은 주로 사이버전의 공격에 치중된 경향을 보이고 있으며 강력한 공격용 사이버 무기체계 개발과 실전에서의 높은 운용 수준을 보이고 있다. 이란의 정규군인 이슬람혁명수비대는 2015년 총 국방 예산 115억 달러 중에서 약 0.6%인 7,600만 달러를 사이버 예산으로 확보하였다.

이란이 보유한 사이버 무기체계는 전자기펄스 무기체계, 손상된 위조 컴퓨터 SW, 무선 데이터통신 재머Jammer, 컴퓨터 바이러스 및 웜, 사이버 데이터 수집 활용, 컴퓨터 및 네트워크 정찰 도구, Trojan 시한폭탄추정 등이다.

이란은 매우 발전된 사이버 무기체계를 보유하고 있으며 미국과 이스라엘 등 특정 정부의 웹사이트와 기반시설에 대한 공세적 계획을 가지고 있다. 위성, 로켓, 레이더 기술 등 서방국가의 군사기술에 대해서 지속적인 해킹과 친미 국가에 대한 해킹 등 사이버 공격을 위한 핵심기술도 독자적으로 확보한 것으로 평가된다.

서방 세계의 인터넷 지배에서 탈피하기 위하여 컴퓨터의 운영체제도 자국에서 개발하였으며 월드 와이드 웹 사용을 중단하고 독자적인 인트라넷 체제로 전환하고 있다. 그 결과 공공기관의 컴퓨터 운영체제는 국내 정보만 검색가능한 엔진을 개발하는 수준으로 발전하였다. 사이버 요원은 약 2,500명 규모로 파악된다. 【표 2-21】은 이란이 보유한 것으로 평가되는 사이버 무기체계들이다.

【표 2-21】이란의 사이버 무기체계

명칭	이력 및 현황		
CID	• 전자기펄스 무기체계 • 손상된 위조 컴퓨터 SW • 무선 데이터 통신 재머	• 컴퓨터 바이러스 및 웜 • 사이버 데이터 수집 활용 • 컴퓨터 및 네트워크 정찰 도구	• Trojan 시한폭탄(추정)

인도는 거대 IT 인력을 보유하고 주로 파키스탄과 중국에 맞서기 위해 사이버 공격 역량을 개발하였다. 특히 방호 수단에 대한 노력을 집중하고 있으나, 사이버전 역량 개발은 미흡한 예산 지원과 인력 부족 문제로 인하여 진전을 보지 못하고 있다.

2009년 인공지능로봇센터와 국방연구개발기구DRDO: Defense Research Development Organization는 인터넷감시스파이시스템 NETRANetwork Traffic Analisys를 개발하고 2014년 이후 실시간 사이버 위협 대응역량을 개선시킨 것으로 평가되지만 암호화된 메시지를 해독할 수 없는 등 부정적인 평가도 있다.

2010년 7월 새로운 사이버 공격 전략 초안을 마련하고 중국, 파키스탄 등 적대국의 기밀 데이터에 대한 첩보수집 활동을 수행할 사이버 부대를 만들기 위해 IT 전문가와 해커들을 모집하였다. 인도국립기술연구소NTRO: National Technical Research Organization는 기술첩보를 수집하는 정부기구이며, 군사 첩보를 수집 분석하는 국방정보국DIA: Defense Intelligence Agency은 사이버 공격역량을 키우고 관리할 책임을 부여받은 조직이다.

2011년 7월 미국과 사이버 보안 정보교류를 위한 MOU를 체결하였고, 2013년 2월 영국과 경찰훈련 교류, 사이버 보안 공동연구 확대를 통해 사이버 공간 협력 활성화를 주요 내용으로 한 양자 업무 협정을 체결하였다. 2013년 7월에 「국가사이버보안정책NCSP: National Cyber Security Policy」을 발표하여 2018년까지 정부 및 IT 업계의 50만 사이버 보안 전문가로 구성된 국가 사이버 인력체계를 구축한다고 하였으나 추진이 지지부진한 상태이며, 다른 국가들과 실무적인 사이버 관계를 맺음으로써 자국의 사이버 역량을 개선하고자 노력하고 있다.

신종 사이버 공격 위협의 증가

1. 2019년 10월 네덜란드 호스팅업체, IoT 봇넷 운영 적발

   2년여 동안, 수십 개의 DDoS 봇넷을 운영하던 네덜란드 호스팅업체가 경찰에 적발되었다. Mirai 악성코드에 감염된 라우터, IoT기기, 케이블 모뎀 등으로 구성된 봇넷을 해커들에게 제공한 것이다.

2. 미국 Medtronic사 인슐린 펌프 취약점 발견

   미국 Medtronic사의 인슐린 펌프(MiniMed 508, Paradigm series)에서 무선 RF통신 취약점을 발견했다. 이 취약점을 악용할 경우, 펌프에 데이터를 주입하거나 설정을 변경함으로써 인슐린 투여의 제어가 가능하다.

3. 스미싱+보이스피싱이 결합된 사이버 공격

   문자메시지를 통한 스미싱 후 보이스피싱으로 이어지는 공격방법이다. 2018년 11월에 보도된 신종 수법이다. 해커는 '경찰청 사이버안전국'을 사칭한 앱을 유포한 뒤 피해자의 개인정보를 빼내 보이스피싱으로 금전을 탈취하는 방법으로 범죄를 저지른다. '경찰청 사이버안전국' 사칭 앱의 유포는 스미싱을 통해서 이루어진다. 스미싱을 통해 설치된 이 앱은 피해자의 스마트폰을 감염시킨 후 피해자가 248개 금융기관 중 하나에 통화를 시도할 때까지 잠복한다. 만약 피해자가 통화를 시도할 경우 통화를 가로채고 보유하고 있는 51개의 금융기관 중 해당 금융기관의 음성녹음 파일을 재생한다. 해커는 금융기관을 사칭하여 상담을 진행한다. 사전에 감염된 기기를 통해 정보를 빼낸 만큼 금전탈취 방식은 쉽게 진행된다. 만약 의심하는 피해자가 금융감독원에 신고할 경우 이 통화를 가로채 해커에게 연결시키고 이 과정에서도 피싱이 이루어진다.

4. 웹 기반 공격과 애플리케이션 취약점 공격

   2019년 가장 많이 시도된 사이버 공격 유형은 웹 기반 공격으로 전체 공격의 39%를 차지했다. 다음은 애플리케이션 취약점 공격이 31%이다. 웹 기반 공격은 공격자가 기업의 웹사이트 등을 노려 '웹 취약점 공격', 'SQL 인젝션 공격' 등을 전개하는 공격방식이다. 애플리케이션 취약점 공격은 조직에서 사용하는 웹 애플리케이션, 업무 SW 등 다양한 애플리케이션의 취약점을 노리는 공격 방식이다. 공격자는 외부 접근이 쉬운 웹과 애플리케이션 취약점을 노린다. 특히 웹 서버는 기업 내부 데이터베이스와의 연결성이 높고 웹 기반 기업의 서비스가 이뤄지는 중요 보안 영역이기 때문에 더욱 주의해야 한다. 기업의 보안 담당자는 웹 보안 운영 및 실시간 모니터링, 신규/긴급 취약점 대응, 클라우드 보안 운영 등 전문화된 보안 관리를 제공하는 전문 보안서비스를 활용해 웹기반 자산에 대한 보안을 강화해야 한다.

제3절 사이버 인력 확보 및 교육훈련

2012년을 기준으로 UN 군축위원회UNIDIR: United Nations Institute for Disarmament Research의 발표에 의하면 세계 193개국 중에서 47개국이 사이버 전담 부대를 운용하고 있는 것으로 밝혀졌으며, 군이 아닌 기관으로 존재하는 국가까지 포함하면 67개국으로 확대된다.

1. 미국의 체계적 인력 육성과 관리

미 국가안보국은 2013년 기준, 사이버 무기체계를 개발하기 위한 인력으로 수학자 1,000명 이상, 박사급 900명, 컴퓨터 과학자 4,000명 이상을 보유하고 있다.[123] 2009년 공군에서 최초로 사이버사령부를 창설한 이후에 2010년 육군 · 해군 · 해병대에서 각 군이 통제하는 사이버사령부를, 그해 5월에는 전략사령부 예하에 국가급 사이버사령부를 창설하여 (그림 2-5)의 형태를 갖추게 되었다. 미국 사이버사령부의 주요 특징은 다른 국가와는 달리 사이버사령부 외에 각 군에서 사이버사령부를 별도로 운영하고 있으며, 국가급 사이버사령부 본부 예하에 직속 사이버 임무팀을 두어 긴급하고 은밀한 사이버 임무와 지원 활동을 하고 있는 것이다.

(그림 2-5) 미국의 사이버사령부 조직[124]

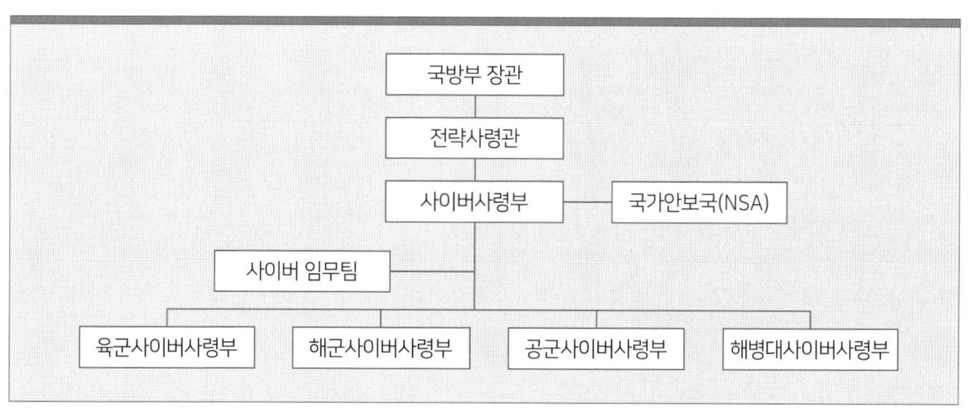

2016년 사이버위협정보통합센터CTIIC: Cyber Threat Intelligence Integration Center를 창설하였으며, 그해 2월 「사이버보안 국가행동계획CNAP: Cybersecurity National Action Plan」을 발표하면서 국가 안보에 대한 심각한 위협으로 사이버 위협을 상정하고 우리나라와 일본 등 동맹국과의 협력을 강조하였다.[125)]

또한 사이버 공간의 장악력을 현 수준에서 지속적으로 유지하기 위하여 중 · 장기적인 사이버 인력 양성을 위한 노력을 기울이고 있다. 사이버 대응을 위한 프로그램 개발과 조직 정비 등은 물론이고 사이버 보안 인력을 체계적으로 확보하기 위한 인재 발굴, 육성, 채용 계획을 지속 보완하고 있다. 「국가정보보증교육 및 훈련계획」은 고급 전문인력을 육성하기 위해 고등학교 단계에서부터 대학교, 석 · 박사 과정에 이르기까지 총체적인 인력양성을 수행하는 체계이다. 여기에서 확보된 인력은 민간은 물론 국방, 법 집행, 정보 등 국가 제반 분야에서 즉시 활동이 가능한 중간 간부나 초 · 중급의 인력을 양성하여 배출하는 것을 목표로 하고 있다.[126)]

또한 국립표준기술연구원의 프로그램과 국가안보국은 사이버 인재양성 및 확보를 위하여 사이버 보안교육을 위한 국가 이니셔티브NICE: National Initiative for Cybersecurity Education를 운영하고 있으며, NICE를 지원하기 위하여 국립사이버운영우수학술센터CAE: National Centers of Academic Excellence in Cyber Operations라는 인재육성 프로그램을 개설하였다. 카네기멜론 대학원과의 협력을 통해 12~19세우리나라 초등학교 6학년부터 고등학교 3학년를 대상으로 해킹 및 방어 콘테스트인 Toaster Wars를 정기적으로 개최하고 있다.[127)] 2015년 국방부는 중국, 이란, 북한의 사이버전 능력을 추정하기 위한 모의 게임을 하는 등 사이버 위협 국가들에 대한 지속적인 사이버 능력 검증 활동을 하고 있다.[128)]

미국의 군 사이버 전문인력에 대한 정의[129)] 는 대략 4가지로 분류된다. 첫째, 사이버 공간 IT 워크포스는 IT와 네트워크 등을 설계 · 구현 · 구성 · 운영 · 유지할 수 있는 역량을 갖춘 인력으로, IT 체계의 설계 · 구성 · 획득 · 구현 · 평가 · 파기와 정보의 관리, 저장, 전송 및 시각화와 전산 자원 투자 포트폴리오 작업을 수행한다. 둘째, 사이버 보안 워크포스에서는 적절한 보안통제 조치와 내부 보안조치 등을 이행하여 지정된 데이터와 네트워크, 네트워크 중심 자원을 보호하고 방어하며 유지할 수 있는 인력으로, 사이버 공간 역량 관련 모든 사이버 보안 조치들에 대한 통합, 제어, 관리 등을 담당한다. 셋째, 사이버 공간 이펙트Effect 워크포스에서는 사이버 공간을 방호하거나, 사이버 공간을 통한 전투력 투사를 목적으로 사이버 역량을 계획하고 지원하며 실행하는 임무를 맡는다. 넷째, Intelligence Workforce(Cyber)에서는 해외 주체들의 사이버 프로그램, 의도, 역량, 연구개발, 작전 활동 등 다양한 정보를 모든 출처로부터 수집 · 처리 · 분석 · 전파할 수 있는 인력으로 정의하고 있다.

미국의 군 사이버 보안 인력관리 전략과 정책은 사이버 전문인력의 체계적인 관리를 위해 별도의 전략 DoD Cyberspace Workforce Strategy 2013과 지침 DoDD 8140.01 : Cyberspace Workforce Management 2015, 정책보고서 DoD Cyber Operations Personnel Report 2011을 개발하여 제공하고 있다. 2013년 12월 미 국방 사이버 전문인력 전략DCWS: DoD Cyberspace Workforce Strategy에서 군 사이버 전문 역량강화를 위한 사이버 인력의 채용, 교육, 유지 관련 내용을 포함한 국방 사이버 영역 인력 전략을 【표 2-22】와 같이 발표하였다.

【표 2-22】 미 국방 사이버 영역 인력 전략 130)

중점 전략 (Focus Area)	세부 내용 및 주요 요소
1. 국방부 차원의 일관된 사이버 전문인력 관리 정책 확립	• 사이버 영역 업무의 역할 표준에 대한 국방 사이버 전문인력 프레임워크의 수립 • 사이버 전문인력의 자격 식별 및 추적을 위한 인력 관리 요구사항 수립 • 사이버 영역의 역할 및 인력에 대한 적절한 기준과 지침을 수립
2. 국가 차원의 사이버 영역 인력 Pipeline 개발을 위한 국토안보부 및 연방 차원의 다차원적 접근 방식 채택	• 자격 및 적성평가 실시, 군사 및 민간 서비스 간의 인력전환 기회 창출 • 국방부만의 사이버 영역 인력에 대한 인식 개발
3. 기술 성숙도 평가에 중점을 둔 지속적 학습 체계의 제도화	• 기관의 숙련도 측정 · 개발, 부서 차원의 교육 기회 식별 · 활용 • 임원진, 부서장에 대한 사이버 영역 훈련 요구 사항 확대 • 현실적이고 지속적인 시뮬레이션 환경에서의 개별 및 집단 교육 제공
4. 자격을 갖춘 인력의 유지	• 경력의 연속성과 의미 있는 도전을 제공, 역량 유지와 연계된 교육 기회 제공 • 인센티브 제도를 통해 자격 있는 인력을 유지 • 사이버 영역 리더의 식별 및 보유
5. 사이버 위협에 대한 지식 확대	• 국방부의 사이버 위협지식 프로그램 연수 • 잠재적인 사이버 영역의 문제에 대하여 개별 보고를 위한 표준과 방법 확립 • 사이버 위협 인식 테스트 및 평가
6. 위기 요구사항과 옵션의 이해	• 사이버 영역의 임무에 대한 예비군 및 방위군의 지원 분석 • 국방부에서 민간 사이버 전문기술을 활용할 수 있는 방안을 탐색

미국은 사이버 작전 주특기 운영을 통해 사이버 공격 · 방호와 지원을 포함한 사이버 작전 분야의 명확한 임무와 역할을 부여하고 있으며, 사이버 전사를 양성하여 관련 부대에 배치하고 있다. 【표 2-23】은 미군의 사이버 주특기를 분류한 표이다. 미 국방부는 DoDD 8570과 DoDD 8140을 통해 군의 사이버 전문 인력의 역량과 자격을 인증하기 위한 기준을 제시하고, 교육기관은 이 기준을 만족시키는 교육 프로그램을 진행하고 있다.

【표 2-23】 미 국방 사이버 전문 주특기 및 병과 체계 현황 131)

군	부호	주특기	직무	계급
육군	17A	사이버작전 지휘관	• 사이버 공간 영역의 공세적, 방어적 작전을 계획, 지시, 통솔	장교
	17C	사이버작전 전문가	• 적의 적대 활동에 대해 통합적이고 즉각적인 사이버 공간 작전수행	병
	25D	사이버네트워크방어	• 정보시스템 및 네트워크 위협으로부터 보호하기 위한 방어조치	장교
	35Q	암호네트워크전 전문가	• 초기에 디지털 암호 분석을 통해 대상을 식별하고 작동 패턴 확립	병
해군	181X	암호전 지휘관	• 암호 해독 및 암호 해독 응용 프로그램을 관리, 정보 취약점 연구	장교
	182X	정보전문가	• 정보시스템을 통한 해군의 지휘 통제 및 네트워크 시스템 계획, 획득, 보안, 운영 및 유지보수	장교
	184X	사이버전엔지니어 지휘관	• 네트워크와 전술적 시스템에 대한 공격을 방어하며 정보 지배력을 높여 최고의 지식 개발	장교
공군	3D0X2	사이버시스템작전	• 방호체계 확립, 네트워크 운영 관리, 시스템 HW · SW 전략 계획 수행	병
	3D0X3	사이버시스템작전	• 컴퓨터 네트워크 및 통신보안 보장을 통한 국가 시스템의 안전보증	병
	17X	사이버시스템작전 지휘관	• 정보통신, 무기, 정보 효율성 등을 책임지는 사이버 공간 전문가	장교
해병대	0651	사이버네트워크 운영자	• 여러 정보시스템을 통합하여 계획 · 실행, 시스템 문제 평가 및 해결	병
	0659	사이버네트워크 시스템책임자	• 안전성이 보장된 최적의 사이버 통신 시스템을 유지	병
	0689	사이버보안기술자	• 모든 정보시스템의 보안, 무결성 인증 및 기밀 유지를 담당	병
	2611	디지털암호 네트워크 기술자	• 디지털 네트워크 수집 · 분석을 계획하고 수행하는 모든 측면 지원	병

사이버사령부는 전문인력의 역량 유지 및 강화를 위해 개인훈련과 집단훈련을 포함하는 사이버 전문인력의 훈련과 인증 프레임워크를 개발하여 제시하였다. 국가 사이버 보안인력 프레임워크NCWF: National Cybersecurity Workforce Framework [132] 는 사이버 전문직무를 7가지 카테고리 [133] 로 구분하고 있다.

7가지 카테고리는 보안 규정Security Provision, 작전 지속력Operate & Maintain, 감독과 개발Oversight & Development, 방호와 방어Protect & Defence, 연구Investigate, 분석Analyze, 수집과 작전Collect & Operate이다. 이중에서 국방 분야에 특화된 카테고리는 수집, 작전, 분석이다. 국가 사이버 보안 인력 프레임워크는 사이버 분야 직무 분석을 통해 1,000여 개의 기본업무, 600여 개의 지식, 300여 개의 기술, 100여 개의 능력으로 구분하여 세부 사이버 전문 분야의 수준별 요구역량과 자격 요건을 제공하고 있다. 기본업무, 지식, 기술, 능력을 통해 업무 역할과 기술 포맷 제공을 기반으로 구인 시 요구역량과 구직 시 보유역량을 명확히 제시하여 필요한 최적의 인력을 찾을 수 있도록 하였다.

또한 국가 사이버 보안인력 프레임워크를 활용하여 군의 사이버 전문인력 직무 분석에 기초한 별도의 국방 사이버 인력 프레임워크를 개발하여 인력관리에 활용 중이다. 사이버 영역에 따라 정렬된 기본업무, 지식, 기술, 능력 등 업무 역할이 기술되어 있으며 연방 정부 · 민간 · 학계의 국가 표준으로 사용되고 있다. 국방 사이버 인력 프레임워크의 직무체계는 용어와 구조를 활용하여 역할에 대한 업무와 KSAKnowledge, Skill, Abilities를 명확히 제시하고 있다.

또한 국립사이버운영우수학술센터는 국토안보부와 국가안보국이 공동 후원하는 대학 연계 교육 프로그램으로 현재 44개 주에서 200개 이상의 최상위 대학을 통해 정보보증IA: Information Assurance과 사이버 국방CD: Cyber Defense, 사이버 작전CO: Cyber Operations 분야에서의 사이버 전문가 양성 확대를 목적으로 교육이 이루어진다. 해당 프로그램을 졸업한 학생은 사이버 국가 안보시스템, 민간 네트워크, 민간 및 공공 부문에서의 정보 인프라 보호 전문가로 인정받게 된다.

국가 사이버 보안인력 프레임워크와 연계된 교육 과정CAE은 사이버 방호CAE-CD과정이라고 한다. 국가안보국이 사이버 방호 직무를 수행하기 위해 운영하는 사이버 전문인력 양성 국립사이버운영우수학술센터 프로그램에는 필수과목과 선택과목이 지정되어 있다. 사이버국방

CAE-CD과 사이버작전CAE-CO 교과 과목의 지식 단위들은 NICE와 국가 사이버 보안인력 프레임워크의 Knowledge Unit와 연계되어 있어 업무에 필요한 지식과 기능을 정확히 식별할 수 있다.

미국은 사이버 전문인력을 효과적으로 관리하기 위해 체계적인 정책과 엄밀한 방법론에 근거한 직무 프레임워크, 교육훈련 · 인증 가이드라인, 편리한 지원도구 등을 개발하여 활용하고 있다.

2. 사이버 전문 인력의 메카로 부상하는 중국

중국의 사이버 전문인력 양성은 1997년 4월 중앙군사위에 컴퓨터 바이러스 부대를 창설하면서 시작되었다. 2000년 11월에는 전자전 특수부대인 Net-Force를 창설하여 적의 정보시스템의 교란, 마비, 무력화 등 사이버 공격을 담당하도록 하였다. 2015년 12월에는 전방위적인 전자전에 대비하여 새로운 군종인 전략지원군을 창설하였다. 2016년 1월에는 총참모부 예하에 연합 참모부를 신설하고 7개의 군구를 5개로 개편하여 지휘체계를 단순화하였으며 군구별 책임 역량을 강화하였다. 공식적으로는 사이버 공격 임무수행을 부인하고 있지만, 국방 백서에 '중국은 먼저 공격받지 않으면, 공격하지 않는다'는 입장을 천명하여 사이버 공격능력을 갖추고 있음을 부인하지 않았다.

중국은 2015년 10~11월에 군 개혁안을 확정하고, 군사개편을 단행하여 12월에 우주 및 사이버 공간의 통합 지휘부인 전략지원군을 (그림 2-6)과 같이 창설하였다. 중국 사이버사령부의 주요 특징은 사이버 작전을 연합지휘부를 통해 체계적인 통합작전으로 구현하도록 한 것이다. 또한 연합작전 요구에 부응하도록 군사위원회와 전역戰役에 지휘체계를 건립하였다. 이는 전 · 평시 동일하게 정예화되고 고효율화된 지휘체계를 구축하고 작전구역 조정을 위한 것으로 풀이된다.

중국은 이와 더불어 천天 · 망網 · 전電이 일체화된 연합작전[134] 을 수행하도록 전략지원군을 구성하였다. 전략지원군에 사이버 관련 기구를 통합함으로써 정보화 전략을 중국의 공식 군사

전략으로 공표하였다. 또한 각 병종과의 융합을 통해 우주, 사이버 공간, 전자전 분야에 대한 신형 작전역량과 실질 작전능력을 구비하였다.[135] 중앙군의 역량을 신속하게 전구로 확대하는 중국의 군사능력을 통해 유추해 볼 때 중국은 5대 전구를 기점으로 사이버 부대를 배치한 것으로 추정된다.[136] (그림 2-6)은 중국의 사이버사령부 조직을 현재까지 식별된 정보를 기반으로 작성한 것이다.

(그림 2-6) 중국의 사이버사령부 조직 [137]

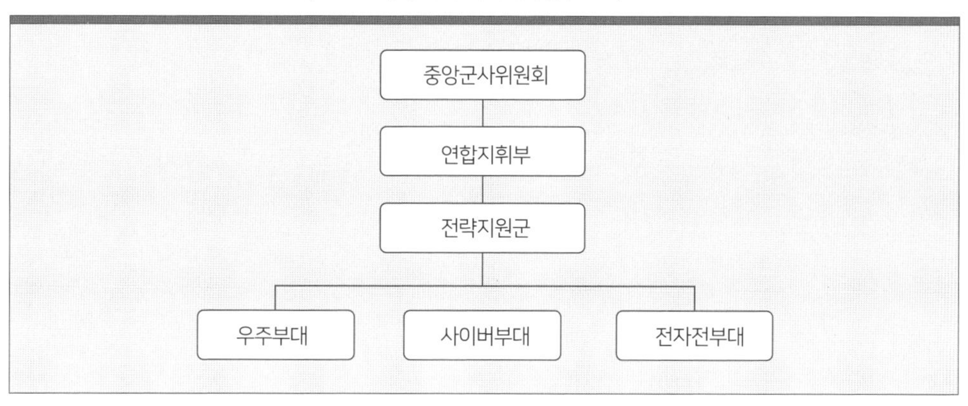

2017년 8월 중국의 〈중앙인터넷 안전 정보화 영도소조〉와 교육부는 시진핑 주석의 특별 지시로 각 대학에 '일류 사이버 보안대학 건설을 위한 시범관리 항목'을 통지하였고, 2019년 완공을 목표로 1만여 명에게 사이버 전문교육과 훈련을 할 수 있는 환경을 제공하는 등 국가 사이버 보안기지 건설을 위하여 총 216억 위안한화 약 5조 3천억 원을 투자한다고 발표하였다.

이를 위해 첫째, 사이버 공간 개방 실험실을 구축하고 사이버 공격과 방호 기술의 테스트 베드Test bed를 구축하며, 사이버 공간의 보안 시험장을 보유하는 사이버 보안대학을 건설한다. 둘째, 해안 데이터센터, 육지 데이터센터, 빅 데이터 응용센터 등을 구축한다. 셋째, 국제 인재 커뮤니티 프로젝트를 신설하여 1,264명의 사이버 인재에게 주택과 교류 장소를 제공한다. 넷째, 전시 센터와 사이버 보안 과학기술개발원의 기본 인프라를 구축하기로 한다. 이를 위해 2017년 8월에 사이버 보안 관련 산업의 교육 · 연구 · 응용에 종사하는 기관과 개인들이 모여

결성한 전국적이고 비영리적인 사회조직인 〈중국 사이버 공간 보안협회〉라는 인재양성 교육 실무위원회를 설립하였고, 각 성과 시는 지도층을 대상으로 사이버 보안교육과 기반시설 구축을 강화하고 있다.

중국의 사이버전 지원역량으로는 인민해방군 외곽조직이며 14만여 명이 활동하는 것으로 알려진 홍커紅客연맹이 있다. 또한 국가안전부와 공안부 등에 사이버요원 125,000여 명을 보유하고 있다. 중국의 비정부 역량으로는 민간과 반관반민 단체들이 사이버 공격과 방호 역할을 자발적으로 수행하며 애국적인 홍커들이 사이버 예비군의 역할을 담당하고 있다.

이를 평가해보면 중국은 사이버 보안전문가 양성을 위하여 국가사이버보안기지를 건설하는 등 실질적인 사이버 인력양성 정책을 추진함을 알 수 있다. 이와 함께 관련 업종을 상호간 협력이 용이하도록 제반 시설을 구축해 향후 사이버 보안전문가들의 정보공유 메카로 활용되도록 할 가능성이 높은 것으로 보여진다. 이처럼 정부의 전폭적인 지원 아래 추진되는 사이버 전문 인재 양성은 국가 사이버 전력을 강화하는 계기가 될 것으로 전망된다.

3. 체계를 갖추어가는 러시아

1986년 옛 소련의 내무부에 설립된 Department R이라는 조직은 소련 정부의 무선 전자 보안시스템에 대한 비밀 정보 유지와 획득에 필요한 특수기술 장비를 개발하여 프로그램 적용과 설계, 컴퓨터 네트워크에 대한 침투 등 사이버 공간에서의 불법행위 차단과 무선 간섭 방지 등의 임무를 수행하였다. 이후 1997년 러시아 연방의 형법 제28조에 사이버 공간에서의 범죄에 대한 형사 책임이 명시된 이후 Department R은 컴퓨터 범죄수사에 있어 보다 은밀한 임무를 부여받기 시작하였으며, 1998년 10월 첨단기술 범죄에 광범위하게 대항하는 부서로 확대되었다. 2002년 내무부 특별기술평가부에 귀속되면서 〈특수기술평가부서 K〉로 개칭되었다.

통상적인 컴퓨터 범죄수사의 중요한 부분은 러시아 연방 내무부 조사위원회의 특수 조직이 수행하며 일선 경찰 조직을 지원하고 있다.[138]

러시아는 2002년 세계 최초로 해커 부대를 창설하였고, 2008년에는 국방 예산 40조 원 중 사이버 부대 예산으로 1,524억 원을 배정하였다.[139] 2010년에는 7,300여 명 규모로 구성된 사이버 군을 운영하고 있는 것으로 추정되나 세부 조직은 알려져 있지 않다.[140] 그러나 2013년 리아노보스티 국방부 소식통은 러시아가 사이버 안보 전담 특수부대를 창설할 계획을 가지고 있다고 보도하였으며,[141] 이후 국방장관의 지시에 의해 공개적으로 사이버사령부 창설이 추진되었다.

또한 2014년 러시아 부총리가 사이버사령부의 창설을 재차 언급한 후 5월에 러시아의 군사지휘 통신체계 보안을 목적으로 하는 사이버전 부대가 창설되었다. 이 부대에는 수학, 프로그래밍, 암호학, 통신, 무선 전자전 분야의 최고급 전문가들로 구성된 지상 군관구와 함대 소속 부대 및 분대가 포함되어 있는 것으로 알려지고 있다. 해당 특수 부대는 기본적으로 미국의 경우와 유사한 조직으로 보이며, 외부로부터 유입되는 정보의 감시 및 관리와 더불어 사이버 위협 차단 활동을 수행하는 것으로 알려져 있다.

이에 따라 2014년 5월에는 러시아군의 C4I 체계 보호를 포함한 사이버 보안을 담당하는 사이버전 부대 창설 계획이 발표되었다. 2015년 2월 「2020 러시아군 정보통신기술 발전 구상」을 수립하고, 3월에는 스마트 무기체계 기반의 사이버전 역량을 더욱 강화한다고 발표하였다. 2015년 11월에는 크림반도에 독립된 사이버 부대 창설이 발표되기도 하였다.

4. 통합 운용으로 총체적 대응을 준비하는 일본

일본은 2000년 10월 시험용 바이러스와 해킹 기술을 독자적으로 개발한다는 방침을 발표하고 육 · 해 · 공 자위대가 통합적으로 운영하는 사이버 부대를 창설하였다. 이듬해인 2001년부터 사이버전을 준비하기 위한 첨단 전자장비 및 기술 개발 비용으로 방위 예산 1,398억 엔을 확보하며 본격적 채비에 나섰다.[142] 2005년부터는 내각관방 정보보호센터에서 사이버 위협 징후에 대한 모니터링을 실시하며 사이버 보안 관련 해당 기관에 대한 지원을 시작했다.[143]

2012년 9월 '방위성, 자위대에 의한 사이버 공간의 안정적이고 효과적인 이용을 위하여'라는 「사이버 지침」을 발표하여, 방위성과 자위대의 시스템 네트워크 방어에 통합적인 운용을 목표로 본격적인 시책을 추진해 오고 있다. 그 지침의 일환으로 2014년 3월 26일 고도화된 사이버 공격의 위협에 대한 적절한 대응을 위하여 방위성 통합 막료감부 산하에 사이버방위대를 창설하였다.

2015년 1월에는 내각에 사이버보안센터를 설립하였고, 사이버 보안 전략본부를 신설[144] 한 결과 (그림 2-7)과 같은 사이버방위대가 조직되었다. 사이버방위대는 방위성 산하 자위대 지휘통신 시스템 대대에 소속되어 있으며, 90명의 전문인력으로 구성되었다.[145] 이러한 사이버방위대는 방위성과 자위대의 네트워크 감시 및 사이버 공격에 대한 즉각적인 대처를 위하여 24시간 상시대기 체제로 운영된다.

사이버방위대는 사이버 공격에 관한 위협정보수집, 분석, 연구 등의 일원화를 위해 육상자위대의 시스템방호대, 해상자위대의 보전감시대, 항공자위대의 시스템감시대와 연계되어 사이버 위협에 대한 모든 자위대 통신 네트워크의 총체적 대응을 주도하고 있다.[146]

(그림 2-7) 일본의 사이버방위대 조직 [147]

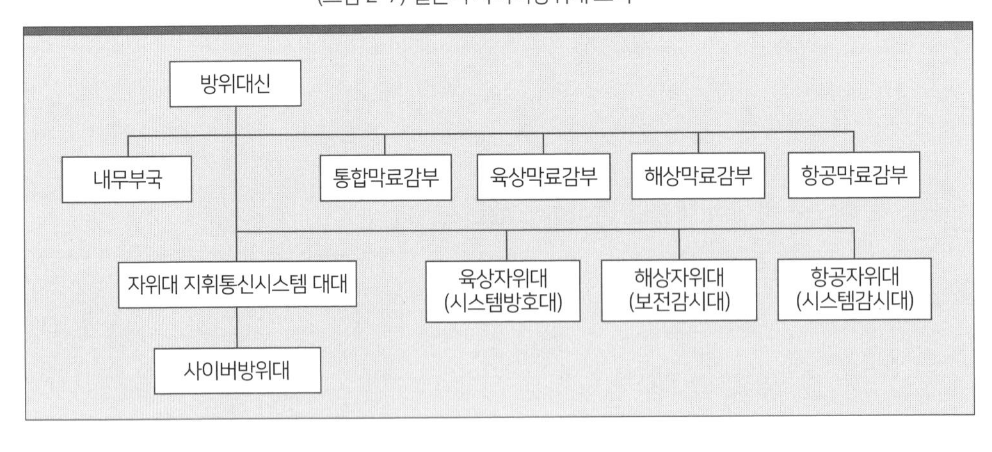

5. 예측 불허의 북한

북한의 높은 사이버 능력에도 불구하고 사이버 인력에 대한 평가는 일치되지 않는다. NK지식인연대의 김흥광은 북한의 미림자동화대학을 해커 양성소로 지목하며 최고수준의 해커를 양성하고 있다고 하면서 약 3만 명의 해커가 활동하고 있다고 주장[148] 한다. 이와는 달리 동아일보의 주성하 기자는 이를 해킹 괴담론이라 반박하며 북한의 해킹능력은 우리 생각보다 훨씬 취약하다고 주장하였다.[149] 그러나 2013년 11월 국정감사 때 사이버작전사령부당시는 사이버사령부가 북한의 사이버전 인력은 우리 군의 7배 수준인 약 3,000여 명이라고 밝혔는데 이를 공식 사이버 인력으로 보는 것이 타당하다고 봐야 할 것이다.

사실 사이버 방호능력과 달리 사이버 공격은 숫자가 중요하지 않다. 수십 명의 수준급 해커만으로도 공격을 감당할 수 있다는 것이 정설이다. 따라서 지금까지 북한이 감행한 사이버 공격 사례를 통해서 유추할 수 있는 것은 우리나라를 위협할 만한 충분한 사이버 전사가 확보되어 있다는 점이다. 북한은 폐쇄 사회를 통치하는 주요 방법인 보상과 특혜를 사이버 전사에게도 적용하여 높은 봉급과 포상, 평양 생활 보장 등을 통해 사이버 전사의 충성심을 강요하고 능력의 확대를 꾀하고 있는 것으로 평가된다.[150]

북한의 사이버 부대 조직 가운데 가장 핵심적인 기구는 총참모부 예하의 정보통제센터이다. 이 기구는 사이버전을 총지휘하면서 우리나라에 대한 전략정보수집, 국가 공공망 대상 사이버 테러, 해킹전담요원의 해외 파견과 해외 거점을 통한 국제 사이버 테러와 사이버전에 필요한 전술, 조직, 부대 간 협동 등을 조정 · 통제하는 북한 사이버군 전체의 핵심기구로 사이버전 능력강화를 목표로 활동하고 있다. 정찰국 121소는 사이버전 대상 기관에 대한 기밀 자료의 해킹, 변조, 잠재적인 접근조작 가능성을 조성하는 임무를 수행한다. 적공국 204소와 중앙당 작전부는 우리나라의 사회지도층을 대상으로 한 사이버 심리전을 통해 염전사상을 확산시키는 일을 주 임무로 하면서 우리 군을 대상으로 군사정보수집 및 해킹, 군 지휘통신체계 교란, 무력화, 허위정보 확산 등의 임무를 수행한다.

2013년에는 김정은의 지시로 북한의 핵 개발 이후 국제사회의 강도 높은 대북제재를 타개하기 위하여 사이버 외화벌이 전투부대인 180부대[151] 를 창설하였다. 이 부대는 정찰총국 예하로 추정되며 2016년 방글라데시 등에 대한 금융권 해킹을 수행한 라자루스 그룹과 연관이 있는 것으로 알려져 있다.

180부대의 접근전략 절차는 첫째, 접근이 용이한 시장 규모를 고려하여 일본과 중국의 SW 시장을 공략한다. 둘째, 해외동포 협조 하에 신분을 위장하여 신분 노출을 차단한다. 셋째, 영어 · 중국어 · 일어가 가능한 인원들로 부대원을 충원한다. 넷째, 수주 금액은 '홍샹'같은 친북기업을 통해 북한으로 송금한다.

180부대는 〈조선Expo총회사〉에서 SW 개발인력 500여 명을 선발하여 사업을 하는 것으로 알려져 있고,[152] 2016년부터는 우리나라의 Wishket애플리케이션 개발, 웹 디자인, 쇼핑몰, 워드 프로세서 제작 등 아웃소싱을 전문적으로 하는 플랫폼으로 2017년 5월 기준 7,640여 개의 프로젝트와 37,000여 명의 개발자가 등록되어 있음과 미국의 Upwork세계적인 프리랜서 웹 사이트로 전 세계 모든 업체와 프리랜서들을 연결해주는 인터넷 플랫폼 등 외주 플랫폼을 통해 프로그램을 개발하고 있다. 최근에는 중국의 애플리케이션 시장 발달로 중국을 대상으로도 활동하는 것으로 추정된다.

이와는 별개로 정찰총국[153] 예하에 91소해커부대, 31소 및 32소사회 일반에 대한 사이버 심리전 담당, 자료조사실정치, 경제, 사회 기관에 대한 해킹, 기술 정찰조 및 110연구소군, 전략 기관에 대한 사이버 공격 [154] 가 있다. 북한군 총참모부 예하에는 지휘자동화국과 적공국이 있다. 지휘자동화국은 해킹 프로그램을 개발하는 31소정찰총국 31소와는 다름, 군 관련 프로그램을 개발하는 32소정찰총국 32소와는 다름, 군사 지휘통제 SW와 프로그램을 개발하는 56소가 있다.[155]

북한의 대남공작부서인 통일전선부는 2012년에 대남간첩공작을 담당하는 225국구, 대외연락부을 흡수하여 '구국전선', '우리민족끼리' 등의 웹 사이트를 통해 북한을 대외에 홍보하고 대남 사이버 심리전을 담당하고 있다.[156] 이 기구는 사이버 드보크 개발 및 설치, 간첩 지령 및 교신 등의 임무를 수행한다. 또한 중국에 북성무역이라는 위장 업체를 설립하고 청와대와 국방부에서 정보 체계를 구축하였던 우리나라의 SI업체 본사 전산망을 해킹해 온 사실이 밝혀지기도 하였다.[157] (그림 2-8)은 지금까지 확인된 사실을 바탕으로 북한군 사이버 부대의 조직도를 구성한 것이다.

(그림 2-8) 북한의 사이버부대 조직 [158]

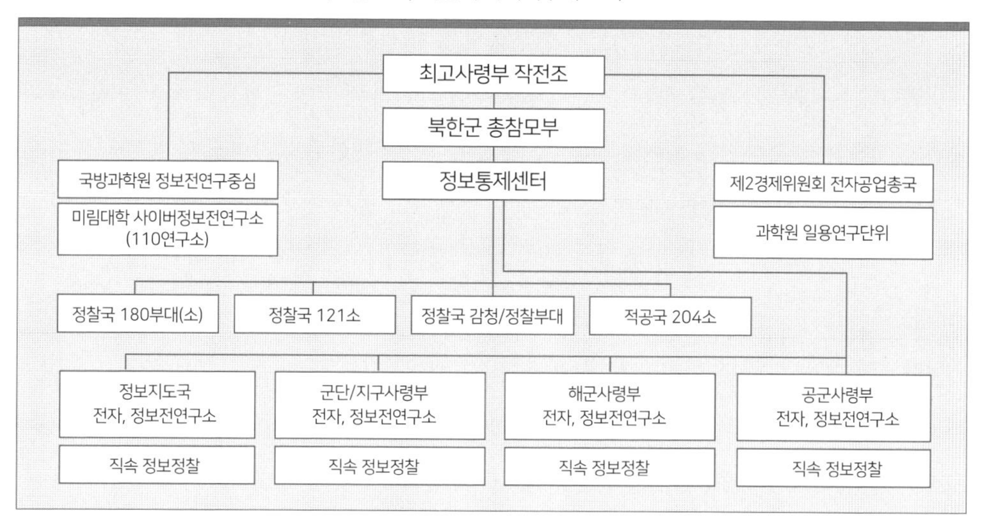

북한은 1980년대부터 국가 차원에서 사이버 전사를 양성하고 있다. 초등교육 단계에서부터 우수한 인재들을 조기에 확보하여 컴퓨터 관련 교육기관에서 중등, 고등교육을 받게 한 후 사이버 부대에 전속시켜 해킹 전담 교육을 하고 있다. 이 과정을 통해 이들을 컴퓨터의 가장 기초부터 체계적인 집중 교육을 통해 해커 전문가로 성장시킨다. 북한은 외부 세계와 단절된 인트라넷을 운용하는 특성에 맞춰 사이버 방호보다는 사이버 공격에 집중하여 해커를 양성하고 있으며, 사이버 공격을 위한 교재가 별도로 존재한다고 알려져 있다.[159] 또한 국가 사이버 능력 함양을 위해 영재학교를 통하여 우수학생들을 선발하며 금성중학교 컴퓨터 영재반에 우선 진학시켜 컴퓨터 프로그래밍과 HW를 교육시킨다. 특히 컴퓨터 영재반에는 만 10세부터 6년간 매년 500시간 이상의 컴퓨터 집중교육과 별도의 해킹 커리큘럼이 있을 정도로 체계적인 해커 양성과정이 있으며, 미림대학에서는 바이러스 개발, 네트워크 침투 등의 교육훈련을 받는다.[160] 졸업 후에는 평양의 지휘자동화대학으로 보내 네트워크 시스템 해킹 능력을 집중 육성하는 것으로 알려져 있다.

그 결과 자체 인트라넷을 활용하여 사이버전 능력을 갖추기 위한 훈련 경험을 축적하였고, 바이러스, 웜, 트로이 목마, 스파이웨어, 스니퍼 등과 같은 해킹 툴을 자체 제작할 수 있게 되었으며 해킹 수법과 도구들의 진화를 가져왔다.

이와 함께 국방과학원 예하의 '정보전 연구중심'을 핵심으로 미림대학의 사이버정보전연구센터와 제2경제위원회 연구개발부서들이 협동하여 사이버전 수행에 필요한 무기체계들을 개발하기 시작하였다. 북한은 초등교육에서부터 기초수학에 대한 토대가 비교적 잘 마련되어 있기 때문에 암호 알고리즘 개발과 암호 해독능력도 발전해 있는 것으로 추측된다. 이를 기반으로 해킹 부대의 조직이 수학, 운영 체제, 네트워크 및 시스템 분석, 트래픽 처리, 코드화 검사, 전투기획 등으로 세분화되어 있는 것으로 알려져 있다.

또한 북한은 낮은 수준의 어셈블리Assembly어, C언어 등으로 코딩을 하도록 교육하고 있기 때문에 짧은 코드로 컴퓨터나 인터넷 자원을 효과적으로 활용 및 제어할 수 있어서 해킹이나 사이버 공격용 무기체계를 만드는데 효율적이라고 볼 수 있다.

북한의 해킹 교육은 사이버 공격에 중점을 두고 교육하며 공격과 관련된 교육내용은 철저한 보안 속에서 이루어지고 있다. 해커 자신의 능력을 검증하기 위해 실전적인 훈련을 수시로 진행한다. 인터넷 관련 인프라가 열악한 북한이 사이버 공간에서 가장 위협적인 국가가 될 수 있는 이유는 아마도 강력한 교육훈련 때문일 것이다. 북한은 사이버전 능력을 개발하기 위하여 아낌없는 투자를 하고 있으며 선진 해킹기술 습득을 위하여 사이버 전사를 중국과 인도의 일류대학에 유학시키고 있는 것으로 알려져 있다.[161]

북한이 사이버전을 전개한 최초의 사례는 2010년 11월에 발생한 연평도 포격사건이라고 할 수 있다. 이때 북한군은 포격을 가하기 전에 전파 교란을 통해 우리 군의 대포병 탐지 레이더를 공격하였고 이 때문에 그중에서 2대가 정상적인 기능을 발휘하지 못하였다. 이는 재래식 전력에 사이버 공격을 결합한 새로운 공격방식으로, 이 사건 이후 여기서 도출된 교훈을 「사이버전 교리」로 발전시킨 것으로 보인다.[162] 이처럼 북한의 사이버 능력은 군을 중심으로 실전적으로 형성되고 있으며 그 역량도 공격 역량에 집중된 것으로 평가된다.

북한은 다양한 사이버 전략 및 전술과 사이버 교전규칙도 구비되어 있는 것으로 평가된다. 최근 북한의 사이버 교전규칙이 자국 영토 안에서는 사이버 공격을 하지 않는 것으로 변화되었다고 한다.[163] 사이버 공격이 계획되면 사이버 부대원들은 중국 내의 안전가옥으로 옮겨 프록시 서버Proxy Server 가동을 통해 공격 근원지를 숨기고, 하나의 목표물에 수백 명이 공격 후 작전이 완료되면 북한으로 복귀한다.[164] 이러한 전술은 비밀 유지, 공격 근원지 은폐를 통한 공격자 은닉에 유리하다. 또한 작전 후 즉시 복귀하여 공격자 식별에 수개월이 소모되는 사이버 수사의 특성을 최대한 이용하면서 대응공격을 위한 원점 소실의 전략적 장점으로 남남갈등 효과까지 부수적으로 달성하고 있는 것으로 평가된다.

6. 프랑스와 독일의 사이버 인력 양성

유럽은 2016년 이후 영국의 EU 탈퇴와 친러 성향의 트럼프가 미 대통령에 당선되는 등 급변하는 국제질서와 안보환경에 놓이게 되었다. 북대서양조약기구 자체 사이버사령부는 아직 창설되지 않은 상태로 개별 회원국들의 역량에 의존하고 있으며 2016년 7월 사이버 공간을 육 · 해 · 공과 같은 수준의 '작전영역'으로 공인하였을 뿐이다.

프랑스는 2016년 12월 국방장관이 "중대한 사이버 공격에 의한 피해발생 시 UN 헌장 51조에 규정된 무력공격으로 간주하여 자위권 행사가 가능하다"면서 사이버 공격에 대하여 국제법상의 자위권 행사 가능성을 언급하였다. 이에 2017년 1월 대장이 지휘하는 사이버사령부를 신설하였으며, 합참의장 직속으로 전군의 사이버 작전 조직을 장악하고 군 네트워크에 대한 정보수집 · 공격 · 방호 작전 등의 임무를 부여하였다. 2019년을 목표로 3,200명의 사이버 전문인력과 4,400명의 사이버 예비군을 확보하고, 2014년 이후 사이버전 기술연구에 4억4천만 유로한화 약 5,500억 원를 투자하고 있다.

독일 연방군은 육 · 해 · 공군 참모총장과 동일한 계급인 중장독일은 전범국가로 대장계급이 없음이 지휘하는 사이버사령부를 2017년 4월에 창설하여 13,700명 규모의 군사정보 및 사이버 안보 기능을 총괄하도록 하였다. 또한 2021년까지 독일 사이버사령부의 완전한 작전능력을 확보하기 위해 국방부 내에 군 정보화 및 혁신을 위한 사이버 · 정보통신총국을 신설하였다.

독일은 국가 보안체계의 구축에 대한 독일 연방군의 요청에 따라 고도로 전문화된 업무에 투입 가능한 사이버 예비군을 동시에 창설하였다. 이로써 군사적인 통제, 사이버 공격대응과 방호 관련 정치적 업무, 사이버 공간에서의 업무를 주로 진행하며 공동의 훈련 및 전문인력의 집중을 통해 효과적인 사이버 관련 전문업무능력을 배양할 여건을 갖추게 되었다.

사이버 예비군 역할은 급격히 변화하는 기술개발과 사이버 공간에서의 경험 교환과 지식 전수다.[165] 그렇기에 현역 복무기간 퇴역 후 예비군 활동을 수행할 수 있는 전문인력과 기간제 병력의 역할이 중요하다고 보고 있다. 여기에 대하여 민간 IT업계 종사자, 이공계 종사자, 전문가들의 자발적 지원 역시 고려되고 있다. 해당 인적자원은 특수교육, 고난도 업무, IT분야 및 기능 관련 숙련도와 전문지식 제공이 가능해야 한다. 해당 분야의 경험 교환과 지식 전수가 원활하도록 경제, 행정, 정부의 IT 관련 지도층 전문가들로 구성된 조직이 각 분야 간 전략적 의사소통을 지원하고 있다. 사이버 예비군의 구축을 통해 잠재적 사이버 관련 고급 전문인력을 국가 차원에서 보안체계의 적재적소에 잘 활용할 수 있을 것으로 보인다. 아직 충분히 확보되지 못한 상태이나 절대적으로 필요한 업무능력 및 전문지식은 독일 연방군만의 독자적인 정보기술시스템 확립 보장과 국가, 경제, 사회를 대상으로 이루어지는 사이버 공격에 대한 대응수단으로 활용될 수 있다고 평가하고 있다.[166]

사이버 공격이 발생할 경우 핵심적인 공격요소를 파악하는 데 소요되는 시간은 평균적으로 200일 이상이다. 또한 이에 따른 공격 피해복구에는 원칙적으로 한 달 이상이 소요된다. 개인의 부주의로 인해 군처럼 중요하고 거대한 조직도 사이버 공격에 따른 막대한 손실 위험에 노출될 수 있다. 이에 따라 주기적으로 시행되는 사이버 예방점검 조치를 통해 전체 독일 연방군 인력들은 사이버 위험, 정보보안, 개인정보보호에 대한 철저한 인식을 유지시키려는 것으로 평가된다. 또한 인터넷 기반의 사이버 보안 경각심 교육을 통해 지금까지의 IT 보안교육을 대체함으로써 일반적인 정보보안수준의 상승을 추구하고 있다.

한편 해당 교육조치가 조직 내부 모든 인력들에게 실시됨과 동시에 전문인력 및 특수 업무 관련 인력들을 대상으로 더욱 높은 수준의 추가 보안교육을 하게 된다면 독일군의 전반적인 보안수준은 매우 향상될 것으로 평가된다.

제4절 국제협력 활동

사이버 위기는 그동안 세계가 겪어왔던 일반적인 위기와는 그 본질을 달리한다. 한정되지 않은 범위의 광역성과 여러 형태의 다양성을 내포하고 있다. 사이버 공격은 공격자의 목표에 직접 접속하여 공격하는 것이 아니라 네트워크가 연결된 곳이라면 세계 어느 곳에서든 공격이 가능하다.

특히 네트워크에 대한 체계적인 보안이 잘 구축되고 국민의 보안 의식이 높은 선진국보다는 보안이 취약한 국가를 시작점으로 하여 여러 국가를 경유한 후 목표가 되는 네트워크에 접근하여 필요한 정보를 탈취하거나 공격하는 우회적인 침해 방법이 일반적이다.

따라서 사이버 공간에 대한 공격발생 시 피해 네트워크에 대한 권한만으로는 대응에 한계가 있다. 특히 국제 테러조직범죄의 경우 국제협력이 없다면 조사 자체가 불가능하다.[167]

국제 사회는 사이버 안보문제에 대하여 국제 규범을 구축하고 국제 안보 질서의 불안정 요인과 위협요소를 최소화하기 위한 노력을 계속하고 있다. 사이버 안보와 관련된 국제 규범은 미국을 포함한 서유럽 국가의 입장과 중국 · 러시아를 위시한 중앙아시아 국가들의 입장이 대립하는 탓에 그 중요성에 비해 발전은 느렸다.[168]

국제 안보협력은 그 협력을 통해 얻게 되는 이익이 그렇지 않았을 경우보다 높아야 한다. 사이버 전쟁의 위협은 세력균형과 관련되어 있고 국가 존립에 직접 영향을 미치는 매우 민감한 이슈이다.

국제협력을 위한 계속적인 협의 결과 국가 간 신뢰구축 조치CBMs: Confidence Building Measures로 양 진영의 입장 차이가 정부전문가그룹회의GGE를 통해 간극을 좁히고 있다.[169] 【표 2-24】는 국제 사회가 사이버 국제규범을 제정하기 위하여 어떠한 노력을 해왔는지를 보여준다.

【표 2-24】사이버 국제 규범 제정을 위한 국제 사회의 노력 170)

법 안	연도	주요 내용
사이버범죄협약 The Convention on Cyber Crime	2001	• 유럽위원회 제정 • 인터넷, 컴퓨터 네트워크 범죄를 다룬 최초의 국제조약 • 4가지 범죄유형 : 사기 · 위조, 아동포르노, 지적재산권 침해, 해킹 · 불법자료 절취 * 취약점 : 사이버 범죄의 통제를 위한 국제협력 부족, 주권과 국가 안보에 대한 약한 관심, 국제협력 강제를 위한 제도적 장치 미 구축, 사이버 범죄에 대한 과도한 확대와 애매한 규정
상하이협력기구 SCO : Shanghai Cooperation Organization	2001	• ICT, 정보 위협에 대한 국가 통제 필요성 강조 • 사이버 영역에서 국가 안보의 중요성 강조 • 국제 정보안보 협력을 위한 합의서 도출(2009) * 정보안보를 위한 국제 행동강령 채택, 타국의 정치 · 경제 안정 저해하는 정보 배포 규제 장치 구축
1차 GGE보고서 Group of Government Experts	2004	• 러시아 제안(2003) • 쟁점 : 국가 안보, 군사 활동에 ICT기술 발전이 미치는 영향 • 규제 대상 논의 : 정보 자체 또는 정보처리 시설
2차 GGE보고서	2010	• 참여국은 분열했으나 미국의 반대 없이 결의안 채택 • 국가 기간시설의 위험을 줄이고 ICT의 활용규범 구축 • 분쟁 상황에서 ICT를 포함한 신뢰구축과 위험감축 대책 • 국가별 입법, 정책, 전략, 기술에 대한 정보교환 • 저개발 국가의 역량 구축, 정보안보 공유개념 확보 · 정교화
3차 GGE보고서	2013	• 사이버 공간의 주권 인정 : 국가 책임 강조, 내정 간섭 차단 • 사이버 공격에 대한 자위권 차원의 무력 사용 허용 • 비국가행위자의 사이버 위협에 대한 국가 책임 소재 규정
4차 GGE보고서	2015	• 3차 보고서에서 다루어진 내용의 구체적 적용 방안 논의 • GGE 참여국 확장 : 안보리 상임이사국 외 15개국 참여 총 20개국 • 국가의 책임 있는 행동규범 제시 • 국가 주권 존중, 주권 평등, 국제 분쟁의 평화적 해결, 무력위협 · 사용 자제, 인권과 기본적 자유 존중, 내정 불간섭의 중요성 확인
사이버범죄 결의안	2019	• UN총회 제3위원회(러시아가 주도한) 결의안 • 범죄 목적의 정보통신기술 이용 방지 • 사이버범죄에 대한 직접조사와 기소 등 대응능력 개선 • 국제사이버범죄조사기구 설립 • 사이버상 위법행위 근절을 위한 새 협약 제정 목표

1. 동맹 강화, 협력 확대 강조하는 미국

미국은 2011년 발표된 「사이버 공간에 대한 국제전략보고서ICS: International Strategy for Cyber space」에서 사이버 안보는 개별 국가의 능력으로 보장할 수 없기 때문에 국가 간 군사 동맹과 협력을 강화한 집단 억제능력을 확보해야 한다고 하였다.[171)]

이 보고서에 따르면, 21세기 군사 분야와 관련된 안보의 도전을 해소하기 위해서는 첫째, 군사적으로 신뢰할 수 있고 안전한 네트워크의 필요성이 증대되고 있다는 사실을 인식해야 한다. 둘째, 사이버 공간에서의 잠재적인 위협에 대응하기 위해 기존 군사동맹을 더욱 강화해야 한다. 셋째, 집단안보 강화를 위해 동맹국 및 협력국과 사이버 공간에서의 협력을 확대해야 한다고 강조하고 있다.[172)]

사이버 안보를 선점하고 유리한 고지를 점령하기 위해 사이버 강대국들의 기술표준 경쟁이 치열하다. 미국이 주도하고 있는 인터넷과 사이버 안보 분야의 기술 패권에 대항하는 신흥 강대국인 중국의 독자적인 표준 전략의 경합이면서 사이버 안보와 관련된 인터넷 정책과 제도 및 국제적인 차원에서의 규범 형성을 놓고 벌이는 제도표준 경쟁의 양상으로도 이해된다.[173)]

2. 우위 선점을 노리며 미국에 맞서는 중국

중국의 국제 사이버 안보협력은 사이버 주권의 인정과 내정 불간섭 원칙을 근간으로 미국의 사이버 패권주의에 대항하기 위해 국제적인 연합전선을 구축하는 것이다. 또한 중국은 2013년 에드워드 스노든 사건 이후 글로벌 인터넷 거버넌스를 주도하고 있는 미국을 견제하기 위해 중국을 중심으로 미국에 대항하는 새로운 사이버 진영 건설을 추진하고 있다.

그 대표적인 사례가 2014년부터 2016년까지 중국 우전에서 개최된 세계 인터넷대회이다. 이 대회를 통해 중국은 사이버 주권을 강조하고 안전한 사이버 공간을 구축하기 위한 강력한 국제적 연대를 주장하였다.

중국은 러시아처럼 상하이협력기구, 아세안지역안보포럼 등의 지역 협력기구에서 사이버 안보 관련 논의에도 적극 참여하고 있으며 유엔 정부전문가그룹UN GGE, 유엔 산하 국제전기통신연합ITU 등 전통적인 국제기구에서 진행되는 국제 규범 형성 과정에도 적극 동참하고 있다.

2016년 9월 일대일로一帶一路 정책을 추진하면서 과학기술 혁신 협력 계획을 발표하였다. 이 정책에서 연선 국가와의 협력 강화를 위한 5대 전략을 제시하였는데 첫째, 과학기술과 인문 교류 강화 둘째, 기술 이전 촉진 셋째, 중대 공정 건설 넷째, 특화단지 구축 및 혁신 창업 확대 다섯째, 도전 과제 대응연구 강화 등이다.

중국의 국제협력 전략은 2017년 발표된 「사이버 공간 국제협력 전략网络空间国际合作战略」에서도 강조되었다.[174] 이 전략은 사이버 공간에서 국제 교류 확장 및 주도적 활동의 전개를 시사한다. 또한 인터넷 자원의 공유와 책임 분담, 관리 등 국제 인터넷 관리체계의 개혁을 주도하고 국제시장 개척 및 글로벌 산업시스템의 설립 등 글로벌 정보인프라를 구축하는 것이다.

2017년 5월 14~15일까지 베이징에서 개최한 정상회담에는 세계 130개국이 참여했는데 중국은 이 자리에서 사이버 정책과 관련하여 디지털 경제, 인공지능AI, 나노 기술, 양자 컴퓨터 등 첨단 영역에서 협동 강화를 강조했다. 뿐만 아니라 빅 데이터, 클라우드 컴퓨터, 스마트 시티 건설 추진을 통한 21세기 디지털 실크로드를 구축하고, 과학기술과 산업기술, 금융을 융합한 혁신적인 환경을 조성하여 자원을 집결한다는 야심찬 계획을 발표하였다.

이를 분석해 보면 중국은 일대일로 정책의 일환으로 사이버 정책을 병행 추진하면서 연선 국가들과의 사이버 기술연구협력센터를 설립하는 등 대외협력을 강화함으로써 미국을 비롯한 서방 진영이 독점하던 사이버 공간에서 자국의 입지를 굳히려는 것으로 판단된다. 또한 중국 주도로 새로운 성장 동력을 발굴하고 지원하기 위해 개발도상국인 싱가포르, 인도, 라오스, 러시아, 카자흐스탄, 태국 등에 2016년 145억 달러의 투자를 진행하는 등 영향력 확대를 꾀하고 있다.

함께 추진되는 사이버 인프라 건설과 기술 지원은 향후 중국의 사이버 공간 우위선점에 견인차 역할이 될 것이다. 이와 함께 중국 정부는 민간업체를 통해 다양한 방식의 백도어를 설치하고 유포하여 민감한 정보를 수집하고 있다. 향후 중국의 지원 하에 건설된 일대일로 연선국가들의 인프라와 통신 기술 등은 다양한 국가들에 대한 데이터 수집에 활용될 것으로 예상된다.

중국이 2017년 3월 발표한 사이버 공간 국제협력전략 백서에 포함된 대외협력 정책의 주요 내용은 첫째, 사이버 공간에서 소통 가능한 플랫폼 건설과 개방적 협력 추진을 위하여 평화적 발전을 주제로 사이버 공간의 공동번영을 위한 교류 · 협력이 필요함을 강조하였다.

둘째, 사이버 공간에 대한 주권 수호와 위협 식별을 위해 사이버 역량을 강화하고, 국제협력 관계 구축 등을 통해 사이버 공간 상의 국방 역량을 공고히 하는 것이 중국 국방 현대화의 핵심이라고 강조하였다. 이를 위한 행동계획은 모두 5가지다. ①다자간 신뢰구축을 통해 사이버 위협의 문제를 해결한다. ②사이버 공간의 행위규칙을 연구하고 법률과 제도를 제정하기 위한 활동에 적극적으로 참여한다. ③국제 인터넷 관리체계의 개혁을 주도한다. ④사이버 침해 및 사이버 테러 발생 시 적극적인 지원을 통하여 국제협력을 강화한다. ⑤글로벌 정보 인프라를 구축한다.

이를 실천에 옮기며 사이버 공간에 대한 국제협력의 확장과 주도적인 활동을 전개하고 있다.

이것은 연선 국가와의 공동번영이라는 명분 아래 중국 주도의 국제협력 활동을 확대하고 정치적인 목적 실현과 사이버 공간에서 미국을 배제하고 주도권을 확보하려는 것으로 판단된다.[175]

3. 미국의 견제 속에 우호 국가와 연대하는 러시아

러시아는 에드워드 스노든 사건 이후 2013년 7월 사이버 안보 분야에 대한 국제협력을 위해 「2020년 국제 정보안보 정책 기본원칙」[176] 을 발표하며 주권국가에 대한 내정간섭과 극단적인 사이버 위협에 대응할 국제협력을 강조하였다. 2013년 스노든 사태가 발생했음에도 러시아는 미국과 사이버 협력을 계속했지만, 2014년 2월 우크라이나 사태 후에는 관계가 악화되었다. 반면 중국과의 협력은 진전되어 2015년 5월 러 · 중 사이버 안보협약을 체결하였다.

러시아는 사이버 공간에서도 국가 주권은 존중되어야 한다고 보고, 우호세력 확보를 위해서 독립국가연합CIS: Commonwealth of Independent States, 집단안보조약기구CSTO: Collective Security Treaty Organization, 상하이협력기구 등 지역협력기구 활동에도 적극 참여하고 있다. 또한 러시아는 브릭스BRICS: 브라질, 러시아, 인도, 중국, 남아프리카 국가들, 유럽안보협력기구OSCE: Organization for Security and Co-operation in Europe, 아세안지역안보포럼ARF과의 사이버 안보 협력에도 적극 참여하고 있다.[177]

러시아는 WMD핵·화생무기 등 대량살상무기의 통제와 유사한 수준으로 사이버 무기체계의 개발과 공격을 억제하기 위하여 사이버 무기체계 통제 등 국제 협약을 체결할 것을 강력하게 요구하고 있다. 러시아가 주장하는 사이버 안전 조약은 전쟁에서 작동할 수 있는 Botnet, 논리폭탄 등의 사이버 무기체계의 사용을 제한하고자 하는 것이다. 러시아는 비전투원에 대한 공격 금지와 같이 전쟁에서 적용될 국제인도법의 적용도 함께 주장하고 있다.[178]

그러나 미 국방부는 러시아의 이런 주장을 일방적인 무장해제 또는 축소라고 생각하고 있다. 미국은 최첨단 기술력을 통해 확보하고 있는 자국의 사이버 주도권과 사이버 공간에서 독자적으로 수행하는 사이버 군사활동이, 사이버 안전조약에 명시된 국제 규범에 위반되어 국제적 책임을 부담하거나 확보된 능력을 제한당할 가능성을 우려하고 있다. 또 사이버 안전을 위한 구체적인 규범 및 준수에 있어서 냉전시기의 소련처럼 생화학무기 협약의 전철을 답습하고 싶지 않기 때문이다.

미국은 안전한 사이버 공간을 위해서는 사이버 범죄 예방과 척결이 중요하기 때문에 사이버 범죄 집단으로부터 사이버 공간을 보호하기 위한 국제협력이 중요하다고 주장하는 것이다.

종합하면 미국은 유럽평의회에서 채택한 사이버 범죄협약이나 G8 24/7 첨단범죄 네트워크[179] 가 국제협력의 기본이 되어야 한다고 주장하고 있고, 러시아는 유럽평의회 회원국이지만 외국의 법 집행기관이 러시아의 인터넷에 접속하게 하는 것은 러시아의 주권이 침해된다고 보기 때문에 동 사이버 범죄협약에 가입하지 않았다. 따라서 다른 개발도상국들과 함께 UN 차원의 사이버 범죄협약의 체결을 주장하고 있는 것이다. 미국은 사이버 무기체계의 국가 통제를 위하여 불가피하다고 판단되는 인터넷 감시 등 사생활 침해를 우려하면서 러시아의 사이버 안전을 위한 국제협력과 협약의 체결을 통한 러시아의 숨은 의도를 경계하고 있다.

4. 미국과의 협력과 결속을 공고히 하는 일본

일본은 2001년 11월 사이버 범죄협약에 가입한 것을 계기로 사이버 범죄 관련 법령 체계를 정비하였고, 사이버 범죄수사에 대한 국제협력을 강화하였다. 국내법과의 충돌을 제거하기 위해 국회 비준 전, 조약 체결에 대비하여 부처별로 국내법을 정비하였다.

2004년 「범죄의 국제화 및 조직화 그리고 정보처리의 고도화에 대처하기 위한 형법 등의 일부를 개정하는 법률안」, 「전파법 및 유선 전기통신법의 일부를 개정하는 법률안」, 「아동 매춘, 아동 포르노물에 관련된 행위 등의 처벌과 아동의 보호 등에 관한 법률의 일부를 개정하는 법률안」을 제정하였다.[180]

2012년에는 형법에 '무단 명령에 대한 전자기적 기록의 작성과 취득', '다른 사람의 신분증을 무단으로 취득하는 행위의 금지' 등 불법 컴퓨터 접근금지법을 시행하고 있다는 것과 '아동 포르노 관련 범죄를 규정한 아동보호법' 등이 발효 중이라는 것을 협약 사무국에 보고하였다.[181]

또한 2013년 6월 발표한 「사이버 보안전략」에는 사이버 보안과 관련한 자위대의 역할을 언급하면서 사이버방위대를 창설하여 사이버 전사를 양성하고 사이버 기술에 대한 연구개발을 체계적으로 하도록 해야 한다는 내용이 담겨 있다.

2013년 5월 미국과 사이버 안전에 대하여 공동 대응체제를 구축하기 위하여 제1차 미 · 일 사이버대화를 도쿄에서 개최하였고, 2014년 4월 워싱턴 D.C.에서 제2차 미 · 일 사이버대화를 통해 중국과 북한의 사이버 공격에 대하여 공동대응할 것을 협의하였다.

2015년 4월 27일 개최된 미 · 일 안보협력위원회는 외교 · 국방장관이 참석한 2+2회담으로, 사이버 공간과 관련된 다양한 협력, 특히 정부가 일체가 되어 취하는 조치인 미 · 일 사이버대화 및 미 · 일 사이버 방위정책워킹그룹을 통한 위협정보의 공유와 임무보장에 추가적으로 중요 인프라 방호 분야에서의 협력을 지속적으로 진전시키자는 데 뜻을 모으고 공동 발표를 하였다.

같은 날 작성된 미 · 일 방위협력 지침에 사이버 공간을 추가하면서 양국의 사이버전 협력 체제를 공고히 하였다. 이때 합의한 사이버 공간에 관한 협력[182] 은 다음과 같다. 첫째, 각각의 네트워크 및 시스템을 감시하는 태세를 유지한다. 둘째, 사이버 보안에 관한 지식을 공유하고 교육을 교류한다. 셋째, 임무보장을 달성하기 위해 각각의 네트워크 및 시스템의 운용 지속능력을 확보한다. 넷째, 사이버 보안을 향상시키기 위해 정부가 일체가 되어서 취하는 조치에 기여한다. 다섯째, 평시부터 긴급사태까지의 어떠한 상황에서도 사이버 보안을 위해 실효적인 협력을 확실하게 하기 위하여 공동 연습을 한다.

이처럼 일본은 사이버 최선진국인 미국과의 공고한 결속과 협력을 통해 사이버 분야에서의 안전을 담보하고 있다.

5. 중국에 의존해 공격수위 높이는 북한

북한이 사이버와 관련하여 국제회의에 참석한다거나 조약에 가입하는 등의 국제협력 활동을 하는 것에 대해 공개적으로 알려진 바는 없다. 이는 북한이 인터넷 폐쇄 정책을 유지하고 있으며, 국제 공조와 협력이 절실한 사이버 피해국이라기보다는 주로 사이버 공격활동을 하는 가해자의 입장에 서 있기 때문인 것으로 짐작된다.

중국과는 사이버 분야에서도 혈맹적인 관계를 유지하고 있는 것으로 보인다. 사이버 공격을 위한 인프라 부족과 인터넷 보안 약점을 상쇄하기 위해 중국의 사이버 역량을 적극 활용하고 있다.[183] 북 · 중 사이버 협력을 통해 한 · 미 동맹의 사이버 보안에 타격을 주기도 하는데, 그 배후에 중국 사이버 부대가 중요한 지원 역할을 하고 있을 것이란 시각이 지배적이다. 헤리티지 연구원 존 타식John Tkacik은 북한 사이버 공격부대가 중국의 지원으로 양성되고 있다고 주장한 바도 있다.[184]

북한은 사이버 국제협력에서도 중국 의존도가 매우 높으며 사이버 인프라와 방호 체계도 중국의 핵심적인 지원을 받고 있다.[185] 평양에 중국산의 고사양의 서버와 라우터, 네트워크 HW 등이 갖춰져 있고 중국과는 광케이블로 연결되어 있다. 북한은 사이버 공격 시 중국 IP를 중국 영토 내에서 할당받아 이용하기 때문에 중국 내에 최소한 1개 이상의 부대가 상존하고 있다고 추정, 보고되고 있다. 이것은 사이버 공격의 익명성을 확보하여 공격자를 쉽게 식별하지 못하도록 하면서 혹시 공격자가 북한으로 식별되더라도 외교적인 문제로 인하여 피해국이 원점을 타격하는 것을 어렵게 하고 있다.

북한의 사이버 방호체계에도 중국이 기여하고 있다. 북한의 인터넷망 보호에 관여하고 있는데 인트라넷 보안은 북한이 자체 개발한 방호체계를 사용하지만, 인터넷망에 대한 보안과 사이버 공격 시에는 중국의 네트워크 보안에 의존할 수밖에 없다. 이는 광통신 인터넷의 경우 중국의 보안시스템과 필터링 시스템으로 보호되고 있다는 장점 때문이다.

북한은 사이버 공격부대가 작전을 수행하는 동안 중국에서 제공하는 방어체계, 인터넷 검열을 통한 네트워크 필터링 등의 강력한 보호를 받으면서 안전하게 작전을 수행한다. 중국이 북한의 사이버 공격작전을 지원하는 이유는 양국 간 전통적인 신뢰 때문이라기보다는 북한의 사이버 공격이 중국에게는 해가 되지 않기 때문이라고 보여진다. 또한 아시아에서의 세력 균형 유지와 중국이 미국과 사이버 파워 게임을 하는 데 도움이 된다는 이유도 있다. 대다수 전문가들은 중국이 자기 영토에서 북한이 무엇을 하고 있는지 알고 있으며, 적극적인 지원은 아니더라도 최소한 중국의 묵인 하에 한국 또는 미국을 향해 편하게 공격하고 있을 것으로 추측하고 있다.[186]

북한의 대외 사이버 공격이 증가하면서 북 · 미 간 사이버 갈등은 증폭되고 있다. 2014년 12월 미국은 소니픽처스 해킹사건의 범인으로 북한을 지목하였다. 미국은 해킹사건이 발생하자 표현의 자유에 대한 심각한 침해라고 규정하고 조사를 개시하였으며 범인을 북한이라고 특정하여 발표하였다. 그 근거로 2013년 3월에 우리나라에 대한 사이버 테러 당시 사용한 악성코드와 유사하며 그 악성코드가 북한과 관련 있는 IP와 교신하였다는 점을 들었다.[187] 미국은 이 발표의 말미에 동일 보복조치 방침을 발표하였고 공교롭게도 3일 후에 북한 인터넷망이 마비되었으며 2014년 12월 27일에는 북한 3G 이동통신망이 4시간 이상 불통되었다. 미국은 2015년 1월 2일 북한 무기산업에 대한 금융제재 조치를 발표하면서 보복의 첫 조치임을 언급하였으며 2014년 이후 북한에서 발생한 사이버 침해사건에 대해서 공격자가 미국이라고 시인하지도 않았다.

2015년 2월 26일에는 제임스 클래퍼James R. Clapper 미 국가정보국DNI 국장이 상원 군사위원회 청문회에서 세계의 위협분석에 대하여 증언했는데, 북한의 사이버 위협을 특별히 강조하였다. 그는 소니픽처스 해킹사건을 예로 들면서 이 사건은 미국에게 가장 심각하고 커다란 손실을 가져온 사이버 공격이라고 하였고,[188] 전 세계 위협 중에서도 북한의 핵 · 미사일 · 사이버 공격을 중요한 위협으로 꼽았다.[189]

6. 다른 나라의 사이버 안보협력 상황

UN군축사무국ODA: Office for Disarmament Affairs은 1982년 핵 확산 방지, 대량살상무기, 생 · 화학무기, 재래식 무기체계의 군축 강화를 위하여 설립되었으나 최근에는 사이버전과 사이버 테러를 포괄하는 사이버 군비 통제로까지 업무 영역을 넓혀가고 있다. UN군축사무국의 1988년 군축논의 결의안[190] 은 첨단 과학기술의 발전이 불확실성과 불안전성을 초래하는 새로운 무기 시스템을 개발하는 데 점점 더 많은 자원을 투입하고 있다는 것을 상기시키면서 핵폭발 전력의 점진적 사용, 마이크로 전자장치를 이용한 무기체계의 소형화, 대규모 컴퓨팅 기능, 연료 및 레이저 기술의 개발로 보안 환경이 바뀌고 있다고 지적한 바 있다.

이때 인도의 제안으로 이를 UN 수준에서 어떻게 통제 · 관리할 것인가를 국제 안보와 군축의 관점에서 찾아보기 위한 과학기술 분야 결의안이 도출되었는데, 이는 정보통신기술의 발전을 안보의 관점에서 다룬 것이었다.[191] 이후 사이버 공간에 대한 UN의 논의는 1998년 9월 러시아가 논의의 필요성을 제기하였으며, 정보통신기술 발전 방안 결의안 초안을 UN 총회에서 합의안으로 채택하였다.[192]

2001년 〈아시아 · 태평양 지역 21세기 보안 및 군축 범위의 진화〉라는 회의에서 사이버 공격 위협과 정보전쟁 · 전자스파이 행위가 증가하고 있는 현상에 대해 논의하면서 사이버 군비 통제를 언급하였다. 2010년에는 사이버전이 국제 안보에 미치는 영향을 다루는 보고서를 발표하는 등 군축의 관점에서 사이버 안보를 다루고 있다.

2003년 UN총회 결의안 「국제 안보와 정보통신 분야의 발전에 관한 정부전문가그룹 보고서」가 채택되었고, 2015년까지 정보안보 정부전문가그룹GGE의 활동이 계속되었으며, 2013년 제68차 UN총회에서 GGE권고안이 합의되었고,[193] 2015년 제4차 UN총회에서 네 번째 GGE권고안이 합의되었다. GGE 권고안은 정보통신기술이 국제 안보에 위협 요소가 될 가능성을 인식하고 개인, 기업, 기타 조직과 국가도 위협의 주체가 될 수 있다는 것에 동의하였다.

또한 비국가행위자들이 국가를 대리해서 위협행위를 할 수 있다는 가능성에 주목하였다. 이러한 행위에 대응하기 위한 국가 책임 관련 규범은 사이버 공간에 대한 기존 국제법 규범의 적용 가능성을 확인했다는 점에서 의의가 있다.[194]

국제 안보적인 측면에서 정보통신기술 관련 UN 총회의 결의안은 법적인 구속력은 없지만 사이버 안보의 국제협력 역량강화와 신뢰구축 조치 등의 기반을 조성했다는 점에서 의미가 있으며, 사이버 안보에 대한 국제 안보 차원에서 채택한 최초의 국제적 합의라는 점에서 큰 의의를 가진다.[195]

UN 마약범죄사무소에서도 사이버 범죄에 대한 회원국과 정부기구 간 기술정보 공유, 법 집행 공무원에 대한 훈련, 사이버 범죄 관련 입법 및 대비책 수립을 지원하고 있다.

경제협력개발기구OECD는 인터넷 경제의 지속 발전을 목표로 정보통신정책위원회 산하에 정보보호작업반을 운영 중이며, 경제발전 측면에서 사이버 안보 확립의 필요성을 강조하고 있다.

유럽평의회EU는 1997년 사이버 공간에서의 범죄에 관한 전문가 회의에서 사이버 범죄에 관한 협약을 제정하였다. EU는 2004년 사이버 위협에 대응하는 유럽네트워크정보보안청ENISA을 창설하고 사이버 보안에 대한 자문과 기술지원을 하고 있다.

아시아태평양 경제협력체APEC는 사이버 공간의 안보에 대한 인식제고를 위해 테러 공격으로부터 사이버 공간을 보호하기 위한 국가 간 협력제고 방안을 논의하였다. 2011년에는 대테러임무단CTTF을 설치하여 사이버 안보를 주요 의제로 다루는 등 역내 국가의 경제성장과 번영을 목표로 사이버 안보를 구축하기 위한 논의를 하고 있다.[196]

아세안지역포럼ARF은 안보 문제 중 마약, 생물 테러, 사이버 테러 등을 중요 의제로 택하여 사이버 안보와 관련된 사이버 테러, 사이버 범죄, 사이버 보안에 대한 논의를 진행하고 있다.[197] 2012년에는 사이버 안보 협력선언을 채택하여 사이버 공간에 대한 신뢰구축 이행 권고안을 제정하였다.

북대서양조약기구NATO는 사이버 방호에 초점을 두고 동맹국과의 정보교류, 협력강화를 통해 사이버 공격 시 각국과 NATO의 활동을 규정하여 군사작전의 일환으로 대응절차를 수립하였다. 또한 사이버방호협력센터를 통해 2017년 3월 사이버전을 위한 전문가들의 연구결과물인 「Tallinn Manual 2.0」을 발표하였으며, 체코슬로바키아는 사이버안보센터 인원을 42명에서 400명으로 확대하고 있다.

이렇듯 국가별, 대륙별, 국제기구별로 서로 연대하여 협력하는 가운데 사이버 안전을 통해 공동의 안전과 평화를 지키려는 노력은 계속되고 있다.

Note

1) Libichi, Martin (1995), 「What is Information Warfare?」, 『Strategic Forum』, No.28, May 1995.
2) 패트리어트법의 정식 명칭은 Uniting (and) Strengthening America (by) Providing Appropriate Tools Required (to) Intercept (and) Obstruct Terror Act of 2001이다.
3) 2편은 「주요 기반시설 정보법(Critical Infrastructure Information Act of 2002.)」, 10편은 「연방 정보 보호관리법(Federal Information Security Management Act of 2002: FISMA.)」, 제225조는 「컴퓨터 사기 및 오용방지법(Computer Fraud and Abuse Act of 1986: CFAA.)」이라고도 불린다.
4) 김소정, 최석진 (2011), 「오바마 정부의 사이버안보 정책 추진현황과 정책적 함의」, 『외교안보연구』, 7(2), 171~200쪽
5) 최영관, 조윤오 (2017), 「우리나라 사이버 테러 실태 및 대응방안에 관한 연구 : 경찰 사이버보안 전문가를 대상으로」, 『한국경찰학회보』, 19권(2), 208~209쪽
6) 오일석 (2014), 「위험분배의 관점에 기초한 정보통신기반보호법 개선 방안」, 『이화여자대학교 법학논집』, 제19권(1), 2014.9월, 315쪽
7) 이전까지는 미국의 암호표준의 개발, 채택, 관리에 있어서 NIST와 NSA가 중추적인 역할을 담당하고 있었다. 한상근, 이영 (1994), 「미국의 암호정책에 대한 연구-클리퍼 칩을 중심으로」, 『정보 보호학회지』, 제4권(4), 1994.12월, 35~61쪽
8) Whitehouse (2011), 「International Strategy For Cyberspace: Prosperity, Security, and Openness in a Networked World」, http://www.whitehouse.gov/sites/default/files/rss_viewer/international_strategy _for_cyberspace.pdf, 2018.7.7. 검색
9) Department of Defense (2011), 「Department of Defense Strategy for Operating in Cyberspace」, http://www.defense.gov/news/d20110714cyber.pdf, 2018.7.7. 검색
10) 정보공유 주체는 미 행정부와 주요 정보통신기술 기업이다. 사이버 공격 · 위협 · 해적행위 등에 대응해 Internet을 보호하려는 게 입법취지다. 비슷한 시기에 발의된 '온라인 해적행위 금지법(SOPA : Stop Online Piracy Act)'과 함께 대표적인 지식재산권보호 법안으로 떠올랐다. 그러나 법을 남용해 Internet 상에서 표현의 자유를 침해할 우려가 제기되었다. 정부가 영장 없이 모든 Internet 이용자(네티즌)의 정보를 요구할 수 있다는 게 가장 큰 쟁점이다. 익명성을 위협해 Internet에서 자유롭게 의견을 개진할 환경을 저해할 것으로 우려됐다.
11) 해외정책동향 (2016), 「2015년 사이버보안법 제정」, 『Global 과학기술정책정보Service』, https://www.now.go.kr/ur/poliTrnd/UrPoliTrndSelect.do?screenType=V&poliTrndId=TRND0000000000028620&pageType=002¤tHeadMenu=1¤tMenu=12, 2018.10.3. 검색
12) 미 백악관 (2017), 트럼프 대통령 행정명령, 「사이버보안 행정명령 발동(White House Issues Cybersecurity Order)」, http://www.ndsl.kr/ndsl/search/detail/trend/trendSearchResultDetail.do?cn=GTB2017002100, 2018.7.30. 검색
13) 유지연 (2018), 「국가 기반 강화를 위한 주요국 주요기반 시설 사이버보안 전략 비교분석 연구」, 『WISC 2018 발표자료집』, 2018.9.13, 163쪽
14) 미국 대통령실 (2018), 「미국의 국가 사이버정책」, https://www.whitehouse.gov/wp-content/uploads/2018/09/National-Cyber-Strategy.pdf. 2018.10.3. 검색
15) DHS Cyber Incident Response Teams Act of 2019 (H.R.1158)

Note

16) 2017년에는 이전의 미국 컴퓨터 비상대응팀(United States Cyber Emergency Readiness Team, US-CERT)와 산업 제어시스템 사이버 비상대응팀(Industrial Control Systems Cyber Emergency Readiness Team, ICS-CERT)가 독립적으로 수행한 조직 구조를 재정비하고 기능을 통합하여 운영 중임.
17) NIST, U.S. LEADERSHIP IN AI: A Plan for Federal Engagement in Developing Technical Standards and Related Tools
18) Executive Order on Maintaining American Leadership in Artificial Intelligence (EO 13859, 2019. 2. 11): 미국 인공지능 분야의 기술 우위 확보 원칙과 세부 실행 목표를 제시하였으며, AI 기술 표준과 관련하여 NIST가 동 명령 시행일로부터 180일 이내에 AI 기술 표준 개발 계획을 공표하도록 규정함.
19) Cybersecurity and Infrastructure Security Agency
20) 프레시안, 2014,11.6일자, 허재철, 「인치에서 법치로···시진핑의 개혁, 성공할까?」, http://www. pressian.com/news/article.html?no=121543#09T0, 2018.10.19. 검색
21) 연합뉴스, 「중국 국가안전법 제정... 인터넷 통제 강화」, http://youtu.be/9owY3P8-g, 2018.6.28.일 검색
22) 김도승 (2017), 「국가사이버안보법 제정 논란의 시시비비」, 『KISO journal』, 제26호 법제동향 참조
23) Welton Chang (2004), 「Russia, in Cyber Warfare : An Analysis of the Means and Motivations of Selected Nation Status(ISTS)」, 『Dartmouth College』, pp. 110~127
24) 신범식 (2017), 「러시아의 사이버 안보 전략과 외교」, 김상배(편), 『사이버 안보의 국가전략 : 국제정치학의 시각』, 서울 : 사회평론. 241~277쪽
25) 김상배 (2017), 「세계 주요국의 사이버 안보 전략 : 비교 국가전략론의 시각」, 『국제 · 지역연구』, 26권(3), 67~108쪽
26) 허태회, 이상호, 장우영 (2006), 「세계 주요 강대국들의 정보전 준비와 대응체계」, 『국방연구』, 제49권(1), 50~51쪽
27) 남길현 (2002), 「사이버 테러와 국가안보」, 『국방연구』, 제45권(1), 157~191쪽
28) 김재광 등 (2009), 「일본의 사이버위기 관련 법제의 현황과 전망」, 『법학논총』, 제33권(1), 43~50쪽
29) 박상돈 (2015), 「일본 사이버시큐리티법에 대한 고찰 : 한국의 사이버안보 법제도 정비에 대한 시사점을 중심으로」, 『慶熙法學』, 50권(2), 148쪽
30) 김병운 (2016), 「초연결산업 사회, 사이버보안 정책」, 『과학기술법연구』, 제22집(3), 97~98쪽
31) 김재광 (2017), 「사이버안보 위협에 대한 법제적 대응방안」, 『법학논고』, 58, 160~162쪽 전제
32) 박상돈 (2015), 「일본 사이버안보법에 대한 고찰 : 한국의 사이버안보법제도 정비에 대한 시사점을 중심으로」, 『慶熙法學』, 50권(2), 161~165쪽
33) 『로동신문』, 2003.4.12.일자 참조
34) 임종인, 권유중, 장규현, 백승조 (2013), 「북한의 사이버전력 현황과 한국의 국가적 대응전략」, 『국방정책연구』, 제29권(4) 통권 제102호, 2013.10, 10~45쪽
35) 이상호 (2009), 「사이버전의 실체와 미래 사이버공격 대응방안 : 7.7 사이버공격의 교훈과 대책」, 『시대정신』, 가을호.
36) Opennet Initiative (2007), 「Country Profile: North Korea. OpenNet Initiative」, https://opennet. net/, 2018.7.14. 검색
37) 하태경 (2013). 『삐라에서 디도스까지』. 서울 : 글통.
38) 홍성표. (2011). 「북한 사이버공격 수법, 고도화, 지능화」, 「통일한국」, 제328호.

Note

39) 보안닷컴, 2010.1.31.일자, 김흥광 (2010),「북한의 사이버 테러 정보전 능력과 사이버 보안대책 제언」, http://www.boan.com/news/articleView.html?idxno=1391, 2018.7.16. 검색

40) 이강규 (2011),「세계 각국의 사이버 안보전략과 우리의 정책 방향-미국을 중심으로」, 제23권 16호 통권515호, 14~16쪽

41) President of the French Republic (2008),「The French White Paper on Defense and National Security」(Défense et Sécurité Nationale, 2008)

42) President of the French Republic (2013),「French White Paper: Defence and National Security」(Défense et Sécurité Nationale, 2013)

43) 유지연 (2017),「유럽 주요국의 사이버 안보 전략」,『서울대학교 국제문제연구소 사이버안보 세미나』 발표자료. 2017.4.7.

44) France Diplomatie Home page, Cyber security : https://www.diplomatie.gouv.fr/en/french-foreign-policy/defence-secu rity/cyber-security/, 프랑스 외교부 홈페이지, 사이버안보

45) Ministre de la Défense (2014),「Cyber Defense Policy(Pacte Défense Cyber)」, November. Government of the French Republic

46) LOI n° 2019-810 du 1er août 2019 visant à préserver les intérêts de la défense et de la sécurité nationale de la France dans le cadre de l'exploitation des réseaux radioélectriques mobiles

47) 성봉근 (2017),「사이버상의 안전과 보호에 대한 독일의 입법동향과 시사점」,『法과 政策研究』, 第17輯(1), 98~102쪽

48) Sicherheitspolitische und strategische Folgernungen aus der Neugestaltung der Bundeswehr. (2012. 7), 독일 연방군의 구조조정의 보안 / 전략적 의미, 독일 연방군 홈페이지 참조.

49) Bundesministerium der Verteidigung, Bundesministerin, Tagesbefehl vom 17.9.2015 참조

50) Bundesministerium der Verteidigung, Bundesministerin, Strategische Leitlinie Cyber- Verteidigung im Geschäftsbereich BMVg vom 16.04.2015

51) 이강규 (2011),「세계 각국의 사이버 안보전략과 우리의 정책 방향-미국을 중심으로」, 제23권(16) 통권515호, 18~20쪽

52) 국방기술품질원 (2016),「미래 무기체계 핵심기술」,『국방과학기술 개발동향 및 수준』, 제1권, 127~300쪽 참조

53) 김상배 (2014),「사이버안보 분야의 미·중 표준경쟁 : Network 세계정치학의 시각」,『국가정책연구』, 제28(3), 237~263쪽

54) 김인수 (2015),「북한 사이버전 수행능력의 평가와 전망」,『통일정책연구』, 24(1), 117~119쪽

55) 이용석 (2017),「독일 연방 사이버군 창설계획과 한국군 적용방향」,『국방정책연구』, 33(1)

56) 엄정호 등 (2012),『사이버전 개론』, 홍릉과학출판사, 7쪽 참조

57) 사이버전에 관한 주요국의 견해는 다음을 참고할 것, 박상서 등 (2004),「사이버전에 관한 주요국의 견해」,『정보 보호학회지』 14(6), 70~74쪽 참조

58) G. Intoccia and J. Wesley Moore (2006) ,「Communications Technology, Warfare, and the Law: Is the Network a Weapon System?」,『Houston Journal of International Law』, 28, pp. 467~489

59) Brigid Grauman (2012),「Cyber-security : the vexed question of global rules(사이버보안: Global 규칙에 대한 답 답함을 주는 문제)」,『Security and Defence Agenda Report』, February, See also Symantec Security Response briefing paper 'W32.Duqu: The precursor to the next Stuxnet'(23 Nov. 2011); available at http://www.symantec.com/connect/w32_Duqu_ precursor_next_Stuxnet

Note

60) This definition borrows from one that was used to define conventional weapons as having an offensive capability that can be applied to a military object or enemy combatant ; McClelland', IRRC (2003), Volume 85, No. 850, pp. 397~415

61) James A. Lewis (2009), 「Cyberwarfare and its impact on international security」 UNODA Occasional Paper No. 19, p 8..

62) Ellen Nakashima (2011), 「List of cyber-weapons developed by Pentagon to streamline computer warfare」 in The Washington Post.

63) 2008년 12월 2일 제61차 상하이 협력기구 본회의에서 채택된 국제 정보보안 분야 협력에 관한 합의에서 '정보무기'는 정보기술, 임무수행 방법 및 수단으로 매우 광범위하게 정의되었다.

64) United States Department of Defense Cyberspace Policy Report(8 Nov. 2011), 「A Report to Congress Pursuant to the National Defense Authorization Act for Fiscal Year 2011」, Section 934

65) Denning은 암호 크래커와 취약성, 포트 스캐너를 포함하는 '이중용도' 무기체계에 대해 설명했다. "System 관리자가 보안문제를 발견하고 해결하는 데 도움이 되는 많은 기술과 도구가 있으므로 큰 주의가 필요하다." Dorothy Denning (2000), 「Reflections on Cyberweapons Control」, 『Computer Security Journal』, 16(4), pp. 43~53

66) P. Denning and D. Denning (2010), 「Discussing Cyber Attack」, 『Communications of the ACM』, 53(9), p. 29

67) Botnet은 단순히 정보를 수집하도록 설계될 수 있다. Bot넷은 일반적으로 Virus에 의해 도용된 일반 컴퓨터를 소유자의 허락 없이 공격을 수행하는 것으로 간주된다. Duncan Hollis (2007), 「Why States need an international law for information operations」, 『11 Lewis & Clark Law Review』, p. 1025 참조

68) http://www.whitehouse.gov/assets/documents/Cyberspace_Policy_Review_final.pdf 참조, 14A/65/201, 2010.7.30.

69) 「1949년 8월 12일자 제네바협약에 대한 추가 및 국제적 무력충동의 희생자 보호에 관한 의정서(제1의정서)」, 우리나라 발표일 1982년 7월 15일 조약 778호(일명 추가의정서), 제52조 제2항은 군사목적을 '그 본질, 위치, 목적, 사용으로 군사행동에 효과적으로 기여하고 전체 또는 부분적으로 파괴, 포획, 중립화하는 대상에 국한된다. 당시 지배한 상황은 군사적 이점을 제공한다.'라고 명시하고 있다. 육군본부 (2009), 『전쟁법 기본법규집』, 육군본부 법무실, 448쪽

70) 미국과 러시아는 2011년 2월 모스크바에서 양측 고위급 사이버보안 실무그룹을 소집한 후 6월 '사이버보안 사건의 오해와 부주의의 증대에 대한 방지'라는 의제로 회의를 하였다. Joshua McGee (2011), 「US-Russia Diplomacy - the 'Reset' of Relations in Cyberspace(미국-러시아 외교 ; 사이버공간에서의 관계 재설정)」, 『Center for Strategic & International Studies』, 2011.8.5. available at http://csis.org/blog/us-russia-diplomacy-reset-relations-cyberspace.

71) Denning (2010), 「See also National Research Council, Letter report for the Committee on Deterring Cyberattacks : Informing Strategies and Developing Options for U.S. Policy」, 25 March 2010, p 3. 사이버공격과 사이버이용은 기술적으로 매우 유사하다. 취약점 및 실행될 Payload에 대해 설명한다. 실행될 Payload와의 기술적 유사점은 종종 대상이 사이버공격과 사이버이용을 쉽게 구별하지 못할 수도 있음을 의미한다.

72) 「국가 정보보증 획득정책」, https://www.niap-ccevs.org/nstissp11_factsheet.pdf 참조

73) CNSS (July, 2003), NSTISSP No. 11, 「Revised Fact Sheet National Information Assurance Acquisition Policy」, https://www.niap-ccevs.org/cc-scheme/nstissp_11_revised_factsheet.pdf 참조

74) 오일석 (2014), 「보안기관의 사이버 보안 활동 강화에 대한 법적 고찰」, 『과학기술법연구』 제20집(3), 58~60쪽

Note

75) 홍진용 (2007),「미군 사례를 통한 군용 센서Network 특징 및 적용 시 고려사항」,『국방과 기술』, 2007.11월, 80~88쪽

76) NSA ANT Catalog, https://en.wikipedia.org/wiki/NSA_ANT_catalog, 2018.7.12. 검색

77) 김종호 (2016),「사이버 공간에서의 안보의 현황과 전쟁억지력」,『법학연구』, 16(2), 121~158쪽

78) 대통령 정책지침-20에 대한 사실 보고서(FACT SHEET ON PRESIDENTIAL POLICY DIRECTIVE 20), https://fas.org/irp/offdocs/ppd/ppd-20-fs.pdf, 2018.6.28. 검색

79) 오일석 (2014),「보안기관의 사이버 보안 활동 강화에 대한 법적 고찰」,『과학기술법연구』, 제20집(3), 52쪽

80) 국가보안전자감시체계(Clandestine National Security Electronic Surveillance)중 하나, 정보수집작업(SIGAD US-984XN)의 Code명, https://ko.wikipedia.org/wiki/%ED%94%84%EB%A6%AC%EC%A6%98_(%EA%B0%90%EC%8B%9C_%EC%B2%B4%EA%B3%84), 2018.6.28. 검색

81) 표에 제시된 R&D 사례에는 공격무기 내용이 없는데, 이는 비밀내용으로 비공개 사항이다. 이호균 (2014),「국방 사이버전 발전추세 및 개발동향」,『국방과 기술』, (422), 4쪽 표2 전제 146

82) 데일리시큐,「RSA 시큐어ID 해킹에 사용된 공격 Code는 이것」, 2018.6.25.일 검색, http://www.dailysecu.com/?mod=news&act=articleView&idxno=502

83) 위키피디아,「농협 전산망 마비 사태」, https://ko.wikipedia.org/wiki/%EB%86%8D%ED%98%91_%EC%A0%84%EC%82%B0%EB%A7%9D_%EB%A7%88%EB%B9%84_%EC%82%AC%ED%83%9C, 2018.6.25.일 검색

84) ZDNet Korea (2011),「美 군부의 심장 록히드마틴 뚫렸다… '해킹비상'」, http://www.zdnet. co.kr/news/news_view.asp?artice_id=20110530093546, 2018.6.25. 검색

85) 서울경제, 2014.11.13.일자,「중국, 독자 개발한 5세대 Stealth 전투기 'J-31' 공개」, http://news.naver.com/main/read.nhn?mode=LSD&mid=sec&sid1=104&oid=011&aid=00025 98748, 2018.6.26. 검색

86) 손태종, 김영봉 (2017),「사이버킬체인 개념과 국방 적용방향」,『주간국방논단』, 제1653호, 2017.1.9. 참조

87) 'Cyber Kill Chain'은 록히드마틴 외에도 미 국방부의 'Cybersecurity Kill Chain', Gartner의 'Attack Chain Model', 베다시스의 'Cyber Attack Defence', 휴렛패커드의 'Attack life Cycle' 등이 있다. 손태종, 김영봉 (2017),「사이버킬체인 개념과 국방 적용방향」,『주간국방논단』, 제1653호, 2017.1.9. 참조

88) Shane Harris 지음, 진선미 역,『보이지 않는 전쟁 @War』, 양문사, 서울, 2015, 40~51쪽

89) Scostt Shane (2013.11.2.),「No Morsel Too Minuscule for All-Consuming NSA」,『New York Times』

90) Shane Harris 지음, 진선미 역,『보이지 않는 전쟁 @War』, 양문사, 서울, 2015, 149~154쪽

91) 보안뉴스, 2018.5.6일자,「드루팔 취약점 공략하는 해커들, 속도 훨씬 빨라졌다」, 美 임퍼바社(보안전문업체), 3월 모 홈페이지 제작도구 취약점이 발표되었을 때 해당 취약점을 이용한 공격이 2주 만에 이루어졌지만, 4월에 신규 취약점 발표 시 24시간도 걸리지 않아 취약점을 이용한 공격 발생', http://www.boannews.com/media/view.asp?idx=69122&page=88&kind=1, 2018.7.3. 검색

92) CIOKOREA,「Patch만 잘해줬어도… 관리 process 6단계」, 美 가트너는 2017년 백서 Patch관리툴에 대한 기술통찰보고서(Technology Insight for Patch Management Tools)에서 '취약점 공격의 99%가 알려진 취약점에 기초하고 있으며 그 중 상당수는 해결할 수 있는 보안 업데이트가 있다.'고 하였다. http://www.ciokorea.com/news/37919#csidxc737fc9b07d7fe8b6088e4f79df83b2, 2018.7.3. 검색

93) Shane Harris 지음, 진선미 역,「보이지 않는 전쟁 @War」, 양문사, 서울, 2015, 169쪽

94) Barton Gellman & Ellen Nakashima, 「US Spy Agencies Mounted 231 Offensive Cyber-Operations in 2011, Documents Show」, 『Washinton Post』, Agu 30, 2013, http://articles.washingtonpost.com/2013-08-30/world/41620705_1_computer-wormformer-u-s-officials-obamaadministration

95) 중국 정부는 '홍치리눅스'를 설립하고 민 · 군용의 운영체계를 2001년에 개발하여 2007년부터 '갤럭시기린'이라는 이름으로 사용하기 시작하였다. 또한 2003년 개발을 시작한 '차이나스탠다드리눅스' 운영체계도 있었다. 2006년부터 중국 정부의 체계적인 지원 하에 2010년에 '네오기린'이라는 이름으로 두 운영체계를 통합하였다. 이를 '제2의 홍치리눅스'라고 부르면서 중국산 운영체계의 대표 브랜드로 삼았다. 김상배 (2014),「사이버안보 분야의 미 · 중 표준경쟁 : Network 세계정치학의 시각」, 『국가정책연구』, 제28(3), 244쪽

96) Cha, Ariana Eunjung; Ellen Nakashima (2010.1.14.), 「Google China cyberattack part of vast espionage campaign, experts say」, 『The Washington Post』, Retrieved 17 January 2010, https://en.wikipedia.org/wiki/Operation_Aurora, 2018.7.13. 검색

97) 매일경제 (2014.5.23일자), 「인민군 해킹혐의로 기소되자 중, 미 기업에 보복」, http://news.mk.co.kr/newsRead.php? year=2014&no=800319, 2018.7.25. 검색

98) 국방과학연구소 (2017), 「사이버전 능동대응전략 및 작전체계 개념연구」, 2017.2.2. 발표자료 참조

99) https://terms.naver.com/entry.nhn?docId=1167201&cid=40942&categoryId=34513, 2018.6.27. 검색

100) 임종인 (2013), 「3.20 대란과 국가사이버위기관리법의 과제」, 국가사이버위기관리법 제정을 위한 공청회(2013.3.29.) 발표자료 참조

101) 아시아경제 (2016), 「사이버공격, 핵 · 미사일 등과 3대 전쟁수단... 김정은, 사이버전사 육성 직접 지시」, 2016.6.26. 참조

102) Clarke, R. A. (2010), 「Cyber War : The Next Threat to National Security and What to Do About It」. New York : Ecco. 참조

103) 김재광 (2017), 「사이버안보 위협에 대한 법제적 대응방안」, 『법학논고』, 58, 145~177쪽

104) 변상정 (2013), 「쿨 워(Cool War) 시대의 사이버 위협과 사이버 안보 강화 방안」, 『군사논단』, 제76호, 16쪽

105) Fox News, Ed Barnes (2011.5.17.), 「North Korea's Cyber Army Gets Increasingly Sophisticated」

106) 『조선중앙통신』, 2012년 4월 21일자 보도

107) 세계일보, 2017.5.3.일자 사설, 「안이한 軍 사이버 안보의식이 국방망 해킹 공범 아닌가?」 2018.7.7. 검색

108) 보안뉴스, 2017.4.8.일자, 「국방부의 해킹 대응, 아쉬운 Control Tower 역할」, 2018.7.7. 검색

109) 본 사례는 2017. 6~2018. 9월까지의 인터넷 언론보도를 종합한 것이다.

110) 2011.11.3. 개최된 국제 해킹 · 보안컨퍼런스(POC2011)에서 미국 해커인 Hubris는 '붉은 별 2.0'을 분석한 결과를 발표하였다. 그는"북한이 '붉은 별'을 사용해 주민을 어떻게 통제하고 어떤 취약점을 갖고 있는지를 설명하는 것"이라며"터미널로 확인해 본 결과 인터넷이 연결돼 있으면 특정 패킷이 들어왔다가 나가는 것을 발견할 수 있었다"고 말했다. '붉은 별'은 북한에서 개발한 Linux기반 OS이며, Fedora Linux의 카피 버전이고, 32bit 형식, Linux 2.6.25 kernel을 사용한다. RPM과 YUM 역시 탑재돼 있으며 routing이 돼 있어 패키지(SW)를 설치하기 쉽도록 설계되었다. 성능자체는 2000년대 초반에 등장한 OS와 유사하며 펜티엄3(CPU클럭 500~800MHz)에서도 구동될 수 있도록 했다. 디지털데일리, 2011.11.3.일자, 「북한OS '붉은 별 2.0', 사이버공격에 매우 취약」, http://www.ddaily.co.kr/news/article.html?no=84158, 2018.7.18. 검색

111) 김흥광 (2011), 「북한 정찰총국 사이버전력 대폭 증강 이유는」, 「통일한국」 2011년 6월호.

Note

112) 홍현기 (2005), 「북한 SW 개발기관 현황」, 「정보통신정책」, 2005.11.6.

113) KASPERSKYLAB (2005), 「Chasing Lazarus: A Hunt for the Infamous Hackers to Prevent Large Bank Robberies」, https://www.kaspersky.com/about/press-releases/2017_chasing-lazarus-a-hunt-for-the-infamous-hackers-to-prevent-large-bank-robberies, 2018.7.30. 검색

114) 김효성 (2014), 「국방SW 발전추세 및 개발동향」, 『국방과 기술』, (427), 64~73쪽

115) Strategiepapier der Bundesregierung zur Stärkung der Verteidigungsindustrie in Deuschland vom 8. Juli 2015, 독일 연방군 Homepage 참조

116) 정확한 범위는 세부계획 과정에서 판단하게 될 것으로 판단된다.

117) 오일석 (2014), 「보안기관의 사이버 보안 활동 강화에 대한 법적 고찰」, 『과학기술법연구』, 제20집(3), 64~65쪽

118) ockheed Martin RQ-170 센티 : https://ko.wikipedia.org/wiki/%EB%A1%9D%ED%9E%88%EB%93 %9C%EB%A7%88%ED%8B%B4_RQ-170_%EC%84%BC%ED%8B%B0%EB%84%AC, 2018.7.14. 검색

119) 장노순, 김소정 (2016). 「미국의 사이버전략 선택과 안보전략적 의미」, 『정치정보연구』, 19(3), 57~91쪽.

120) 에셜론 : https://ko.wikipedia.org/wiki/%EC%97%90%EC%85%9C%EB%A1%A0, 2018.7.14. 검색, 아시아투데이, 2015.12.2.일자, 「한국 사이버전 능력 세계 11위 … 공격 대응경험 부족」, http://www.asiatoday.co.kr/view.php?key=20151202010001644, 2018.7.14. 검색

122) 변상정 (2013), 「쿨 워(Cool War) 시대의 사이버 위협과 사이버 안보 강화 방안」,『 군사논단』, 제76호, 29쪽

123) http://www.politico.com/events/cyber-7-the-seven-key-questions/.

124) 이동범, 곽진 (2014), 「미국정부의 사이버 공격에 대한 보안전략」, 『정보 보호학회지』, 24호

125) 대한민국 국방부 (2016), 『2016 국방백서』, 서울

126) 김승주 (2013), 「세계 각국의 사이버전 수행능력과 국내 피해사례」, 『군사논단』, 75권, 19~35쪽

127) 이동범, 곽진 (2014), 「미국 정부의 사이버 공격에 대한 보안 전략」, 『정보 보호학회지』, 24(1), 13~22쪽

128) Nextgov, Aliya Sternstein (2015.11.12.),「Cyber 'War games' against China, 이란 and North Korea set for 2016

129) US DoD Directive 8140.01 Cyberspace Workforce Management 참조

130) 이상진 (2017), 「사이버작전 수행체계 발전방안」, 『한국군 지휘통제체계 · 사이버작전 수행체계 발전』, 2017.11.14. 발표자료 7쪽 전제

131) 이상진 (2017), 「사이버작전 수행체계 발전방안」, 『한국군 지휘통제체계 · 사이버작전 수행체계 발전』, 2017.11.14. 발표자료 10쪽 전제

132) 미 국방부 CIO Homepage, https://dodcio.defense.gov/Cyber-Workforce/dcwf.aspx, 2018.10.8. 검색

133) 미 국토안보부 Homepage, https://www.국토안보부.gov/national-cybersecurity-workforce-프레임워크, National Initiative of Cybersecurity Education, 2018.10.8. 검색

134) Costello, John (2016), 「The Strategic Support Force: China's Information Warfare Service」, China Brief 16-3, Feb 8. p.18.

135) 「戰略支援部隊成中國防禦戰略中心 存三大謎團」, 『書學網』, 2016.8.13.

Note

136) 박상서, 박춘식 (2014), 「사이버전에 관한 주요국의 견해」, 『정보 보호학회지』 14호, 서울, Arun Mohan Sukmar and Col. R.K. Sharma(2016), 『ORF SPECIAL REPORT, The Cyber Command : Upgrading 인도's National Security Architecture』, March 2016, 「陸軍領導機構火箭軍戰略支援部隊成立大會在京舉行 習近平向中國人民解放軍陸軍火箭 軍戰 略支援部隊授予軍旗並致訓詞」, 『新華網』, 2016.1.1.

137) 대한민국 국방부 (2016), 「주요국 군 사이버 전력 비교표」, 서울

138) 허태회, 이상호, 길병옥 (2005), 「위기관리이론과 사이버안보 강화방안 : 이론과 정책과제」, 『국방연구』, 제48호(1), 50~51쪽

139) Ward Carroll (2008).「Russia's Cyber Forces」, DefenseTech, https://www.defensetech.org/2008/ 05/27/russias-cyber- forces/. 2017.2.25. 검색

140) ITU (2015), 「Cyberwellness profile Russia」

141) 신범식 (2016), 「사이버 안보의 주변 4망(網)과 한반도 中 러시아의 사이버 안보 전략과 외교」, 2016.4.25

142) 임영갑 (2010), 「사이버전의 양상 및 대응전략」, 『저스티스』, 통권 121, 357~362쪽

143) 문종식, 이임영 (2010), 「사이버 테러의 동향과 대응방안」, 『정보 보호학회지』, 20권(4), 21~27쪽

144) 대한민국 국방부 (2016), 「2016 국방백서」, 서울, 16쪽

145) 한국인터넷진흥원 (2014), 「주요 국가별 사이버방어 체제 및 대응 동향」, 14쪽

146) 「防衛省 · 自衛隊によるサイバー空間の安定的 · 効果的な利用に向けて」防衛省、平成24年9月

147) 일본 방위백서 (2014), 『平成26年版防衛白書』, 동경

148) 보안닷컴, 2010.1.31.일자, 김흥광 (2010), 「북한의 사이버 테러 정보전 능력과 사이버보안 대책 제언」, http://www.boan.com/news/articleView.html?idxno=1391, 2018.7.16. 검색

149) 주성하. 2013.3.31일자. 「해킹을 이슈로 북한 사이버전사와 직접 나눈 대화」, 『서울에서 쓰는 평양이야기』, http://blog. donga.com/nambukstory/archives/52977. 2018.7.16. 검색

150) 데일리안. 2011.6.1.일자, 「북, 군사망 무력화시킬 사이버전 감행 가능」, 2018.87.16 검색

151) 데일리 시큐, 2017.5.24일자, 「북한의 사이버공격 조직 '유닛 180'… 자금조달 목적 해킹」, http: //www.dailysecu.com/?mod=news&act=articleView&idxno=20380&sc_code=&page=715&total=32786, 2018.7.31. 검색

152) 자유 아시아 방송 (2018. 4. 6.일자), 「북한의 사이버부대와 목적」, https://www.rfa.org/korean/weekly_프로그램/bd81d55c-itc640-acfcd559ae30c220/sciencetech-04062018110920.html, 2018.7.31. 검색

153) 북한은 노동당 통일전선부, 국방위원회 정찰총국, 총참모부 지휘자동화국 등에서 사이버전을 담당하고 있다. 특히 정찰총국은 대부분의 사이버능력(해외 사이버활동 포함)을 총괄하고 있고, 2014년의 Sonny pictures 해킹이 대표적인 공격이다. Jun, Jenny, Scott Lafoy, Ethan Sohn (2015), 「North Korea's Cyber Operations: Strategy and Responses」, A Report of the CSIS Korea Chair, Washington DC : CSIS.

154) 2013년 국정원에 대한 국정감사 보고에서 북한은 정찰총국 예하 110연구소를 중심으로 사이버사령부를 창설하였고, 노동당 예하 7개 해킹조직 1,700여 명과 4,200여 명의 사이버전 지원조직이 구축되었다고 한다. 임종인, 권유중, 장규현, 백승조 (2013), 「북한의 사이버전력 현황과 한국의 국가적 대응전략」, 『국방정책연구』, 제29권(4) 통권 제102호, 2013.10, 26쪽

155) 조성렬 (2013), 「북한의 사이버전 능력과 대남 사이버위협 평가 : 한국의 사이버안보를 위한 정책적 함의」, 『북한 연구학회보』, 제17권(2), 127쪽 참조

Note

156) 황지환 (2017), 「북한의 사이버 안보 전략과 한반도 : 비대칭적, 비전통적 갈등의 확산」, 『동서연구』, 제29권(1), 147~148쪽

157) 문화일보, 2013.11.4일자, 「北 225국, S대기업 기밀 200건 등 File 1만개 빼내」, http://www.munhwa.com/news/view. html?no=2013110401070823301002, 2018.7.18. 검색

158) 보안닷컴, 2010.1.31일자, 김흥광 (2010), 「북한의 사이버 테러 정보전 능력과 사이버 보안대책 제언」, http://www.boan.com/ news/article View.html?idxno=1391, 2018.7.16. 검색

159) 임종인, 권유중, 장규현, 백승조 (2013), 「북한의 사이버전력 현황과 한국의 국가적 대응전략」, 『국방정책연구』, 제29권(4) 통권 제102호, 2013.10, 10~45쪽

160) Brown, C. (2004) 「Developing a Reliable Methodology for Assessing the Computer Network Operations Threat of North Korea」, Naval Postgraduate School.

161) ZDNet, 2012.5.11., 「Q&A of the Week: The Current State of the Cyber Warfare Threat featuring Jeffrey Carr.」

162) 조성렬 (2013), 「북한의 사이버전 능력과 대남 사이버위협 평가」, 『북한 연구학회보』 제17권(2), 135쪽 참조

163) 전자신문, 2013.5.14.일자, 「북한 사이버 부대 귀순자, 3.20을 말하다.」, 2018.7.19. 검색

164) '3.20 사이버공격' 당시 2013.2.25.일에 심양, 훈춘에 위치한 사무실의 임대차 계약 후 3.6일에 북한 사이버부대원 최대 6개 팀이 파견되어 사이버공격 준비에 들어갔다. 지도부 명령에 따라 17~20일 14:00까지 사이버공격 후 20일 오후에 북한으로 복귀했다. 전자신문, 2013.5.14.일자, 「북한 사이버 부대 귀순자, 3.20을 말하다.」, 2018.7.19. 검색

165) 특히 독일 연방군의 뮌헨대학에 연결된 Cyber Cluster를 지원하는 임무가 중요하다. 독일 연방국방부 연구보고서 (2016),「Abschlussbericht Aufbaustab Cyber und Informationsraum」, 베를린, 2016. 4월 참조

166) 독일 연방국방부 연구보고서 (2016), 「Abschlussbericht Aufbaustab Cyber und Informationsraum」, 베를린, 2016. 4월, 36쪽 참조

167) 김도승 (2009), 「사이버위기 대응을 위한 법적 과제」, 『초점』, 제21권(17), 통권 470호, 28~29쪽

168) Prakash, Rahul & Darshana M. Baruah (2014), 「The UN and Cyberspace 거버넌스(Governance).」, 『ORF Issue Brief』, No. 68(February)

169) 배영자 (2017), 「사이버안보 국제규범에 관한 연구」, 『21세기 정치학회보』, 제27집(1), 114~118쪽

170) 장노순 (2016). 「사이버안보와 국제규범의 발전」, 『정치정보연구』, 19(1), 1~28쪽

171) Whitehouse (2011), 「International Strategy For Cyberspace: Prosperity, Security, and Openness in a Networked World」. pp 20~21, http://www.whitehouse.gov/sites/default/files/rss_viewer/international_strategy_for_cyberspace.pdf, 2018.7.7. 검색

172) 이강규 (2011), 「세계 각국의 사이버 안보 전략과 우리의 정책 방향-미국을 중심으로」

173) 김상배 (2014), 「사이버안보 분야의 미 · 중 표준경쟁 : Network 세계정치학의 시각」, 『국가정책연구』, 제28(3), 256쪽

174) 国家互联网信息办公室(국가인터넷정보판공실), 2017, 网络空间国际合作战略(사이버공간국제협력전략), 3月 1日.

175) 중화인민공화국 인터넷정보 판공실, www.cac.gov.cn 참조, 2018.7.30. 검색

176) 러시아 대통령 명령, President of the Russian Feder Action, 2013

177) 신범식 (2017), 「러시아의 사이버 안보 전략과 외교」, 김상배(편),『사이버 안보의 국가전략 : 국제정치학의 시각』, 서울 : 사회평론, 241~277쪽

Note

178) 정준현 (2013), 「고도정보화사회의 국가사이버안보 법제에 관한 검토」,『법학논총』, 제37권(2), 2013. 6월, 457쪽

179) 24/7 High Tech Crime Network, http://www.oas.org/juridico/english/cyb20_network_en.pdf 참조

180) 김영란 (2006), 「사이버범죄조약 대응을 위한 일본의 형사법개정안 연구」,『치안정책연구』, 5쪽

181) COUNCIL OF EUROPE 조약사무국 Homepage, https://www.coe.int/en/web/portal/home

182) 국방정보본부 (2018), 『일본 방위백서 2017』, 2018.2.19일, 635~681쪽

183) 북한이 자국의 힘만으로 사이버전력을 발전시킬 수 없으며, 중국의 기술지원, 교육, 장비, 악성SW, 인프라 등에서 관계를 맺고 있다. Erlendson, J. J. (2013),「North Korean Strategic Strategy - Combining Conventional Warfare with the Asymmetrical Effects of Cyber Warfare」, A Capstone Project. 중국은 IT 강국으로 최고의 해킹능력을 보유하였으며 북한의 사이버공격 능력 확보를 위해 장비, 교육 등에 도움을 주었다. 북한이 고강도 사이버공격을 하기에는 인프라가 충분하지 않다고 주장한다. Brown, C. (2004),「Developing a Reliable Methodology for Assessing the Computer Network Operations Threat of North Korea」, Naval Postgraduate School.

184) 미래한국, 2011.5.25.일자, 「북한의 사이버공격 뒤에 중국이 있다.」

185) 미래한국, 2011.5.25.일자, 「북한의 사이버공격 뒤에 중국이 있다」, http://www.futurekorea.co.kr/ news/articleView.html?I dxno=20355, 2018.7.19. 검색

186) Sin, S. (2009), 「Cyber Threat posed by North Korea and China to South Korea and US Forces Korea.」

187) 정민경, 임종인, 권헌영 (2016), 「북한의 사이버 공격과 대응방안에 관한 연구」, 『한국 IT Service 학회지』, 15(1)

188) 황지환 (2017), 「북한의 사이버안보 전략과 한반도 : 비대칭적, 비전통적 갈등의 확산」, 『동서연구』, 제29권(1), 153~154쪽

189) The New York Times (February 9, 2016),「North Korea Nuclear Threat Cited by James Clapper, Intelligence Chief」

190) UNODA, 「국제안보와 군축의 맥락에서 과학기술의 역할」, https://www.un.org/disarmament/topics /scienceandtechnology, 2018.8.1.일 검색

191) UN결의안 (1990), A/RES/45/60, 「과학기술 발전과 국제안보에 미치는 영향(Scientific and technological developments and their impact on international security)」

192) UN 결의안 (1999), A/RES/53/70.

193) UN 문서 (2013), A/68/98, 「국제안보와 정보통신분야의 발전에 관한 정부전문가 그룹 보고서(Report of the Group of Governmental Experts on Developments in the Field of Information and Telecommunications in the Context of International Security)」

194) 권재원 (2014), 「국제적 사이버 안보체제 구축 동향에 관한 소고」, 『법학연구(연세대학교 법학연구원)』, 제24권(3), 257~308쪽

195) 장규현, 임종인 (2014), 「국제 사이버보안 협력 현황과 함의 : 국제안보와 UN GGE 권고안을 중심으로」, 『정보통신방송정책』 제26권(5), 30~44쪽

196) 권재원 (2014), 「국제적 사이버 안보체제 구축 동향에 관한 소고」, 『법학연구(연세대학교 법학연구원)』, 제24권(3), 262~270쪽

197) 아세안 지역 포럼, http://aseanregionalforum.asean.org/library/arf-activities.html?id=582

CYBER
ATTACK

PART 03

우리나라의 사이버전 준비 상황

한 나라의 안보 수준과 역량은 국가의 경쟁력을 좌우할 뿐만 아니라 국가의 안위는 물론 더 나아가 존폐와도 직결된다. 특히 21세기 디지털 정보화시대에 사이버 기술을 이용한 공격 위협은 국가 안보를 저해하는 요인이기도 하다. 우리나라의 사이버전 준비상황에 대해 살펴보자.

PART 03
우리나라의 사이버전 준비 상황

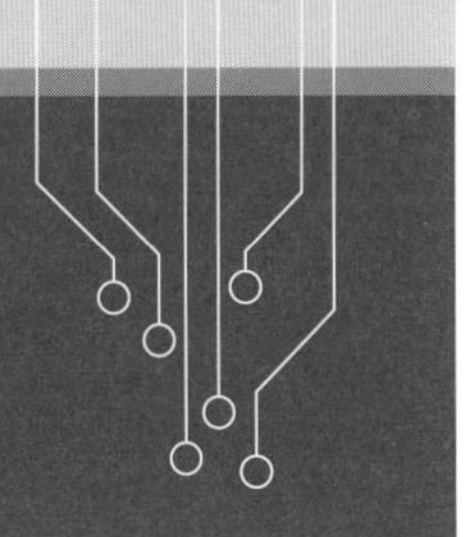

제1절 사이버 안전을 위한 법과 제도

한 나라의 안보 수준과 역량은 국가의 경쟁력을 좌우할 뿐만 아니라 국가의 안위는 물론 더 나아가 존폐와도 직결된다. 특히 21세기 디지털 정보화시대에 사이버 기술을 이용한 공격 위협은 국가 안보를 저해하는 요인이기도 하다.

따라서 사이버 안보는 ICT기술과 무기체계 간의 융합을 통해 전쟁의 속성, 범위, 강도를 혁신적으로 변화시킬 가능성을 가지는 군사 전략적인 차원에서 이해되어야 한다.[1)]

위기를 구성하는 세 가지 요소인 시간, 위협, 예측 간의 3차원 관계를 분석하여 위기가 갖는 특성과 속성의 상관관계에 대한 연구에 의하면, 사이버 안보 위기는 국가 존망을 어렵게 하는 위협의 심각성보다는 신속한 시간적 대응이 요구되며, 기습성이 강하여 예측이 어려운 점이 특징이라고 분석하고 있다.

효과적인 사이버 관리를 위해서는 통합 대응하는 위기관리와 사이버 안보 거버넌스 네트워크의 구축이 필요하다. 사이버 안보는 지금까지의 전통적인 국제 관계 프레임워크로는 다룰 수 없고 다면적이며 통합적인 접근 방식이 요구된다.

따라서 인터넷 기반의 네트워크를 통해 국가 간 상호의존 현상이 훨씬 더 복잡하게 전개되어 국내 및 국제 문제의 효율성이 증감하는 측면과 예측 불가능성이라는 양면적 속성을 동시에 내포하고 있다. 그렇기 때문에 사이버 위협을 유연하게 다룰 수 있는 법 · 제도적인 수요가 증가하고 있는 상황이다.

우리나라에서 사이버와 관련한 법의 시초라고 할 수 있는 통신법의 등장은 일제강점기로 거슬러 올라간다. 1919년 4월 11일 중국 상하이에서 독립지사들이 임시정부를 수립할 계획으로 임시의정원 회의를 열어 제정한 대한민국 임시정부의 첫 헌법을 대한민국 임시헌장이라고 한다. 임시헌장은 민주주의의 원리에 입각한 우리나라 최초의 기본 성문법이라는 의미를 갖는다. 신익희申翼熙, 조소앙趙素昂 등 각 지방 출신 대표자 27명은 제1차 대한민국 임시의정원회의를 개최하고 국호 '대한민국'과 10개 조로 구성된 대한민국 임시헌장을 심의 · 통과시켰다. 이 헌장의 초안을 작성한 사람은 조소앙이며, 이 헌장을 바탕으로 1919년 9월 11일 대한민국 임시헌법이 만들어졌다. 이 헌장의 제4조에 통신의 자유가 명시적으로 규정되어있다. 제4조 대한민국의 인민은 신교, 언론, 저작, 출판, 결사, 집회, 신서, 주소 이전, 신체급 소유의 자유를 향유함. 이 조항이 1948년 대한민국 헌법 제18조에 반영되었다. 제18조 모든 국민은 통신의 비밀을 침해받지 아니한다.

우리에게 있어서 이 통신의 자유는 헌법적 권리이며 국가의 의무이다. 따라서 국가는 자유로운 통신을 위하여 모든 수단을 동원하여 지킬 의무가 있다. 국가는 국민의 통신의 자유를 저해하는 모든 행위를 규제하고 선제적으로 방호할 의무가 있는 것이다. 그래서 사이버 공간에서도 국가는 사이버 무기체계를 확보하여 공격자의 사이버 침해 의도를 사전에 분쇄하고 우리 사이버 체계를 안전하게 유지하며 침해를 받으면 즉각 응징할 수 있는 태세를 갖추어야 한다. 이것이 헌법이 국가에 부여한 헌법적 사명인 것이다.

이러한 사이버 위협에 대응하기 위해 2013년 4월 국가 사이버 안전관리 규정에 따라 국가사이버안전 전략회의를 개최한 후 청와대, 국가정보원, 국방부, 과학기술정보통신부당시 미래창조과학부, 행정안전부당시 안전행정부 등 정부부처가 「국가 사이버 안보 종합대책」[2] 을 수립하였고, 사이버 분야 안보 강화를 위한 4대 실천 전략을 채택하면서부터 시작되었다.

이 대책에 따라 사이버 위협 대응체계를 강화하기 위하여 컨트롤 타워는 청와대가 맡고 총괄적인 실무는 국가정보원이 담당하며, 소관 업무 분야는 관련 행정기관이 책임지는 것으로 하여 국가적인 대응체제가 구축되었다.

이에 따라 기관 간 원활한 사이버 정보공유를 위하여 스마트 협력체계를 구축하고, 전력 · 교통 등의 국가기반 시설에 대한 사이버 침해에 대응하기 위하여 위기대응 훈련, 국가 기반시설에 대한 망 분리 운영, 사이버 안보전문가 양성사업 및 영재교육원 설립을 추진하였다. 이처럼 우리나라도 사이버 침해에 대응하기 위한 나름의 국가적 노력이 진행된 것이다.[3]

이후 2014년 초연결 디지털 혁명 선도국가 실현 비전으로 사물인터넷 기본계획을 확정하였고, 초연결사회 도래에 따른 사물인터넷 정보보호 로드맵 발표 등이 이어졌다. 2015년에는 K-ICT 시큐리티 발전전략[4] 을 발표하고 「정보보호산업의 진흥에 관한 법률」[5] 을 제정하였다.

2016년에는 「국민 보호와 공공 안전을 위한 테러방지법」[6] 을 제정하는 등 IoT 사회에 대비하기 위한 법 · 제도적 노력을 꾸준히 하였음에도 불구하고 사이버 보안 대응체계에 대한 통합된 노력은 미흡하다는 평가를 받고 있다.

그 이유는 관련법들이 정보 서비스와 주요 기반시설 영역에만 제한적으로 적용되어 사이버 공간 전체를 아우르지 못해 민 · 관 · 군의 통합적인 사이버 안보 추진을 위한 근거로는 충분하지 않기 때문이다.

네트워크 기반의 IoT 사회는 사이버 위협이 현실 공간으로 확대됨을 의미하고 이는 곧 인명 피해로도 연결되며 더 나아가 안보 문제와 직결된다. 이러한 인식이 결여되어 있기 때문에 물리적 공간과 연계된 사이버 산업진흥 및 규제의 조율이 가능한 포괄적 근거가 필요하다고 할 것이다.[7]

사이버 위협의 유형은 사이버 해킹, 사이버 범죄, 사이버 테러, 사이버 분쟁, 사이버 전쟁 등으로 구분된다.[8] 사이버 공간에서의 다양한 사이버 위협들이 정치 · 사회적인 효과를 유발하면서 개인 간의 사이버 분쟁을 벗어나 국가 간의 사이버 전쟁으로 확대될 수 있다는 시나리오가 가능하게 되었다. 이것은 정치적으로 동기화된 단순한 사이버 위협이 대규모 군사 작전을 유발시킬 수 있다는 의미이기도 하다.[9]

사이버 무기체계는 물리적인 무기체계에 비해 압도적으로 저렴할 뿐만 아니라[10] 사이버 위협의 주요 특징인 사이버 공간에 대한 비통치성, 익명성, 취약성, 복잡성 등으로 인하여 국가의 통제를 더욱 어렵게 만들고 있으며 원격감시제어SCADA의 사이버 공격에 대체로 취약한 것이 사실이다.[11] 이에 따라 사이버 보안과 통제의 중요성이 증대되는 것은 더 말할 필요가 없다.

기존의 전쟁법 체제에서는 민간인과 민간시설의 보호가 우선인데 이를 사이버전에 적용할 때는 사이버 공간이 민간과 군 네트워크를 구분할 수 있는가에 대한 현실적인 문제가 대두된다. 또 다른 문제는 사이버전에서 우위를 점할 수 있는 기술을 보유한 국가들의 입장에서는 사이버 안보를 이유로 사이버 무기체계의 사용제한과 금지를 요구하는 국제 사회의 논의 요구에 소극적일 수밖에 없다는 것이다.

사이버 위협이 지닌 능력과 수단은 날로 진화한다. 그럼에도 현실에서는 전통적인 위험만을 위험으로 인식하는 국민 감정과 사이버 위협으로부터 국가 안전을 보장하기 위한 정부의 입법 활동을 정보의 독점 또는 사회를 통제하는 권력쯤으로 여기는, '빅브라더Big brother화'로 보는 경계심이 결합되어 있다.

따라서 사이버 공간에서 입법이 불완전하거나 법 집행자와 수범자 간의 시각 차이에 따른 갈등이 심화된다면 법이 제정된다 하여도 제 기능을 발휘하지 못할 수도 있다. 예를 들어 사이버 공간을 매개로 한 각종 통신 서비스 관련 법령에서는 국가 안전보장에 필요한 경우, 정보자기 결정권 등에 대하여 제한 조치를 할 수 있도록 규정하고 있으나, 제한 받는 당사자가 수긍하지 못한다면 어떤 제재나 조치도 불가능하다.

정보보호 및 사이버전 대응 관련법들에는「형법」,「정보통신망 이용촉진 및 정보보호 등에 관한 법률」,「정보통신기반보호법」,「개인정보보호법」[12] ,「국방정보화 기반조성 및 국방 정보자원 관리에 관한 법률」[13] ,「국가정보화기본법」[14] ,「전자정부법」[15] ,「전자서명법」[16] 과 국가 사이버 위기 대응을 위한「국가사이버 안전관리규정」[17] 이 있다.

정보통신망 이용촉진 및 정보보호 등에 관한 법률(법률 제14839호, 2017.7.26. 개정)

이 법은 정보통신망의 건전하고 안전한 이용을 촉진하고 정보통신 서비스 이용자의 개인정보를 보호하기 위하여 제정되었으며, 사이버 보안의 예방조치에 관한 여러 규정을 두고 있다. 예컨대 정보통신 서비스 제공자에게 정보통신망과 정보통신 시설의 안정적 운영을 위한 보호조치를 마련하도록 의무화하고 정보통신망의 안정성 및 신뢰성을 확보하기 위하여 종합적인 정보보호 관리체계의 인증제도를 규정하였다. 또한 정보통신 서비스 제공자 등이 개인정보를 취급할 경우에는 개인정보의 분실, 도난, 누출, 변조, 훼손을 방지하기 위하여 개인정보에 대한 불법적인 접근을 차단하기 위한 침입차단 시스템 등 접근통제 장치의 설치, 접속기록의 위조, 변조 방지를 위한 조치, 개인정보를 안전하게 저장 및 전송할 수 있는 암호화 기술 등을 이용한 보안조치, 컴퓨터 바이러스에 의한 침해 방지조치 등의 기술적, 관리적 조치를 해야 한다. 아울러 악성 프로그램의 유포 등 침해행위를 금지하면서 침해사고 대응을 위한 방송통신위원회의 대응 조치 및 원인 분석을 위한 규정도 두고 있다.

– 정완 (2013),「한 · 미 사이버보안 법제 동향에 관한 고찰」,『慶熙法學』, 제48권(3), 220쪽

정보통신기반보호법(법률 제15376호, 2018.2.21. 일부개정)

이 법은 전자적 침해 행위로부터 주요 정보통신 기반시설을 보호하기 위하여 제정되었으며, 국가 안전보장, 행정, 국방, 치안, 금융, 통신, 운송, 에너지 등의 업무와 관련된 전자적 제어 및 관리시스템 및 정보통신망법상의 정보통신망에 대한 해킹, 컴퓨터 바이러스, 논리 · 메일 폭탄, 서비스 거부 또는 고출력 전자기파 등에 의한 사이버 공격을 금지하고 있다. 동법 제12조는 주요 정보통신 기반시설 침해 행위 등 금지에 관하여 첫째, 접근 권한을 가지지 아니하는 자가 주요 정보통신 기반시설에 접근하거나 접근 권한을 가진 자가 그 권한을 초과하여 저장된 데이터를 조작 · 파괴 · 은닉 또는 유출하는 행위. 둘째, 주요 정보통신 기반시설에 대하여 데이터를 파괴하거나 주요 정보통신 기반시설의 운영을 방해할 목적으로 컴퓨터 바이러스 · 논리폭탄 등의 프로그램을 투입하는 행위. 셋째, 주요 정보통신 기반시설의 운영을 방해할 목적으로 일시에 대량의 신호를 보내거나 부정한 명령을 처리하도록 하는 등의 방법으로 정보처리에 오류를 발생하게 하는 행위 등을 금지하고 있다. 아울러, 사이버 공격에 대한 일정한 예방 조치도 규정하고 있다. 예컨대 전자적 침해 행위로부터 보호가 필요하다고 인정되는 정보통신 기반시설을 주요 정보통신 기반시설로 지정하고 또한 관리기관의 장으로 하여금 정기적인 취약점 분석과 평가를 통해 기관별 보호 대책을 수립하도록 규정하고 있다.

– 정완 (2013), 「한 · 미 사이버보안 법제 동향에 관한 고찰」, 『慶熙法學』, 제48권(3), 220~221쪽

이처럼 개별적인 입법들은 사이버 보안을 위한 활동에 혼란이 가중되는 요인이 되며, 이 법들에 대한 정비가 필요한 상황이기도 하다.

사이버 분야에 대한 개별 입법은 국가가 추구하는 사이버 분야에 대한 큰 흐름을 별개로 한 채 개별 사안에 대해서만 규율하다 보니 국가가 추구하는 방향과 어긋날 때도 있고, 개별법들 간의 상호 충돌의 소지가 다분하여 전반적인 법률의 통일성을 저해하기도 한다.

2000년대 중반까지 컴퓨터와 관련된 범죄는 주로 형법에서 규율하였고 '사이버 범죄'라는 당시에는 생소한 단어의 범죄에 대해서는 산발적인 행정형법과 특별형법에 따라 규율되었다. 이때는 「사이버범죄특별법」 제정의 필요성이 요구되기도 하였다.[18)]

따라서 우리나라도 이제는 사이버 선진국들의 경우에서와 같이 정보보호 및 사이버전을 규율하기 위한 상위법을 제정해야 한다. 그 법에 따라 하위 관계법들을 제정하여 법률의 상하관계를 일치시키고 동일한 철학적 배경에 따른 법률의 해석과 적용이 가능하도록 해야 할 것이다.

그렇다면 우리나라의 정보보호 관련법이 태동 단계에서부터 현재까지 어떤 발전의 과정을 거쳤는지를 【표 3-1】을 통해 살펴보기로 한다.

【표 3-1】 우리나라 정보보호 관련법의 발전 과정[19]

구분	연도	법률	주요 내용	형식
정보사회 초기단계	1986	전산망 보급확장과 이용 촉진에 관한 법률	• 정보화에 관한 최초의 법률 • 정보화에 관한 국가적 시책, 제도를 규정 • 전산망을 보호하기 위한 일부 규정을 포함 * 단, 정보보호의 중요성을 인식하고 이에 초점을 맞춘 법률은 아님	제정
	1995	정보화촉진기본법	• 정보화 촉진에 관한 내용과 더불어 정보보호에 관한 기본적인 규정도 일부 마련	제정
		형법	• 전자기록 위작 · 변작죄 및 전자기록에 대한 비밀침해죄 등 규정	개정
	1999	전자서명법	• 개인 및 기업의 정보유통과 중요 정보보호	제정
		전산망 보급 확장과 이용촉진에 관한 법률	• 「정보통신망 이용촉진 등에 관한 법률」로 명칭 변경	전면 개정
고도 정보 사회 진입 단계	2001	정보통신기반보호법	• 금융 · 통신 · 에너지 등 국가와 사회의 중요한 정보통신기반 시설을 보호하기 위한 특별한 체계	제정
		형법	• 컴퓨터 등 정보처리장치에 허위 정보나 부정한 명령을 입력하여 타인의 재산을 빼앗는 온라인 사기행위를 처벌	규정 신설
		정보통신망 이용촉진 등에 관한 법률	• 「정보통신망 이용촉진 및 정보보호 등에 관한 법률」로 명칭 변경 • 2003년에 발생한 '1 · 25 인터넷 대란'을 계기로 침해 사고 대응 관련 규정을 크게 보완하였으며, 2004년과 2005년에도 정보보호 관련 규정들을 정비	법률 명칭 변경 개정
	2005	국가사이버 안전 관리 규정	• 국가 안보를 위협하는 해킹 · 바이러스 등 사이버 공격으로부터 국가 정보통신망을 보호하기 위하여 사이버 안전에 관한 조직 및 운영에 대한 사항을 체계적으로 정립	대통령 훈령 발령
	2007	전자정부 구현을 위한 행정업무 등의 전자화 촉진에 관한 법률	• 「전자정부법」	전면 개정

구분	연도	법률	주요 내용	형식
지식정보 사회 구현단계	2009	정보화촉진기본법	• 「국가정보화기본법」	전면개정
	2010	국방정보화 기반조성 및 국방 정보자원관리에 관한 법률	• 국방정보화를 촉진	제정
		전자정부법	• 국방정보화와 행정정보화를 촉진하는 동시에 정보보호를 개선	전부 개정
	2011	개인정보보호법	• 관계 법령의 개인정보보호 규정을 개정하여 개인정보보호 대폭 강화	제정
		지식재산기본법	• 지식재산권 보호를 강화하기 위한 정보보호의 중요성 더욱 증대	제정
	2013	국가사이버안전관리 규정	• 범국가적 정보보호 추진체계의 의미 있는 변화를 반영	개정
	2015	정보보호 산업의 진흥에 관한 법률	• 정보보호 산업의 발전과 일자리 창출 등의 환경조성	제정
4차 산업 혁명 태동단계	2016	정보통신망 이용촉진 및 정보보호 등에 관한 법률	• 스마트폰 응용 프로그램 개발자나 개발 회사의 접근 권한으로부터 이용자를 보호하고, 정보통신 서비스 제공자 등의 개인정보 분실 · 유출 등에 대한 징벌적 손해배상을 도입	개정
	2017	4차산업혁명위원회의 설치 및 운영에 관한 규정	• 4차 산업혁명을 본격적으로 준비하고 역기능에 대처하는 체계를 본격적으로 구축하기 시작하는 등 정보보호 환경을 개선하고자 하는 제도적 차원의 노력	제정
	2019	국가사이버안보전략	• 6대 전략과제 - 국가 핵심 인프라 안전성 제고 - 사이버 공격 대응역량 고도화 - 신뢰와 협력 기반 거버넌스 정립 - 사이버 보안산업 성장기반 구축 - 사이버 보안문화 정착 - 사이버 안보 국제협력 선도	제정
	2019	국가사이버안보 기본계획	• 국가사이버안보 전략 6대 과제의 구체화	제정
	2019	4차 산업혁명 대정부 권고안	• 사회 혁신과 산업 혁신의 기반으로써 '기술-데이터-창업 생태계' 혁신 가속화 권고	제정
	2020	데이터 3법	• 「정보통신망 이용촉진 및 정보보호 등에 관한 법률」, 「개인정보보호법」, 「신용정보의 이용 및 보호에 관한 법률」 • 빅 데이터 분석 및 이용 활성화에 기여 예상	개정

2016년 이후 우리나라는 4차 산업혁명의 태동 단계에 들어서면서 4차산업혁명위원회를 만들어 국가가 지향해야 할 방향을 설정하도록 하였다. 그와 동시에 정부는 관계기관 합동으로 「국가사이버안보전략」과 「국가사이버안보 기본계획」을 제정하여 국가사이버안보활동에 대한 가이드 라인을 선포하였다. 2년여의 활동 끝에 4차산업혁명위원회는 「4차산업혁명 대정부 권고안」을 만들었다. 대정부 권고안은 첫째, 사회 혁신 둘째, 산업 혁신 셋째, 지능화 혁신 기반으로 나누어 구체적인 사안을 작성하였다. 그러나 이러한 정부의 활동이 사이버 법제화에 이르지는 못하였다.

그렇다면 우리나라 법 조항에는 사이버 무기체계 개발을 위한 법적 근거가 마련되어 있을까? 그렇다. 「정보통신망 이용 촉진 및 정보보호 등에 관한 법률」 제28조 1항은 개인정보의 분실, 도난, 누출, 변조 또는 훼손을 방지하기 위하여 개인정보에 대한 불법적인 접근을 차단하기 위한 침입차단 시스템 등 접근통제 장치의 설치, 접속 기록의 위조, 변조방지를 위한 조치, 개인정보를 안전하게 저장 및 전송할 수 있는 암호화 기술 등을 이용한 보안 조치, 컴퓨터 바이러스에 의한 침해방지 조치 등의 기술적, 관리적 조치 등을 규정하고 있다. 동법 제6장에 정보통신망의 안정성 확보 등에 관한 규정도 마련되어 있다.

반면, 「정보통신기반보호법」에서는 '전자적 침해 행위'에 대하여 해킹, 컴퓨터 바이러스, 논리 · 메일 폭탄, 서비스 거부 또는 고출력 전자기파 등에 의한 정보통신 기반시설을 공격하는 행위라고 규정하였다. 그러나 전자적 침해 행위를 당하였을 때 그것에 대응하기 위한 사이버 무기체계에 대해서는 필요성에 대해서 조차 언급이 없는 실정이다.

그러나 정부에서는 2015년 이후 「국가사이버 안보태세 강화 종합대책」을 수립하는 등 사이버 안보를 국가차원의 의제로 상정하여 대책마련에 나서고 있다. 2016년에 발행된 「국가정보보호백서」에 따르면 우리나라 국민 인터넷 이용률은 85.1%, 스마트폰 보유율은 86.4%로 선진국의 평균을 웃돌고 있으며, 전자정부 1등 국가로서의 면모를 갖추고 있다고 한다. 그러나 랜섬웨어에 의한 피해는 미국, 일본에 이어 세계 3위로 1등 전자정부의 보안에 허점이 많은 것도 사실이다.[20] 전술한 바와 같이 우리나라는 사이버전에 대응하기 위한 기본법이 없기 때문에 개별법들에서 사이버전과 사이버 무기체계 개발을 위한 공통된 추진방향이 식별되지 못하고 있다.

또한, 사이버 위협에 대한 인식이 법제화로 전환되지 못하고 있는 것도 문제다. 사이버 안보와 관련된 법률안을 2006년 17대 국회 때 공성진 의원이 대표로 발의한 적이 있다. 「사이버 위기예방 및 대응에 관한 법률안」이었는데 소관 상임위원회를 정하지도 못하고 임기 만료로 폐기되었다. 18대 국회에서 공 의원에 의해 「국가사이버 위기관리 법안」이 다시 발의되었으나 법안심사 소위원회에 상정되지도 못하고 역시 임기만료로 폐기되었다. 19대 국회는 총 4건[21]의 유사 법안이 발의되었으나 이것들 역시 임기만료로 폐기되었다.

마침내 20대 국회에서 2016년 이철우 의원이 대표 발의한 「국가사이버안보에 관한 법률안」이, 2017년에는 정부 입법으로 「국가사이버안보 법안」이 발의되었다. 아래는 사이버 안보에 대한 심각성에 대체로 공감하는 두 법안의 내용을 정리한 것이다. 【표 3-2】는 입법안의 제안 이유이고 【표 3-3】은 입법안의 주요 내용이다.

【표 3-2】 20대 국회 사이버 입법안의 제안 이유 비교

이철우 의원 案('16.5.30. 발의)	정부입법 案('17.1.3. 국회 제출)
• 사이버 공격은 초국가적, 시 · 공간 초월, 공공 · 민간 구분 없이 동시다발적 발생. 사이버 위협요인을 조기 차단하지 않으면 피해가 순식간에 확산 • 우리나라의 국가적 대응은 공공 · 민간 분리, 독립 대응하여 사이버 공격에 효율적 대처 불가함. 공공은 「국가사이버 안전관리 규정」이 있으나 민간 · 입법 · 사법기관은 적용 범위에서 제외되고, 민간은 사이버 공격 예방 · 대응 법률 미비로 사이버 공격징후를 실시간 탐지 · 차단하는 신속한 대응에 한계 • 따라서 정부 · 민간이 협력, 국가적인 대응체계를 구축하고, 사이버 공격을 사전 탐지, 사이버 위기조기 차단, 위기 발생 시 국가 역량을 결집하여 신속히 대응할 수 있도록 함	• 공공 · 민간 구분 없이 사이버 공격발생으로 경제적 피해, 사회 혼란 유발 • 국가사이버안보위원회를 설치하여 국가 안보 위협 요소인 사이버 공격을 신속히 차단, 피해 최소화 달성 • 국가적으로 핵심기술을 보유 · 관리하는 기관에 사이버 공간보호 책임을 부여 • 사이버 위협정보의 공유, 사이버 공격의 탐지 · 대응, 사이버 사고의 통보 · 조사 절차 규정 • 국가사이버안보를 위한 조직, 운영에 관한 체계적인 정립

두 법안은 아래의 【표 3-3】에서와 같이 전반적인 사이버 안보 체계에서는 이견이 없는 것으로 보인다. 그러나 사이버 안보활동 측면에서 첫째, 국가정보원의 역할과 임무의 한계를 어디까지로 볼 것인가. 둘째, 벌칙 조항에서 업무상 과실에 대한 처벌을 할 것이냐에 대한 이견이 있는 것으로 보인다.

【표 3-3】 20대 국회 사이버 입법안의 주요 내용 비교[22)]

구 분	이철우 의원 案('16.5.30. 발의)	정부입법 案('17.1.3. 국회 제출)
구 성	본문 25조, 부칙 1조	본문 23조, 부칙 2조
법안명	국가사이버 안보에 관한 법률안	국가사이버 안보 법안
사이버안보 체계	• 국가사이버안보정책 조정회의 : 안보실 • 국가사이버안보 대책회의 : 국정원 • 국가사이버안보센터 설치 : 국정원	• 국가사이버안보위원회 : 안보실 • 실무위원회 : 안보실 · 국정원(공동) • 국가사이버안보센터 설치(삭제)
사이버안보 기반조성	• 연구개발, 산업육성, 인력 양성, 국제협력, 포상 : 정부 • 벌칙 : 공유정보 부정 사용, 자료 삭제, 비밀 미엄수 시 3년 이하 징역, 3천만 원 미만 벌금 * 업무상 과실도 처벌 • 과태료 : 정보공유 미이행, 조사결과 시정조치 미이행	• 포상 : 국가정보원 • 산업육성 · 인력양성 · 국제협력 : 삭제 • 벌칙 : 공유정보 부정 사용, 자료 삭제, 비밀 미엄수, 직무 목적 외 사용(추가)시 5년 이하 징역, 5천만 원 미만 벌금 * 업무상 과실 처벌 조항 삭제 • 과태료 : 민간분 사고 미신고 • 국방 분야 특례(신설) • 개인정보 처리(신설)
사이버안보 활동	• 기본계획 수립 · 시행 : 국가정보원 • 시행계획 작성 · 배포 : 중앙행정기관 등 • 실태평가 – 중앙행정기관장 : 소관기관 평가 – 국가정보원 : 중앙행정기관 평가 • 보안관제센터 설치 : 책임기관 • 사이버위협정보공유센터 설치 : 국가정보원 – 책임기관 : 의무적 정보 공유 • 사고조사 – 일반 사이버공격 : 책임기관 – 안보위협 사이버공격 : 국가정보원 • 대응훈련 : 정부 • 경보발령 : 국정원 • 대책본부 : 정부(대책본부장 : 국가정보원장) • 전문업체 지정 · 관리 : 정부	• 기본계획 수립 · 시행 : 국정원 • 시행계획 작성 · 배포 : 상급 책임기관 • 실태평가 – 국가정보원 : 합동평가단 운영 – 국가 · 공공 중 대통령령으로 정한 기관 • 보안관제센터 설치 : 책임기관 • 사이버위협정보공유센터 설치 : 국가정보원 – 책임기관 : 자율적 정보 공유 • 사고조사 – 일반 사이버 공격 : 상급 책임기관 – 안보위협 사이버 공격 : 국가정보원 * 민간분야 안보위협 사고조사 시 합동조사팀 운영(추가) • 대응훈련 : 국가정보원/상급 책임기관 • 경보 : 국가정보원, 중앙행정기관(분야별) • 대책본부 : 상급 책임기관, 국가정보원 • 전문기업 지정 · 관리 : 과학기술정보통신부
부 칙	• 공포 3개월 후 시행	• 공포 6개월 후 시행

이 법률안들은 사이버 위협에 능동적으로 대응할 수 있는 사이버 무기체계를 개발하기 위한 직접적인 법안은 아니다. 사이버 위협의 현실화를 통해 사이버 공격이 발생하는 상황을 가정 이철우 의원 안 및 정부 안 제2조 3항 사이버 공격하고 있지만 정작 그것에 대한 대응은 국가사이버안보위원회를 통해 경보를 발령하여 신속한 피해복구에 주력하는 소극적 행위에 그치고 있다.

정부 안에는 국방 분야에 대한 특례조항제20조을 두어 전시 사이버 안보 업무가 군사 작전을 지원하기 위해 수행되어야 한다고 규정하고 있으나, 역시 사이버 안보에 대한 실태 평가와 사고 조사를 국방부장관이 할 수 있도록 한 것 외에 사이버 무기체계 개발 등을 통해 사이버 침해를 적극적으로 대응하기 위한 내용은 없다.

이는 국민의 생명과 재산을 보호해야 하는 국가의 책무를 망각한 것이라고 볼 수 있다. 적의 공격에 적극적으로 대응하려면 무기체계는 필수다. 사이버 공간 역시 마찬가지다. 적의 사이버 공격에 대응하기 위해서는 사이버 무기체계 개발은 필수이며 이에 필요한 법률적인 뒷받침이 반드시 있어야 한다. 공고한 법제화를 통해 대외적으로 우리나라의 사이버 안보의지와 기술력을 대내 · 외에 천명함으로써 다른 나라의 사이버 무력도발을 사전 차단해야 한다.

그나마 다행인 것은 「국방정보화 기반조성 및 국방 정보자원관리에 관한 법률」 제2조에 '국방 정보보호'를 정의하면서 '국방 정보통신망에 대한 전자적 침해행위의 거부 · 정지 · 제한 · 예방 · 확인 · 점검 · 역추적 및 봉쇄 등 군의 작전능력을 제고하기 위한 모든 활동을 말한다'고 하여, 사이버 무기체계 개발을 위한 법률적 근거의 단초를 미흡하나마 제공하고 있다는 사실이다.

또한 제15조에 국방부장관이 첨단 국방 정보기술의 군사적 응용을 실험하고 분석 및 평가할 수 있도록 실험 부대를 지정할 수 있는데, 전략적 우위 확보 및 유지를 위한 국방 정보기술에 대하여 명시함으로써 넓은 의미에서 사이버 무기체계 개발을 통한 전략적 우위 확보와 유지가 가능하도록 하였다.

제21조에서는 국방 정보침해에 대한 대응으로 국방부장관이 국방 정보보호 대응체계의 효율적인 구축과 운용을 위하여 국방 사이버 안전 전담기관을 설치, 지정할 수 있도록 하였다. 이에 따라 국방부장관이 강구해야 할 시책 과제는 첫째, 침해 · 위협 정보기술의 동향 조사 및 분

석 둘째, 침해된 정보의 유통 또는 유통 시도에 대한 감시체계 구축 셋째, 침해 · 위협에 대한 역추적 등 대응기술의 개발 넷째, 그 밖에 국방 정보보호를 위하여 국방부장관이 필요하다고 인정하는 사항 등이라고 할 수 있다.

「국방정보화 기반조성 및 국방 정보자원관리에 관한 법률 시행령」[23] 에 제시된 법 제21조 제2항에 따라 사이버 안전 전담기관 설치를 위한 고려사항은 첫째, 국방 사이버 안전 전담기관의 규모 둘째, 필요한 조직과 인력 셋째, 해당 분야의 전문능력 넷째, 중 · 장기 운영 계획 다섯째, 사이버 위기에 대응하기 위한 관련기관 간 상시 협력체계이다.

이에 따라 사이버 안전 전담기관의 수행 업무는 첫째, 사이버 위협 감시체계 구축 및 사이버 위협 정보의 수집 · 분석 · 전파 둘째, 사이버 위기대응 전문기관 간 협력 셋째, 사이버 침해사고 예방 · 대응 · 복구 · 조치에 필요한 사항 넷째, 사이버전 기술 연구개발 · 시험평가 및 관리 다섯째, 그밖에 국방 정보보호를 위하여 국방부장관이 필요하다고 인정하는 사항이다. 미흡하나마 일단은 이 법과 시행령에 따라 우리나라도 사이버 무기체계를 연구개발하고 보유하는데 법률적인 문제가 없을 것으로 판단된다.

「통합방위법」은 국가 총력전의 개념을 바탕으로 국가 방위요소를 통합 · 운용하기 위한 통합방위 대책을 수립 · 시행을 목적으로 제정된 법이다. 전쟁을 제외한 모든 상황에서 국가의 안위를 전 국민이 통합하여 담보하는 법률이다. 그러나 사이버전을 상정하지 못하고 있어서 변화된 환경에 대한 규율 능력이 저하된 법이라 할 수 있다. 따라서 새로운 전장이면서 강력한 위협인 사이버 위협에 대응하기 위한 법으로써의 전면적인 개정이 필요하다.

이 법에 따라 국가 사이버 대응조직도 구성할 수 있도록 해야 한다. 국방부 사이버작전사령부와 각 정부기관에 속한 사이버 인력과 민간기업에 있는 보안인력을 포함한 국가 사이버 조직이 유기적인 협조 관계를 이룰 수 있도록 지원해주는 조항의 구성이 필요하다. 정부기관과 민간에 속한 인력을 사이버 예비군으로도 편성할 수 있는 방안도 이 법률에서 중요한 요소가 될 것이며, 개정 시 반영되어야 한다. 사이버 통합방위사태 선포에 대하여 세부적으로 규정하고 단계적으로 국가 가용자원을 증원하여 대응하는 체제를 구축해야 한다. 이들은 평시 사이버 상황에 대한 정보공유와 합동훈련을 통해 즉응 대응력을 유지할 수 있도록 법률에 명시하여야 한다.

「국가사이버 안전관리 규정」에 국가 사이버 안전에 관한 조직체계 및 운영에 대한 조항이 들어 있다. 국가적인 사이버 상황에 대한 대응은 국가정보원장이 책임지고 임무를 수행하도록 되어 있으며, 18조의 안전성 확인 등에 대한 특례 조항에 의거 국방 분야의 사이버 안전에 대해서만 국방부장관이 업무를 수행하도록 규정하였다. 그러나 여기에는 사이버 상황을 평시에 국가정보통신망에 발생한 일회성 상황으로 인식하는 것인가 아니면 국가 총력전이 필요한 상황으로 볼 것인가에 대한 심각한 간극이 존재한다.

사이버 보안의 침해라는 새로운 범국가적인 위협에 대응하기 위해서 국가 삼권이 총망라된 국가 사이버 보안 거버넌스 구축이 시급하다. 여 · 야 정치권도 참여하는 범국가적 형태로 정부가 바뀌거나 정권이 교체되어도 안정적으로 사이버 업무를 수행할 수 있는 체제를 만들어야 한다. 이를 통해 국가 사이버 보안 거버넌스의 최정점에서는 국가급 지침을 개발하고 방향을 설정하며 국가적 대응에 대하여 최종적으로 책임질 수 있어야 할 것이다.

또한 사이버 위협정보를 공유하기 위한 준비도 필요하다. 적의 사이버 침해를 사전에 방지하기 위해서는 민 · 관 · 군의 유기적인 정보공유를 통해 대응체계를 확립해야 한다. 사이버 위협정보수집과 분석, 전파는 일련의 사이버 위협대응을 위한 반복순환 과정이며, 정보공유의 시기와 수준이 법률로 규율되어 있어야 국가 행위가 법적 안정성을 갖게 된다. 사이버 정보를 국가 기관과 사이버 대응조직 간 공유하는 것은 사이버 공간에서 매우 중요하다고 할 것이다.

제2절 사이버 기술과 R&D 어디까지 왔나?

우리나라에서 정보보호의 시작은 2000년 1월, 한국전자통신연구원ETRI의 부호기술연구부와 국방과학연구소ADD의 샛별부를 통합하여 한국전자통신연구원 부설로 국가보안기술연구소NSR를 설립한 것에서 비롯된다. 국가급 정보보안 기술, 암호 기술과 이론, 국가 주요 정보화 기반을 보호하는 데 필요한 첨단 보안기술을 개발하여 사이버전을 대비하기 위한 국가급 연구개발 수행체제를 마련하였다.

사이버 기술 평가는 사이버 임무별로 분석된다. 사이버 공간에서 적의 정보를 수집하기 위한 사이버 기술에는 정보계획, 정보수집, 융합 및 분석, 정보분배 기술 등이 포함된다. 더 나아가 사이버 지휘통제체계를 구축하기 위한 기술로는 전장분석, 작전관리, 작전계획, 작전통제 기술이 있다. 사이버 무기체계에 의해 적의 사이버 공격을 초기에 무력화시키고 능동적이며 적극적인 방호작전을 수행하도록 돕는 사이버 방호 기술에는 침입 예방, 침입 탐지, 침해대응 및 추적, 피해복구 및 감내, 공격부인방지기술이 있다. 이러한 기술을 모두 포함하여 2016년 기준 우리나라의 사이버 기술수준과 평가표를 【표 3-4】, 【표 3-5】와 같이 제시하였다.

【표 3-4】 우리나라의 사이버 기술수준

구분	사이버감시정찰	지휘통제	방호	훈련	공통기반
평가	74	76	80	77	82

【표 3-5】 사이버 기술수준 평가표

척도	100	90~99	80~89	70~79	60~69	59 이하
평가	최선진국	최고선진권	선진권	중진권	하위권	최하위권
설명	신개념 기술	기술선도, 완전자립	추격형 기술개발, 기술자립도 높음	추격형 기술개발, 기술자립도 보통	기술협력, 기술 도입	기술개발 능력부족

2016년 우리나라의 사이버 기술수준 중에서 사이버 감시정찰 기술에 대해서는 74%로 평가하였다. 이는 사이버 공간에서의 정보수집 계획이 물리적인 공간에서와 다르지 않지만 사이버 공간의 특징에 맞도록 추가적인 연구개발이 필요하며 사이버 정보수집을 위한 툴과 시스템 개발을 통해 다양한 경로에 대한 정보수집 기술이 필요하다는 것을 의미한다.

사이버 정보를 융합하고 분석하는 데 필요한 기술도 전통적인 정보융합 기술과 유사하겠지만 적의 사이버 공간의 특성에 부합되는 기술은 추가적인 확보가 요구된다. 기존 사이버 테러와 관련해 민 · 관 · 군이 수집한 후 상호 긴밀한 정보교류를 통해 신뢰성 있고 함축적인 정보를 생산하고 있기 때문에 융합 및 분석 기술력은 높은 편이라 할 수 있다. 그러나 수준 높은 정보의 분배는 아직 구현되지 못하고 있으며 위협정보에 대한 분석기술은 관련 연구가 진행 중이다. 따라서 기관별 사이버전에 대한 개념과 범위에 대한 규정이 통합된다면 보다 효율적인 체계 구축이 가능할 것으로 보인다.

사이버 지휘통제 기술은 76%로 평가되었다. 이는 물리적 전장상황에 대한 분석기술과 작전을 지원하는 기술은 전략 및 전술 지휘통제체계를 통하여 관련 기술이 일부 확보되었으나 사이버 작전상황에 대한 분석기술은 추가 개발이 필요하다는 의미이다. 사이버 작전에 필요한 최적의 방책을 선정하는 기술은 현재까지 준비되지 않은 상태로 앞으로 연구개발이 필요하다. 또한 사이버 작전을 자동으로 결정하고 통제하는 기술도 현재까지 부족한 상태이나 기존의 사이버 테러 대응과 관련한 사이버 공격에 대한 방호 노하우는 축적되어 있다고 보인다.

사이버 방호기술은 80%로 평가되었다. 이는 침입예방 제품, 애플리케이션 자동패치 관리시스템, 지능형 지속공격APT 대응 Endpoint 및 네트워크 제품 등이 국내 자체기술로 개발 및 판매되고 있기 때문에 기술자립도가 상당히 높다는 의미이다. Zeroday 악성코드 공격에 대한 탐지기술의 향상과 연구성과 고양을 통해 사이버 공격에 대한 정보수집 및 핵심 기능이 정상적으로 작동하게 하는 기술이 개발 중이다. 또한 네트워크 보안장비를 통해 다양한 디도스공격을 방호하는 기술과 허니팟Honey Pot / 허니Honey 네트워크를 통해 공격자를 Test bed로 유도한 후 행위분석 및 추적을 위한 기반기술도 확보하고 있다. 보안 네트워크 장비 및 Endpoint 보안 제품의 발전으로 공격자의 위치추적을 위한 상호 정보교류 그리고 해당 정보를 가지고 공격자의 위치를 추적하는 등의 기술이 개발되고 있다. 그러나 사이버 공격탐지 분야의 머신 러닝Machine Learning 적용 등은 선진국의 발전 속도에 비추어볼 때 매우 더딘 상태이다.

사이버 훈련기술은 77%로 평가되었다. 이는 사이버 모의침투 훈련을 위한 상용 제품이 다수 출시되었으나 군과 공공 부문에서의 사이버 작전환경에 대한 최신 위협요소를 수집하여 모델링하는 기술은 추가 개발이 필요하다는 의미이다. 2015년 이후 국가보안기술연구소에서 사이버안전훈련센터, 정부통합전산센터의 사이버침해위협 분석대응 전용훈련장 구축에 따라 사이버 공격 및 방호 훈련과 기존의 과학기술정보통신부와 한국인터넷진흥원, 국가정보원이 합동으로 시행하는 사이버 모의훈련 등 다양한 사이버 훈련을 통해 노하우는 축적되고 있다.

공통기반기술은 82%로 평가되었다. 이는 상용 암호기술이 '한국형 암호모듈 검증제도'를 통해 암호 알고리즘의 정확한 구현에 대하여 국가기관이 인증을 해주고 있기때문에 기술자립도가 높게 평가되었고, HW 암호를 대신하여 SW 기반의 암호 모듈이 개발되고 적용되는 등 기술수준도 향상되고 있다.

우리나라는 다수의 상용 대칭키 암호 알고리즘을 개발하여 보유하고 있으며 국제표준으로 공개하기도 하였다. 무기체계용 HW 보안기술은 미진하나 상용 스마트폰에 적용이 가능한 보안 HW 기술을 보유하고 있다. 펌웨어를 활용하여 칩에 다양한 보안 기능의 탑재가 가능하고 이를 활용하여 장비 재부팅 시에 시스템을 초기화 할 수도 있으며, 특정 행위발생 시 관련 로그를 재생하거나 저장할 수도 있다. IoT의 발달에 따라 HW 보안 플랫폼에 대한 연구와 개발이 확대되는 중이다. 사이버 위협에 대응하기 위한 지능화 탐지정보 공유가 가능하고 머신 러닝과 빅 데이터 기술을 실전에 적용하는 단계로 기술자립도 또한 높은 편이며 선진권을 추격할 정도의 기술력을 갖고 있다고 볼 수 있다.

글로벌 SI업체인 아카마이Akamai가 2012년 발표한 각국의 인터넷 속도 측정 결과[24] 를 보면 우리나라의 인터넷 평균 접속 속도는 14.7Mbps로 2위인 일본의 10.5Mbps를 훨씬 상회하며 앞서고 있다. 이처럼 네트워크 기반이 잘 갖추어져 있다는 것은 역설적으로 해커들에게 사이버 공격의 충동을 불러일으키는 목표가 될 가능성을 높이고, 사이버 테러의 발생 빈도를 증가시키는 요인이 될 수도 있음을 반증하는 것이기도 하다.

> 사이버 테러로 정의되기 위한 조건
> ① 집단 또는 테러리스트 개인에 의해서
> ② 공포심 조장을 목적으로
> ③ 컴퓨터, 네트워크 등 사이버 수단을 이용하여
> ④ 사이버 공간을 통해 국가 주요 기반시설과 정부 영역을 공격하고
> ⑤ 일반 국민들에게 폭력을 행사하며
> ⑥ 국가 안보에 위협이 되는 행위를 말한다.
>
> – 김윤정 (2012), 「국가주도의 사이버 테러에 대한 접근법 연구 : 전쟁의 요건(Jus ab Bellum)과 국제적 안보레짐 변화의 필요성」, 『Global 정치연구』, 제5권(2), 138쪽

또한 동 기업의 공격 트래픽 발생 빈도에 대한 보고서에 의하면 전 세계에서 발생한 공격 트래픽의 51%가 태평양 지역이고, 이 중 33%가 중국으로 나타났다. 이는 우리나라의 20만 배 이상에 해당되는 수치다.

그러나 이것만으로 사이버 안보의 위협 정도가 비례적으로 높다고 단정할 수는 없다. 왜냐하면 사이버 테러의 속성은 공격발생의 근원지가 어디인지 파악하기 곤란하도록 조작하기 때문에 중국의 트래픽이 많다고 해서 중국이 공격의 근원지라고 단정하기는 어렵기 때문이다. 그러나 중국에서 시도하는 공격 트래픽이 타국에 비해 월등히 많다는 것은 중국이 세계의 사이버 안보에 미치는 영향이 지대하다고 말할 수는 있을 것이다.[25] 따라서 이에 적절하게 대응하기 위한 능력의 확보는 매우 중요하다. 우리나라에서 사이버 침해에 대응하는 민간단체 현황은 【표 3-6】과 같다.

【표 3-6】정보보호 관련 민간단체 현황

구분	명칭	설립연도	사이트	주요 활동분야
협회	한국정보보호 산업협회	1997	www.kisia.or.kr	네트워크 보안, 백신 및 PC 보안, 콘텐츠 보안, 정보보호 컨설팅, 물리보안 등의 정보보안 관련 기업이 회원사로 참여하여 정보보안 산업의 육성 및 발전 추구
	한국침해사고 대응팀협의회	1996	www.concert.or.kr	민간기업 및 기관의 정보보호 부서 또는 침해사고 대응팀(CERT)이 자발적으로 참여
	한국 CISO 협의회	2009	www.cosokorea.org	기업 및 기관의 자발적 참여를 바탕으로 국내 정보보호 최고책임자 간 협력체계를 구성, 회원 간 협업과 소통을 통한 기업의 정보보호 수준 제고
	한국개인정보 보호협의회	2010	www.kcppi.or.kr	민간 중심의 개인정보보호 체계와 민간이 선도하는 자율규제 정착을 위하여 개인정보보호 자율규제 활동 촉진 및 정부와 민간의 정책공조 활성화에 기여
	개인정보보호 협회	2011	www.opa.or.kr	개인정보 및 위치정보의 보호와 안전한 이용을 위한 민간 자율규제 활동을 촉진하고 인증마크 제도 운영 및 교육 · 홍보 등을 통하여 사회 전반의 개인정보보호 인식 제고
학회	한국정보보호 학회	1990	www.kiisc.or.kr	정보보호 분야의 학술 활동 및 정보보호 관련 기술의 진흥과 발전에 기여
	한국융합보안 학회	2001	www.kcgsa.org	회원 간 전문지식을 배양하고 융합보안 전문인력을 양성하여 국방 융합보안 체계의 발전에 기여
	한국사이버안보 법정책학회	2012	www.kcsa2012.or.kr	사이버 안보 법학 및 관련 학문의 연구 · 발표와 그 응용활동을 지원함으로써 사이버 안보 법학의 발전과 법치주의의 진작에 기여
	한국산업보안 연구학회	2008	www.kais.or.kr	산업기술정보 및 임직원 · 시설 · 장비 등 유무형의 모든 산업자산을 각종 침해행위로부터 보호하고 손실을 방지하기 위한 다양한 연구활동 지원
포럼	한국CPO포럼	2007	www.cpoforum.or.kr	사업자 · 학계 · 유관기관 등 사회 각 분야의 주요 인사들이 참여하여 개인정보 관련 현안에 대한 정보를 공유하는 한편, 개인정보보호 관련 법안 및 정책 수립을 위한 민간분야의 의견을 수렴하고 전달

한국지역정보개발원(KLID)

한국지역정보개발원은 「전자정부법」 제72조, 동법 시행령 제82조에 의거하여 지방자치단체와 관련된 정보화사업 공동추진, 전자지방정부 구현을 위한 정책지원, 지역 간 균형발전 및 지역정보화 촉진 등의 목적으로 2008년 2월 설립된 지역정보화 전문기관이다. 행정안전부 산하기관으로 17개 광역자치단체가 공동으로 설립하였고, 주요 기능은 크게 지역정보 시스템 운영관리, 정보보호 인프라 강화, 지역정보화 촉진을 위한 연구 등이며, 지방자치단체의 사이버 침해에 대응하기 위하여 사이버 침해대응 지원센터, 정보공유 · 분석센터를 구축 · 운영하고, 공무원 신원확인, 전자문서 위 · 변조 방지 등을 위하여 인증시스템을 구축 · 운영하고 있다.

– 국가정보원 등 (2018), 「2018 국가정보 보호백서」, 76쪽

우리나라의 국가 및 공공기관에 대한 보안 관제는 중앙행정기관에서 수행하는 부문 보안관제센터 35개소, 국가사이버안전센터에서 수행하는 국가 보안관제로 구성된 3단계 사이버 공격 탐지 · 차단 체계로 운영 중이다.

국가사이버안전센터는 단위 및 부문 보안관제센터에게 사이버 공격탐지 기술을 배포하고 국가 안보에 위협이 되는 사이버 공격을 탐지 · 대응한다. 부문 보안관제센터는 지방자치단체와 산하기관의 정보통신망에 대하여 365일 24시간 보안관제를 지원함으로써 사이버 공격으로 인한 피해발생과 피해확산 방지를 보장하고 국가기관의 정보시스템과 전산망, 보유 정보를 보호하는 역할을 담당한다. 원활한 보안관제 업무를 위해서는 사이버 공격과 위협탐지를 포함하여 피해 최소화를 위한 위협정보의 실시간 공유가 중요하기 때문에 단계별 보안관제센터를 통해 국가 차원의 사이버 위협에 대해 종합적이고 체계적으로 대응하고 있다.[26]

이상과 같이 살펴본 결과 우리나라는 낮은 보안기술 경쟁력을 갖고 있음에도 불구하고 새로운 보안기술을 확보하기 위한 R&D 투자는 미미하며, 정보보호 관련 인증제도의 도입 분야 등에서 미흡한 편이다. 2014년에 'IoT 정보보호 로드맵'을 수립하였지만 2016년 정보화 예산 대비 정보보호 예산의 비중은 7.8% 수준으로 저조하며 정보보호 관련 R&D 예산의 총액은 440억 원에 불과하다. 이 중 신규로 주요 정보보호 원천기술에 지원하는 비용은 185억 원에 지나지 않는다.[27] 우리나라 GDP 대비 사이버 보안 예산 비율은 2009년부터 2016년까지 0.015~0.021% 수준으로 세계 각국과 비교할 때 너무나 낮은 실정이다.[28]

제3절 사이버 인력 확보 및 교육훈련

2000년 이후 전 세계적으로 정보보호에 대한 중요성이 부각됨에 따라 우리나라에서도 학교를 비롯해 공공기관 및 단체, 정보보호업계 등을 통한 정보보호 교육이 활발히 이루어지고 있다. 정부는 2000년부터 각 대학교 정보보호 동아리에게 기술개발 자금을 지원하고, 공공기관 및 민간 단체를 중심으로 정보보호 전문가 자격증 제도를 시행하였다.

당시 정보통신부는 해킹, 바이러스 등에 대비할 정보보호 전문인력을 양성하기 위해 2000년 전국 대학에서 활동 중인 정보보호 동아리 30개를 선정, 기술개발자금 3억 원을 지원하였고, 2001년도에는 이를 확대해 45개 동아리에 5억 원을 지원하는 등 정보보호 전문가 양성을 위한 투자를 개시하였다.[29]

2000년 이후 정보보호 전문인력이 부족한 현실을 반영하듯 대학 학부 및 석 · 박사 과정에 정보보호 전공학과가 다수 신설되었다. 또한 한국정보보호진흥원에서는 주기적으로 대학원생, 보안운영 실무자, 정보보호관리자 등을 대상으로 교육을 시작하였으며, 우리나라의 대표적인 SI 업체인 안철수연구소 등 전문 보안업체와 학계가 정보보호 전문 교육기관인 한국 정보보호교육센터를 공동 설립하여 단기 자격증 과정과 전문가 과정[30] 을 개설하는 등 민간의 노력이 활발히 전개되기 시작하였다.

국가보안기술연구소는 국가정보원, 국방부, 과학기술정보통신부 등과 협력하여 국가 및 공공기관 정보보안 업무담당자를 대상으로 1989년부터 정보보호와 암호에 관한 학술대회WISC를 매년 개최하여 연구논문 발표를 통해 우리나라 정보보호 및 암호 분야의 발전에 기여하고 있다. 또한 1997년부터는 정보보호 심포지엄을 개최하여 정보보호 기술발전을 위해 노력하고 있다.

또한 산하에 사이버안전훈련센터를 설치하여 국가 및 공공기관 종사자와 공공부문 기반시설 관계자들을 대상으로 정보보안 실무교육, 사이버위협대응훈련 등을 하고 있다. 사이버위협대응훈련은 인터넷, 정부, 기반 영역으로 구분해 수행하며 각 영역에서 발생하는 사이버 공격에 대한 실전적인 훈련이다. 이 센터는 사이버 훈련 기술의 발전 허브로서 사이버 보안의 국제

협력체계를 구축하여 정보보안 분야에서의 글로벌 리더를 양성하고 있다.

또한 과학기술정보통신부는 정보보호 기술개발 예산을 증액하여 4차 산업혁명시대에 더욱 지능화, 고도화되는 사이버 위협에 대응하고, 국민의 사이버 불안을 해소하기 위해 정보보호 기술을 지속적으로 개발하고 있다. 이를 위해 과학기술정보통신부는 향후 수급 부족이 예상되는 고급 정보보호 인력 1만 명을 2022년까지 육성하려는 계획을 추진 중이다. 2017년에는 정보보호 교육장을 한국인터넷진흥원에서 판교 정보보호클러스터로 확장 이전하여 정보보호 우수 인재 양성에 집중하고, 실제 침해사고 대응역량을 강화하기 위한 실전형 사이버 보안교육 과정도 신설하였다.[31]

글로벌 경쟁력을 선도하는 정보보호 인재를 충분하고 지속적으로 공급한다는 취지로 설립된 사이버보안인재센터[32] 는 보안 교육의 생태계를 조성하기 위한 교육진흥 및 핵심인재 맞춤형 인력양성 프로그램을 운영하고 있다. 융합보안 지식을 활용할 실무자 양성을 목표로 실전형 사이버 훈련장 Security Gym을 운영하여 매년 2,000여 명의 최정예 국가 사이버 보안 인력K-Shield과 산업보안 전문인력을 양성하고 있다. 예비 인력과 고용창출을 위한 대학 정보보호 동아리KUCIS, 특성화 대학, 고용 계약형 석사 과정, 정보보호 인력 채용박람회 등 연계성 있는 경력 자원과 계층별 맞춤식 프로그램을 지원하고 있다.

국가보안기술연구소는 우리나라에서는 처음으로 실시간 사이버 공격 · 방어 형식을 도입하여 최근에 발생한 사이버 보안위협과 사고사례에 기반을 둔 시나리오를 적용한 훈련 프로그램을 구축하였다. 사이버 위협으로부터 안전한 대한민국을 구현하는 '사이버 공격 · 방어대회' 등의 프로그램을 운영하고 있다. 이를 통해 정보보호 실무자들이 실전적인 대응 능력을 구비할 수 있는 기회를 제공하고, 사이버 공격발생시 이를 방어할 수 있도록 하고 있다.

행정안전부는 공공기관과 민간 사업자 등을 대상으로 지역별 개인정보보호 인식제고를 위한 순회교육을 실시하고, 소상공인을 대상으로 정보보호 조치 상담과 개인정보수집 웹 사이트 취약점 점검 등의 기술지원을 하고 있다. 개인정보 침해 가능성이 높은 업종에 대해서는 사전 집중 점검을 하고, 행정처분 결과를 공표함으로써 경각심을 고취시키는 등 개인정보보호가 하나의 문화로 우리 사회에 정착될 수 있도록 하고 있다.[33]

정보보호 인력수급 정책을 살펴보면 보안설계, 단말보안, 사이버 보안협력 등 사회 제 기능을 망라한 융합보안 전문인력의 수요는 점차 증가하고 있으나 정책적인 반영은 미흡하다. 2013년 「국가 사이버 안보 종합대책」 발표문에는 2017년까지 정보보호 인력의 누적수요를 매년 5,000명으로 예측했고, 한국인터넷진흥원은 2017년까지 정보보호 누적 수요가 22,449명일 것이라고 예측하였다.[34] 그러나 이러한 예측에 따른 인터넷 서비스와 사이버 기술에 대한 기획 및 설계 단계에서부터 사이버 보안을 동시에 고려할 수 있는 정보보호전문가 육성을 위한 정책은 없는 상황이었다.

사이버 전사 육성을 위해서는 사이버 기술훈련이 필요하다. 사이버전에 대해 평소에 훈련하고 평가하며 사이버 작전의 개발과 효과를 사전에 분석할 수 있고, 아군의 사이버 방어체계를 검증할 수 있도록 사이버 전투훈련, 사이버 전투실험, 사이버 모의침투기술 등의 사이버 기술을 익혀야 한다. 이 모든 기술의 공통기반이 되는 기술은 암호,[35] 암호 키 관리, 암호 칩, 보안관리, 보안성 평가 · 검증 기술로 나누어 볼 수 있다.[36] 특히 4차 산업혁명시대를 맞아 다양한 산업적 전문지식과 사이버 보안지식을 함께 갖춘 융합보안 인력의 양성 체계가 필요하다.

그러나 우리나라 현 상황에서는 사이버 기술을 익히고 훈련된, 사이버 무기체계 개발 인력을 확보한다는 것은 아직까지는 난망한 이야기일 뿐이다.

제4절 국제협력 활동 상황

사이버 공격발생 시 공격자를 특정하고 응징하기란 쉬운 일이 아니다. 사이버 침해는 많은 IP 소유지와 경유지를 거치면서 공격자 식별이 어렵고, 이로 인하여 공격자를 특정하는 데 통상 3~6개월이 소요된다. 피해 국가는 자칫 공격자의 신원을 밝혀내는데 많은 시간을 소비하여 보복의 시기를 놓치거나 다른 국가의 협조를 구하지 못하여 추적에 실패하는 경우도 자주 발생한다.

이 때문에 피해 국가는 사이버 공격자에 대한 합리적 의심에 따른 혐의가 입증되면 보복 행위를 할 수 있다는 주장을 한 연구자[37] 도 있으나 이것은 국제 관계에서 무리한 논리라는 의견이 지배적이다. 결국 사이버 침해에 즉각 대응하기 위하여 긴밀하고도 적극적인 국제 공조를 미리 협약하여 놓는 것이 가장 좋은 대안이며 필요한 조치다.

사이버 공간에서의 국제협력을 논의할 때 가장 먼저 언급되는 것이 2001년 11월 23일 유럽평의회 주도로 체결한 사이버 범죄 조약으로 일명 「부다페스트 협약」이라고도 한다.

2020년 4월 현재 유럽연합 46개 국가와 미국, 일본, 캐나다, 남아프리카공화국 등 총 62개국이 가입에 서명[38] 하였고, EU 이외의 국가 중 아르헨티나 등 15개국에서 비준 및 강제 발의되어 있다. 이 협약은 국가 간 사이버 협력 증진을 통해 사이버 범죄에 대응하기 위한 최초의 국제 조약으로 가맹국간 사이버 수사에 대한 원조 절차를 일치시켜 다국적 범죄 형태를 띤 사이버 범죄에 능동적으로 대응하려는 국제적인 노력의 산물이다.

이 조약은 컴퓨터 시스템이나 데이터에 대한 불법 접속, 지적재산권 침해, 아동 포르노, 사이버 무역 사기, 불법 도박 사이트, 불법 SW 유포, 스팸 메일, 해킹 및 컴퓨터 바이러스 개발 및 유포 등을 범죄행위로 규정하여 다양한 사이버 공간의 문제에 세계 각국이 공조수사를 통해 효과적인 수사를 가능하게 한다는 것이다.

이를 위해 조약 참가국들은 관련된 범죄행위를 국내법으로 금지토록 의무화하고 컴퓨터 네트워크를 통한 사기, 사이버 수단을 이용한 돈세탁, 사이버 수단을 동원한 테러의 모의나 준비행위도 사이버 범죄로 규정하였다. 이는 급증하는 컴퓨터 관련 범죄와 사이버 범죄에 대응하기 위하여 국제 사회가 공동의 연대를 구축한 유의미한 시도이다.

물론 이 조약에 대해서 우려하는 목소리도 있다. 미국이 주도하는 이 조약에 내재된 잠재적인 위험성을 말하는 것인데, 미국 FBI를 중심으로 한 무분별한 실시간 도 · 감청이 자칫 국민의 사생활을 심각하게 침해할 수 있고 사이버 범죄의 영역 또한 광범위하기 때문에 불법적으로 악용될 여지가 있다는 지적이다.[39]

그러나 미국의 마이크로소프트사는 사이버 범죄 협약의 가입이 사이버 안전을 달성하는 좋은 수단이라고 말한다.[40] 사이버 범죄 협약은 사이버 공격발생시 이를 조사하고 징벌하는데 필요한 합법적인 권한을 제공하며, 사이버 범죄의 확산에 대응하는 국제협력을 가속화할 것이라고 강조하고 있다.

마이크로소프트사는 매년 발행하는 CCM을 통해 사이버 범죄 협약 가입국의 사이버 안전과 청결도를 분석한 결과 이 조약이 발효된 나라의 CCM이 낮아졌다는 결론을 제시하면서 사이버 범죄 협약에 가입한 국가들 중에 CCM이 높거나 비정상적인 형태를 보이는 국가가 없다는 것을 밝히고 있다.[41]

CCM(Computers Cleaned per Mille)

마이크로소프트사가 매년 SIR(Security Intelligence Report)을 통해 감염동향(Infection Trend)과 악성코드 감염률인 CCM을 발표한다. CCM이란 'Computers Cleaned per Mille'의 약자로 마이크로소프트사의 악성SW 제거도구인 MSRT(Malicious Software Removal Tool)에 의해 청소된 컴퓨터 1,000대 당의 비율을 나타낸다. 이렇게 보면 CCM은 치료된 컴퓨터의 비율을 의미하지만 마이크로소프트사는 이를 감염률의 척도로 본다. 전염병 통계가 치료보다 감염을 기준으로 하는 것과 같은 방식이다. 이를 기준으로 볼 때 한국은 2010년, 2012년 세계 1위를 비롯해 최고 수준의 CCM을 기록했다.

– 이상호 (2016), 「한국 사이버 안보 취약성 개선대책 모색 : 사이버 범죄조약 가입 효용성 평가」, 『세계지역연구논총』 34집(4), 170쪽 참조

우리나라는 2019년 8월 27일 이 협약에 정식 가입을 추진하고 있는 것으로 보도되었다. 청와대는 2019년 6월 국가안보실 사이버정보비서관실에서 외교부 등과 이 협약 가입을 위한 회의를 진행하였으며 개인정보보호와 관련하여 국내법과 이 협약이 충돌하는 부분에 대한 문제를 해소하기 위한 방안을 논의하였다. 정부는 이 협약의 가입을 시작으로 사이버 안보모델 개발에 본격적으로 박차를 가할 계획이라고 밝혔다.

우리나라가 만약 사이버 범죄 협약에 가입하게 된다면 얻게 되는 이점[42] 은 첫째, 국제 사이버 범죄에 효율적으로 대응할 수 있다는 것이다. 다국적화 하고 있는 사이버 범죄에 대하여 보다 원활한 국제 공조체제를 구축할 수 있고, 사이버 범죄의 효율적인 수사와 공소유지를 위한 전자증거 수집, 압수수색, 관할권 등에 관한 절차규정을 정비할 수 있어서 우리나라 사법 능력의 향상을 기할 수 있다.[43]

둘째, 수사 절차의 표준화가 가능하다. 다양한 사이버 범죄 기법에 효율적으로 대응하기 위하여 국제 사회의 발전하고 있는 수사 절차와 방식에 대한 공유와 습득으로 보다 향상된 수사

절차를 도입할 수 있게 된다. 이는 우리나라의 발전된 IT 능력을 국제적인 사이버 범죄수사 기법과 접목시켜 향상된 사이버 안전망을 구축할 수 있게 할 것이다.[44)]

셋째, 사이버 공격 세력의 실체를 증명하기 위한 충분한 증거 확보가 가능하다. 실제로 우리나라는 지난 2011년 4월의 농협 해킹사건 발생시 국제 공조의 미비로 중국 해커가 RSA사의 Secure ID인증 코드를 시험하기 위해 우리나라 농협을 대상으로 해킹 모의 연습을 한 것을 단지 북한이 과거에 활용했던 IP를 사용했다는 것을 근거로 북한의 소행으로 발표한 바 있었다. 그러나 차후에 밝혀진 여러 가지 증거에 따르면 그 사건의 배후는 RSA사 Secure ID인증 모드를 사용하는 미국의 록히드 마틴을 해킹하여 F-35등 다량의 최신 무기체계에 대한 자료를 훔쳐가기 위한 중국의 소행으로 강력하게 의심되고 있다. 따라서 이 협약의 가입을 통해 가능해진 국제 공조를 기반으로 조약 가입국 간의 긴밀하고 신속한 협조를 얻게 된다면 훨씬 더 수월하게 실체적 진실에 도달할 수 있게 될 것이다.

넷째, 사이버 강국인 미국조차도 사이버 범죄에 독자적으로 대응하지 않고 EU를 비롯한 세계 주요 국가들과 공조하고 있다는 것은 우리에게 시사하는 바가 있다. 이러한 국제 사이버 거버넌스에서 IT 강국의 위상을 가지고 공조의 보조를 맞춘다는 것은 국제 사회의 사이버 분야에 대한 선도적인 이미지를 구축하는 데에도 매우 유리할 것이다.

국가 기관인 개인정보보호위원회도 국제 사이버 협력을 위한 네트워크를 강화하여 EU 등의 개인정보보호 강화를 위한 국제적 흐름에 적극 대응하고 있다. 2017년에는 국제 개인정보보호기구회의ICDPPC, 아시아태평양개인정보보호국APPA 등 국제협의체 회의에 참가하여 국정 과제인 개인정보보호 강화 추진실적을 보고하였고, 개인정보 기본계획 수립, 개인정보 침해요인 평가제도 시행 등 국내 주요 정책을 소개하였다. 이를 통해 한국의 전통적인 프라이버시 문화와 개인정보보호 관련 법제를 소개하기도 하였다.[45)]

Note

1) 허태회, 이상호, 길병옥 (2005), 「위기관리이론과 사이버안보 강화방안 : 이론과 정책과제」, 『국방연구』, 제48호(1), 39쪽
2) 미래창조과학부 (2014.11.17일자), 「국가 사이버안보 태세 강화 종합대책 보도자료」, file:///C:/ Users/JCSadmin/Downloads/141117%20%EC%A1%B0%EA%B0%84%20[%EB%B3%B4%EB%8F%84]%20%EA%B5%AD%EA%B0%80%EC%82%AC%EC%9D%B4%EB%B2%84%EC%95%88%EB%B3%B4%EC%A2%85%ED%95%A9%EB%8C%80%EC%B1%85_%EC%84%B1%EA%B3%BC.pdf, 2018.8.23. 검색
3) 최영관, 조윤오 (2017), 「우리나라 사이버 테러 실태 및 대응방안에 관한 연구 : 경찰 사이버보안 전문가를 대상으로」, 『한국경찰학회보』, 19권 2호, 210쪽 참조
4) 미래창조과학부 (2015), 「K-ICT 시큐리티 발전전략」, https://www.kisa.or.kr/notice/notice_View.jsp? mode=view&p_No=4&b_No=4&d_No=1556, 2018.8.23. 검색
5) 법률 제15374호, 2018.2.21. 일부개정, 「정보 보호산업의 진흥에 관한 법률」 (약칭: 정보 보호산업법), 시행 2018.5.22.
6) 법률 제14071호, 2016.3.3. 제정, 「국민보호와 공공안전을 위한 테러방지법」 (약칭: 테러방지법), 시행 2016.3.3.
7) 김병운 (2016), 「초연결산업 사회, 시이버보안 정책」, 『과학기술연구』, 제22집(3), 102쪽
8) 장노순 등 (2017), 「사이버 안보위협의 성격과 통합적 대응의 전략적 의미」, 『국제지역연구』, 20(5), 192~196쪽
9) Rid, Thomas (2012), 「Cyber War Will Not Take Place.」, 『The Journal of Strategic Studies』, Vol.35, No.1.
10) Peterson, Dale (2013), 「Offensive Cyber Weapons : Construction, Development, and Employment.」 『The Journal of Strategic Studies』, Vol.36, No.1.
11) McGraw, Gary (2013), 「Cyber War is Inevitable.」, 『The Journal of Strategic Studies』, Vol.36, No.1.
12) 법률 제14765호, 2017.4.18. 일부개정
13) 법률 제12553호, 2014.5.9. 일부개정
14) 법률 제15369호, 2018.2.21. 일부개정, 「국가정보화 기본법」, 2018.8.22. 시행
15) 법률 제14914호, 2017.10.24. 일부개정, 「전자정부법」, 2017.10.24. 시행
16) 법률 제14839호, 2017.7.26. 타법개정, 「전자서명법」, 2017.7.26. 시행
17) 대통령훈령 제316호, 2013.9.2. 일부개정, 「국가사이버안전관리규정」, 2013.9.2. 시행
18) 박윤해 (2006), 「컴퓨터범죄에 관한 연구」, 『법학논총』, 제16집, 231~258쪽
19) 국가정보원 등 (2018),「2018 국가정보보호백서」, 91~93쪽 정리, 관련학회로「한국 사이버안보 법정책학회」가 있다. 이 학회는 2012년 11월 사이버안보법학 및 관련 학문의 연구 · 발표와 그 응용활동을 지원함으로써 사이버안보법학의 발전과 법치주의의 진작에 기여할 목적으로 설립되었으며, 사이버안보에 관심을 가진 교수, 변호사 및 실무가 등 전문가들이 회원이다.
20) 장노순 등 (2017), 「사이버 안보위협의 성격과 통합적 대응의 전략적 의미」, 『국제지역연구』, 20(5), 185~186쪽
21) 2013. 3월 하태경의원 대표발의, 「국가 사이버안전 관리에 관한 법률안」, 2013. 4월 서상기의원 대표발의, 「국가사이버 테러 방지에 관한 법률안」, 2015. 5월 이철우의원 대표발의, 「사이버위협정보 공유에 관한 법률안」, 2015. 6월 이노근의원 대표발의, 「사이버 테러 방지 및 대응에 관한 법률안」이 제출되었으며, 2016. 2월 안건조정소위가 구성되었으나 심사 없이 활동기간이 종료되어 임기만료로 폐기되었다.
22) 국회 정보위원회 수석전문위원 임진대 (2017), 「국가 사이버안보에 관한 법률안 검토보고서」, 47쪽
23) 대통령령 제25906호 (2014.12.30.) 일부개정 및 시행

Note

24) Akamai (2012), 「The State of the 인터넷 Report, APJ 3rd Quarter」

25) 김윤정 (2012), 「국가주도의 사이버 테러에 대한 접근법 연구 : 전쟁의 요건(Jus ab Bellum)과 국제적 안보레짐변화의 필요성」, 『Global 정치연구』, 제5권(2), 122쪽

26) 국가정보원 등 (2018), 「2018 국가정보 보호백서」, 112~113쪽

27) 미래부 보도자료 (2016.1.12.), 「2016년 정보통신방송 연구개발 사업」

28) 미래부 보도자료 (2016.1.18.), 「국가기관 · 지자체, 올해 정보화에 5조 4천억 원 투자」

29) 남길현 (2002), 「사이버 테러와 국가안보」, 『국방연구』, 제45권(1), 185쪽

30) 2001년 9월 한국정보통신자격협회에서 국내에서는 처음으로 정보 보호 관련 자격증 중 하나인 인터넷 보안전문가 자격증(1~3급) 제도를 시행하였고, 정보 보호진흥원과 정보통신대학원대학교가 공동으로 21세기 지식정보사회의 안전을 담당하는 정보 보호기술전문가(SIS : Specialist on Information Security)를 검정하는 자격제도를 도입, 시행하는 등 공공기관 및 민간단체에서 정보 보호 관련 자격증 제도의 도입을 적극 추진하였다. 남길현 (2002), 「사이버 테러와 국가안보」, 『국방연구』, 제45권(1), 185쪽

31) 국가정보원 등 (2018), 「2018 국가정보 보호백서」, 59쪽

32) 국가정보원 등 (2018), 「2018 국가정보 보호백서」, 53~90쪽

33) 국가정보원 등 (2018), 「2018 국가정보 보호백서」, 61쪽

34) 관계부처합동 보도자료 (2013.7.4.), 「국가 사이버안보 종합대책 수립 : 사이버안보 강화를 위한 4대 전략(PCRC) 마련」

35) 암호학의 역사와 이론적 배경 등 암호기초에 대한 연구는 다음을 참고할 것, 정진욱 (1989), 「암호학 이론」, 『정보과학회지』, 제7권(5), 42~54쪽

36) 국방기술품질원 (2016), 「미래 무기체계 핵심기술」, 『국방과학기술 개발동향 및 수준』, 제1권, 127~300쪽 참조

37) Forrest Hare (2012), 「The Significance of Attribution to Cyberspace Corecion : A Political Perspective」, in Cyber Conflict(CYCON), 2012 4th International Conference, pp. 1~15.

38) 1969년 조약법에 관한 비엔나협약 제12조에 의하면 '조약'이 비준, 수락, 승인의 대상이 되지 않을 때, 최종 서명은 조약에 구속되는 국가의 동의를 수립한다. 보다 일상적이고 덜 정치화된 문제를 다루는 대부분의 양자 조약은 비준 절차에 의존하지 않고 서명에 의해 시행된다. http://www.unesco.org/new/en/social-and-human-sciences/themes/international-migration/glossary/Signature, 2018.7.25. 검색

39) 이상호 (2016), 「한국 사이버 안보 취약성 개선 대책 모색 : 사이버범죄 조약 가입 효용성 평가」, 『세계지역연구논총』, 34집(4), 179쪽

40) Aron Kleiner (2014), et. al, 「Linking Cybersecurity Outcomes and Policies」, 2014, p. 11.

41) 이상호 (2016), 「한국 사이버 안보 취약성 개선 대책 모색 : 사이버범죄 조약 가입 효용성 평가」, 『세계지역연구논총』, 34집(4), 180~183쪽

42) 이상호 (2016), 「한국 사이버 안보 취약성 개선 대책 모색 : 사이버범죄 조약 가입 효용성 평가」, 『세계지역연구논총』, 34집(4), 184~186쪽, 이상호는 이 논문에서 조약가입을 통한 단점을 첫째, 사생활 침해 및 시민적 권리문제 둘째, 국내법과의 충돌 등을 꼽고 있다.

43) 정완 (2007), 「사이버범죄 방지를 위한 국제공조방안」, 『형사정책연구』, 통권 제70호, 115~130쪽

44) 법제처 (2014), 『2014 세계 법제 연구보고서』, 36~38쪽

45) 국가정보원 등 (2018), 「2018 국가정보 보호백서」, 64~68쪽

CYBER **ATTACK**

PART 04

사이버전 수행을 위한 사이버 무기체계 개발

사이버 무기체계는 '군이 작전 목적에 따라 사이버 공간에서 사이버 기술을 사용하여 정보수집, 공격, 방호 활동 등을 하는 수단'으로 정의된다. 사이버 전에서 승리하고 안전과 평화를 지키는 방법은 사이버 무기의 체계적 구축뿐이다.

PART 04
사이버전 수행을 위한 사이버 무기체계 개발

제1절 사이버 무기체계의 정의와 사용 사례

1. 사이버 무기체계의 정의

현재 사이버 무기체계의 정의에 대한 국제적인 공감대는 없으며[1] 2011년 11월 미 국방성의 내부 문서에서도 합의가 없다는 것을 지적한 바 있다.[2] 그럼에도 불구하고 네트워크 사회에서 사이버 기술을 통한 공격은 대량살상무기라기보다는 오히려 대량전복무기일 가능성이 높다는 경고는 활발하다.[3]

일반적으로 사이버 무기체계의 정의는 '사이버 작전에서 사용하는 무기로써, 공세적 또는 방어적 사이버 작전에 사용되는 HW 및 SW'라고 할 수 있다. 그러나 이 정의는 사이버전을 구체화한 '사이버 공간에서 맞닥뜨리는 사이버 기술에 의한 전쟁에 사용되는 사이버 기술적인 무기체계'라는 개념이 누락되었다. 즉 운용 공간에 대한 규명이 없어서 누가 사용하는 장비[4] 인지에 대한 설명의 구체성이 결여된 것이다.

사이버 무기체계에 대하여 언급한 다른 공식 문서는 국방사이버안보훈령이다. 이 훈령 별표 1 '용어의 정의'에서는 사이버 무기체계를 '사이버 작전에 직접 운용되거나 능력배양에 직접 관련된 SW · 장비 · 부품 · 모델 등 조직화된 체계를 말한다'라고 정의하였다.[5] 이는 사이버 무기체계를 정보통신 시스템적인 차원에서 정의한 것으로 정작 사이버 무기체계가 무엇이라는 정의와는 다소 초점이 맞지 않는 것으로 보인다.

'정의'는 6하 원칙에 입각하여 언명될 때 오해의 소지가 줄어들고 공감대를 형성하기가 쉽게 된다. 따라서 사이버 무기체계의 정의에는 아래와 같은 내용이 포함되어야 할 것이다. 첫째,

'Who'에 관한 것으로 무기체계를 운용하는 군을 사용 주체로 명시하여야 한다. 사이버 기술이 민 · 관 · 군을 가리지 않고 사용되고 있지만 무기체계는 국가 무력의 공식적 관리자인 군이 사용하는 것으로 한정해야 그 사용과 결과에 대한 책임 한계가 분명해질 수 있기 때문이다.

둘째, 'What'은 해킹, 컴퓨터 바이러스, 서비스 방해, 논리 폭탄 등 사이버 기술을 수단으로 사용한다는 개념을 명시적으로 포함하여야 한다. 셋째, 'Where'는 사이버 공간에서 사용되어야 한다는 공간적 개념을 명시하여 무기체계의 운용 지역을 특정함으로써 영토적인 개념을 유추할 수 있어야 한다. 넷째, 'When'은 군의 작전 목적에 따라 사용한다는 것을 밝힘으로써 작전 형태에 따른 운용 개념을 구체화하여야 한다. 다섯째, 'Why'는 정보수집, 공격, 방호 활동으로 규정함으로써 사이버 작전의 형태를 포함해야 한다.

이를 종합해 보면 사이버 무기체계는 '군이 작전 목적에 따라 사이버 공간에서 사이버 기술을 사용하여 정보수집, 공격, 방호 활동 등을 하는 수단'으로 정의된다.

2. 사이버 무기체계의 유형

사이버 공간은 금융, 병원, 교육, 군과 같은 인간의 모든 물리적인 생활 공간과 동일하다고 할 수 있다. 그러나 사이버 공간의 급속한 성장은 사이버 기술을 사용하여 타인을 착취하려는 개인의 비윤리성도 크게 증가시켰다. 보안정보에 접근하여 정보를 감시하고 네트워크를 사용하지 못하도록 하며 데이터와 재화를 탈취하는 것을 목적으로 하는 사이버 공격사례도 점차 증가하고 있다.

사이버 공격은 데이터 또는 정보의 무결성, 신뢰성의 붕괴와 프로그램의 논리를 변경하고 출력해 오류를 일으키는 악성코드, 네트워크 스캐닝을 통해 보안 취약점을 찾아내는 것 등을 포함한다. 통상 공격자인 해커들은 다음과 같은 절차를 통해 공격작전인 해킹을 수행한다. 첫째, 공격자는 시스템을 감염시키기 위해 프로세스의 조화를 기대하며 정보탈취를 위한 요구 단계가 동기화되기를 기다린다. 둘째, 논리적으로 체계화된 방법을 통해 보다 효율적인 결과를 얻을 수 있도록 시스템을 조직화한다. 셋째, 조직화된 공격자는 일시에 대규모의 컴퓨터를 감염시켜 데이터 및 재정적 손실을 유발한다. 넷째, 정치적인 목적을 가진 공격자들일수록 완벽하게 연계되어 있다. 다섯째, 공격자는 공격일시가 도래하기 전까지는 최대한 신중하게 계획을 수립하고 은밀하게 행동함으로써 결정적인 시기에 집중적인 피해를 유발시키려고 한다. 여섯째, 공격자는 충분한 준비시간을 갖고 대상 체계의 피해를 극대화시키기 위해 노력한다. 다음의 【표 4-1】은 지금까지 밝혀진 주요 사이버 침해수단을 종합 정리한 것이다.

【표 4-1】 주요 사이버 침해수단

식별일자	유 형	효과 및 기법
	악성코드	멀웨어라고도 함 • 악의적인 목적을 위해 작성된 실행 가능한 코드의 총칭, 자기복제능력의 유무(웜 · 바이러스)와 감염대상(Trojan)에 따라 분류됨
	Worm	• 프로그램에 기생하지 않고 스스로 활성화 가능 • 네트워크를 통해 자신을 복제 · 전파하여 네트워크 손상, 시스템 성능저하 유발, 파일이나 코드 자체를 다른 시스템으로 복사하며 다른 프로그램의 감염은 없음 • RAM, ROM에 코드형태로 존재
	Virus	• 실행 가능한 어느 일부분 혹은 데이터에 자신 또는 변형된 자신을 복제하여 다른 대상을 감염시킴 • 시스템의 Boot, 메모리, 파일 영역에 기생하다가 다른 프로그램 감염
	Backdoor	비밀통로 • 시스템 침입 후 재 침입을 위해 설치
	Sniffing	데이터 도청 • 스니퍼(Sniffer)를 이용하여 데이터를 도청하는 행위
	Spoofing	사용자 권한 획득 • 공격자가 임의로 웹 사이트를 구성하여 사용자들의 방문을 유도한 후 구조적 결함을 이용하여 사용자 권한을 획득한 후 정보유출
	Session Hijacking	세션 가로채기 • 현재 연결 중인 세션을 가로채기 위한 공격 방법
	Phishing	개인정보 탈취 • 이메일, 메신저 등을 신뢰할 수 있는 사용자인 것처럼 가장하여 개인정보 탈취
	Trojan	• 유용한 프로그램으로 가장, 설치유도. 필요시 작동, 사용자가 알 수 없도록 프로그램 내에 개발자가 식재함 • 자신을 복사하지 않음

식별일자	유 형	효과 및 기법
	논리폭탄	• SW의 어딘가에 숨어 있다가 상황이 특정 조건에 부합되면 실행
	EMP폭탄	• 전자기폭탄, 강력한 전자기를 방사하여 전자기기의 전자적인 파괴를 유도
2004	Gabir	배터리 소모형 • 인근 단말기의 블루투스를 지속 스캐닝, 블루투스를 통해 악성코드를 지속 전파하여 배터리 소모 유발 • 스캐닝 동작 반복으로 배터리 소모 유발
2004	Skulls	단말 장애 유발형 • 모든 아이콘을 해골로 만듦. 통화 이외의 부가기능 사용 불가, 단말기 기능마비, 장애 발생
2005	Locknut	• 일부 키 버튼 작동 마비
2005	Cardtrap.A.	• 데이터 삭제, 성능 저하
	Gavno	• 송수신 기능 마비
2006	RedBrowser (러)	과금 유발형 • 불특정 다수에게 메세지나 SMS, 전화 시도
2007.7.	Zeus	Trojan 악성코드(스텔스 기술을 사용) • MS Windows에서 실행되는 Trojan 악성코드 • 브라우저에서 키 입력 로깅 및 양식잡기를 통해 은행정보를 훔치는데 사용 • 드라이브 다운로드 및 피싱 방식을 통해 전파
2008	Infojack	정보 유출형 • 단말기의 보안설정 변경 · 시리얼 번호 · 운영체제 · 애플리케이션 정보를 외부로 전송하여 2차 공격 유도
2010.4.	WinCE/TerDial	과금 유발형 • 게임 내에 숨어서 국제전화 송신
2011.4.	별 Virus	Spyware(이란에서 제작) • MS Windows 기반의 PC에서 간첩 활동. 듀큐 바이러스와 같은 것이라고 믿게 함
2011.6.	Metulji botnet	DDoS 용 Program • 이 봇넷에 감염된 좀비 PC만 12만 대 이상임
2012.2.	Mahdi	악성코드 • 사이버 스파이 활동
2012.8.16.	Shamoon	악성코드 • 에너지 분야의 사이버 첩보수집, 감염된 시스템에서 네트워크 상의 다른 PC로 확산

식별일자	유 형	효과 및 기법
2012.12.	Dexter	• 전 세계의 판매시점 정보관리 시스템들을 감염시킴 • MS Windows가 실행되는 컴퓨터들을 감염시키는 바이러스
2013	CryptoLocker	인질형 악성코드(랜섬웨어의 일종) • 예브게니 미하일로비치 보가체프(러)가 제작 • MS Windows 기반 PC 내의 모든 파일(OS 포함)과 네트워크 Drive File을 RSA, AES Key로 암호화 후 Bitcoin 요구 • RAM을 풀가동함으로 PC 속도 저하 • 2015. 4.19.에 한국어 변종 발견
2013.6.	Careto	악성코드('마스크'라는 스페인어) • Spyware(스텔스 기술을 사용) • 백도어 프로그램 설치, 쉽게 수정 가능, 시스템 Event, 파일 가로채기 기능, 광범위한 감시기능, 암호화 키, VPN 구성, 기타 통신 채널 포함
2013.12.	StarDust	Dexter의 개정판 • 미국에서 사용 중인 2만 개의 신용 · 직불카드 감염(신용카드 · 직불카드용 기계인 POS 단말기를 감염시킴)
2014	FinFisher	Spyware • 의심스럽지 않은 SW의 업데이트 절차에서 보안 문제를 악용하여 대상 PC에 은밀하게 설치, 스카이프 전화 도청, PC 모니터링
2016	X-Agent	• 피싱 공격을 위해 사용하며 장치 간 Hopping • 해킹된 파일을 아이폰에서 해커가 운영하는 서버로 전송하는 악성코드
2016.3.	Petya	악성코드(랜섬웨어의 일종) • MS Windows 기반 시스템을 대상으로 Master Boot Record를 감염시켜 HDD의 파일 시스템 Table을 암호화 • Windows Booting을 방지하는 Payload를 실행 후 시스템에 접근하는 사용자에게 Bitcoin 요구. 전자메일 첨부파일을 통해 전파됨 • Ukraine의 Chernobyl 원자력발전소의 방사선 모니터링 시스템, 은행, 지하철 체계에 영향 • 영국, 미국, 러시아, 프랑스, 독일, 호주 등의 기업에 영향
2016.8.	Pegasus	Spyware(가장 정교한 스마트폰 공격) • iPhone OS, Apple의 모바일 운영체제의 링크를 클릭하면 문자 메시지, Track 호출을 읽을 암호를 수집, 위치 추적가능 • iMessage, GMail, Viber, Facebook, WhatsApp, Telegram, Skype 등의 개인정보를 자동 누설

식별일자	유 형	효과 및 기법
2016.10.	Mirai	악성코드('미래'라는 일본어) • Linux를 실행하는 네트워크 장치를 대규모 네트워크 공격에서 Botnet의 일부로 사용할 수 있는 원격제어 'Bot'으로 바꾸는 멀웨어 • IP Camera, Home Router와 같은 온라인 소비자 장치 대상 • DDoS 공격의 수단으로 사용
2017.3.7.	Vault 7	Spyware(미 CIA 제작) • iPhone, MAC 해킹용. 악성 프로그램 난독화에 사용
2017.10.	사회공학적 해킹	• 가상화폐 탈취, 사회공학적 기법을 통해 개인정보 누출 * 예 -가상화폐거래소(Coin one) 계좌접속 중단(사용자 계좌에 접속해 긴급점검이라는 보안조치로 접속차단시킴 → 사용자가 Coin one에 문의 전화 → Coin one은 본인 확인에 필요한 정보를 모두 확보 → 사용자는 가상화폐를 전부 털림

3. 사이버 무기체계의 사용 사례

사이버 무기체계가 사용된 새로운 개념의 전쟁은 1991년 미국과 이라크의 1차 이라크전사막의 폭풍작전에서 미국이 공습 이전에 이라크 방공망을 교란하기 위하여 취한 일련의 사이버 활동을 사이버전[6] 의 효시로 보고 있다. 이 전쟁은 여러 가지 면에서 기존 전쟁과는 다른 양상을 보여주었고 정보우위의 중요성에 대한 광범위한 인식을 불러왔다.

단적인 예는 전쟁 및 교전 상황을 CNN을 통해 안방에서 볼 수 있었다거나, 400시간 만에 지상군의 진격이 완료되어 최종 목표를 탈환한 것 등이다. 그러나 그것들보다도 획기적인 전쟁 양상의 변화는 사전에 사이버 기술을 사용하여 적을 무력화 시킨 후, 대항하지 못하는 적에 대하여 원활한 공격활동을 할 수 있었다는 것이다.[7] 이것은 정보사회의 전쟁이 산업사회의 대응과 상당 부분 다를 수 있다는 통찰력의 획기적인 발전이었다.[8] 세계는 이 전쟁을 통해 사이버전의 효과를 직접 확인하게 되었고 사이버전에 대한 준비를 시작하게 되었다고 할 수 있다.

사이버전의 특징

① 투자비용이 적다.
② 비전선전이다.
③ 주체를 식별하기 어렵다.
④ 일방적인 공격이 가능하다.
⑤ 방어가 항상 사후수습이다.
⑥ 24시간 전시체제이다.
⑦ 피해평가가 어렵다.

– 손영동 (2013), 『0과1의 끝없는 전쟁』, 인포더북스, 서울, 154~156쪽

사이버 무기체계는 기술의 축적 정도와 개발능력에 따라 정교하고 정밀한 파괴를 보장한다. 더구나 가해자의 모호함은 '도덕적 정죄'로부터도 일정 부분 자유하게 한다. 따라서 정보 전쟁의 수단을 완전히 금지하거나 가용성을 제한하려는 구조적인 접근은 편재성과 이중성으로 인해 거의 불가능하다.

【표 4-2】는 사이버전이 최초로 수행된 1991년 사례를 포함하여 2000년 이후 지금까지 식별되고 보고된 주요 사이버 무기체계가 사용된 사례를 정리한 것이다. 초기에는 전쟁에만 사용된 사이버 무기체계는 점차 군과 공공기관, 금융, 민간 등을 대상으로 광범위하게 사용되고 있다.

【표 4-2】 2000년 이후 주요 사이버 무기체계의 사용 사례

일자	공격자	피해자	정보침해 수단	피해 내용
1991	미국	이라크	악성코드	• 1차 이라크전 방공망 교란
1993	Serbia	NATO	악성코드	• 해킹
2001	미국	이라크	EMP	• 이라크 방송, 지휘망 무력화
2003	중국	미국	Slammer Worm (1차 Black out)	• 5000만 명의 주민이 생활하는 미시간, 오하이오, 뉴욕, 캐나다 일부까지 9만3000평방마일 지역에 전기 공급 중단
2003.1.		한국	Slammer Worm	• ISP의 DNS 등 감염, 수 시간 동안 인터넷 접속 마비
2003.8.		미국	SoBic-F	• 동부지역 철도 시스템이 'SoBic-F'에 감염, 수시간 동안 열차운행 중지
2004.7.	북한	한국		• 국회, ADD, 원자력연구원 등 전산망 마비

일자	공격자	피해자	정보침해 수단	피해 내용
2004.9.	미국	이라크	The Find로 Al Qaeda 요원 위치확인	• 알 카에다 수천 명
2005	미국	이라크	Polarbreeze 사용	• 알 카에다
2006	이스라엘	이란	악성코드	• 침투
2007	미국	미 기업	Prism	
	러시아	에스토니아	DDoS	• 정부, 언론, 방송, 금융전산망 침해로 2개월 간 행정 마비
	중국	미국		• 미 국방부 동아태국에 대한 공격
	이스라엘	시리아		• Radar 망 무력화
2007.3.	미국	미국		• 국토안보부 주관 미 발전소 제어시스템 모의 해킹, 발전기 가동 Cycle을 변경하여 발전기 파괴
2008	러시아	조지아	DDoS	• 조지아 대통령 Homepage, 의회, 국방부, 외교부에 DDoS 공격
	아랍	이스라엘		• 400개 이상 사이트 변조
	중국	미국	2차 Black out	• 인민해방군 해커가 플로리다 전력시설을 해킹 • 중국 해커가 시설 시스템도 작성하다가 실수로 정전
2008.1.	폴란드	폴란드		• 14세 소년이 TV리모콘을 개조하여 Tram 교차로 불법 조작 4대의 Tram 탈선, 12명 부상
2008.2.		한국옥션	Web Server 해킹	• 1,860만 명 개인정보 유출
2008.5.	미국	미국		• 회계감사원(GAO) 주관 미 최대 전력회사인 TVA사의 제어시스템 모의 해킹, 발전소 제어시스템 침투 성공
2008.9.		한국 GS칼텍스	자회사 직원이 DVD에 고객정보 저장, 유출	• 1,150만 명 개인정보 유출
2008.10.24.	아프가니스탄	미국	미 중부사령부 Server 감염	• Buckshot Yankee 작전 [9]
2009	미국	이란	스턱스넷(Stuxnet)	• 원심분리기 1000여 개 파괴
	러시아	미국		• 미 ISP 공격
	중국	미국		• 미 국방부 전산망 침투 F-35 설계자료, 전자 시스템 정보 유출
	북한	한국		• 외부용 USB 사용, 작계 5027 유출

일자	공격자	피해자	정보침해 수단	피해 내용
2009.3.	북한	한국		• 유해화학물질 제조업체의 위치 파악 및 화학물질 정보 해킹
2009.7.7.	북한	한국	DDoS	• 정부, 금융, ISP 전산망 등 한미 26개 사이트 마비
2009.8.		러시아		• 수력발전소 댐의 터빈 제어시스템 폭발 75명 사망
2010	중국	미국		• Google 등 20여 개 글로벌 기업 해킹
2010.3.	한국	대부, 저축은행	중국의 개인정보 판매상에게 대부업체 개인 정보 유출	• 2,000만 명 개인정보 유출(2010. 3월 범인 검거)
	한국 일본	일본 한국	DDoS (3 · 1절 사이버공격)	• 일본 2채널의 편파 방송에 항의하는 한국이 공격 • 일본의 반격으로 청와대 및 VANK 홈페이지 속도 저하
	미국	이란	Flame	• Spyware로 정보수집
2011	미국	알 카에다	알 카에다 요주의 인물의 휴대폰에 Spyware 이식, 위치확인	• 오사마 빈 라덴 피살
2011.3.3.	북한	한국	DDoS	• 정부, 금융, 포털 등 40개 주요 웹 사이트 마비, 파괴
2011.4.	북한 (중국)	한국	전산망 마비, Server 파괴	• 농협 외주직원 노트북(커피숍에서 Web HDD의 영화를 업무용 노트북에 내려 받다가 악성코드에 감염)을 이용하여 7개월 동안 IP, 최고관리자 비밀번호 등 정보탈취 후 원격제어로 공격 프로그램을 실행. 전산망 서버들이 다른 서버를 잇따라 공격하여 서버 절반(273대) 파괴함 • RSA Secure ID를 사용하는 농협을 대상으로 동일 시스템을 사용하는 록히드 마틴을 공격하기 전 예행연습을 한 것으로 추정됨
	?	한국 현대캐피탈		• 175만 명 개인 정보 유출사건
2011.5.21.	중국	미, LM	RSA사의 Secure ID를 복제하여 침입	• F-35 설계도 유출
2011.6.	중국	대부, 저축은행	개인정보 판매상이 중국 해커에게 의뢰해 대부업체 개인정보 유출	• 1,900만 명 개인정보 유출
2011.7.	북한	SK컴즈	'알집' 이용 해킹	• 3,500만 명 개인정보 유출

일자	공격자	피해자	정보침해 수단	피해 내용
2011.7.26.	중국	한국 네이트	악성코드	• 3,500만 명의 개인정보 유출(내부 개발자 해킹에 의한 사고) 사고 발생 이틀 후 발견
2011.9.		공군 오산기지	AFCCS에서 Worm, P2P Virus 색출 (악성코드 54건)	
2011.10.			듀큐(Duqu)(스턱스넷 (Stuxnet) 변종)	
2011.10.26.	한국 한나라당	한국	DDoS	• 10.26 재보궐선거 사이버 테러(200여 대 좀비 PC 이용 초당 263MB의 대량 트래픽 발생) • 중앙선관위, 박원순 후보 홈페이지에 사이버 테러 발생 사건
2011.11.			'Shutdown제' 포착, Server 백업을 해킹	• 1,320만 명 개인정보 유출
		미국		• 일리노이 주 상수도 제어시스템 침투, 펌프 작동 시스템 파괴
2011.11.24.	북한	미국 Sony사	개인정보 유출	• 회사 관계자의 이메일 등 개인정보, 미공개 영화 본편 등 유출
2012	이란	미국		• 대형 금융기관 데이터센터 공격
	이란	사우디		• 아람코 PC 30,000대 데이터 삭제
	이란	Qatar	악성코드	• 라스가스에 공격
	이스라엘	PLO		• 하마스 반 이스라엘 웹 사이트 공격
	범아랍계	이스라엘		• 증권거래소, 정부 웹 사이트 공격
	중국	미국		• 백악관 해킹, 핵무기 발사암호 절취 시도
2012.6.9.	북한	중앙일보		• 신문 제작 서버 해킹, 홈페이지 변조, 신문 제작 시스템 자료 삭제
2012.7.		한국 KT	대리점 사칭, 영업 시스템 해킹	• 870만 명 개인정보 유출
2013.3.20.	북한	한국	APT	• 방송, 금융망 PC와 서버 48,000여 대 파괴 • 2013.3.20. 14:00에 시스템을 파괴하도록 설계 • 안랩, 하우리의 백신 프로그램의 구 성 파일로 위장, 개별 기업의 사내 관리자 서버에 침투 후 공격

일자	공격자	피해자	정보침해 수단	피해 내용
2013.6.25.	북한	한국	DDoS	• 청와대 홈페이지 변조, 정부 통합전산센터 공격
2014.8.31.	?	미국	개인 정보 유출	• 유명 여성의 누드 사진이 대량으로 포함된 500개 이상의 개인 사진이 SNS에 전송된 사건 • '내 iPhone 찾기' 기능의 보안 허점을 통해 해킹
2014.12.9.	북한	한국 한수원	APT, 사회공학적기법	• 원자력 발전소 도면, 보안문서, 한수원 전 직원 신상명세서 누설
2016.10.21.	?	미국, 유럽	DDoS	• 인터넷 도메인 네임 시스템 업체(다인)에 대한 디도스 공격
2017.5.12.	북한	전 세계	WannaCry (Ransomware)	• 150개국 PC 30만대 이상 감염 • 이터널블루라는 MS Windows의 파일 공유에 사용되는 Server message block(SMB) 원격 코드 취약점을 악용 • 인터넷 네트워크에 접속만으로 감염 • 문서, 압축 파일, DB 파일, 가상머신 파일등을 암호화(28개국 언어를 지원) • 300~600 달러의 Bitcoin을 요구(MS의 MS17-010 취약점의 패치를 통해 예방 가능)
2018			Smart Contract 이슈	• 블록체인 기반 금융거래 등 다양한 형태의 계약체결을 의미 • 스마트 컨트렉트를 사용하는 특정 코인의 보안 취약점을 이용하여 코인 탈취
2018			GhOst RAT	• 원격제어형 악성코드 • MS IE 취약점 이용
2019.8.			Nemty 1.4	• 비너스 락커 조직이 입사지원서를 위장한 메일로 유포 • 랜섬웨어
2020.2.			Corona virus	• Corona virus 명칭이 포함된 파일명의 윈도우/안드로이드 악성코드 • 랜섬웨어, 백도어, 인포스틸러 등

제2절 사이버 무기체계의 분류의 필요성[10)]

1. 일반적인 무기체계의 분류

일반적으로 무기체계의 분류는 운용 목적, 용도 및 필요성 등을 고려하여 분류한다.[11)] 첫째, 군사작전에 직접 운용되거나 전투력 발휘에 직접 영향을 미치는 장비 · 물자 둘째, 무기체계의 전투력 발휘에 영향을 미치는 장비 · 물자 셋째, 전투력 발휘에 영향을 미치는 주요 전술 훈련 장비 및 SW · 관련 시설 등이다.

방위사업법[12)] 제3조 3항에서는 '무기체계'를 '유도무기 · 항공기 · 함정 등 전장에서 전투력을 발휘하기 위한 무기와 이를 운영하는데 필요한 장비 · 부품 · 시설 · SW 등 제반요소를 통합한 것으로써 대통령령이 정하는 것을 말한다'고 정의하고 있다. 동법 시행령[13)] 제2조에서는 무기체계를 8종으로 대분류하고 있다. ①통신망 등 지휘통제통신 무기체계 ②레이다 등 감시 · 정찰 무기체계 ③전차 · 장갑차 등 기동 무기체계 ④전투함 등 함정 무기체계 ⑤전투기 등 항공 무기체계 ⑥자주포 등 화력 무기체계 ⑦대공유도무기 등 방호 무기체계 ⑧모의분석 · 모의훈련 SW · 전투력지원을 위한 필수장비 등이다.

국방부 훈령에서 무기체계에 대한 정의는 '국방 전력발전업무 훈령'[14)] 제3절에 기록되어 있다. 여기에서는 무기체계를 '유도 무기, 항공기, 함정 등 전장에서 전투력을 발휘하기 위한 무기와 이를 운영하는데 필요한 장비, 부품, 시설, SW 등 제반요소를 통합한 것을 말한다'고 정의하였다. 무기체계 분류는 통상 대분류, 중분류, 소분류로 구분한다.

동훈령에서 대분류는 ①지휘통제통신 무기체계(중분류 3, 소분류 11), ②감시 · 정찰 무기체계(중분류 6, 소분류 19), ③기동 무기체계(중분류 6, 소분류 16), ④함정 무기체계(중분류 4, 소분류 21), ⑤항공 무기체계(중분류 4, 소분류 17), ⑥화력 무기체계(중분류 7, 소분류 22), ⑦방호 무기체계(중분류 3, 소분류 7), ⑧그 밖의 무기체계(중분류 3, 소분류 7) 등 8종으로 분류한다.

2015년 8월에 개정된 동 훈령에 합동지휘통제체계 안에 '사이버 작전체계'가 추가되었다.

사이버 체계의 대부분이 서버, 네트워크, 단말기 등으로 구성되어 지휘통제체계와 유사하고 사이버 작전이 합참 수준의 작전임을 고려하여 합동지휘통제체계로 분류한 것이다. 그러나 대분류-지휘통제통신 무기체계, 중분류-지휘통제체계, 소분류-합동지휘통제체계로 하고, 대상 장비를 합동지휘통제제계KJCCS, 군사정보통합처리체계MIMS, 사이버작전체계로 한정함으로써 사이버전이 민 · 관 · 군이 사용하는 인터넷을 포함한 사이버 공간 전체 영역에 걸쳐 운용되는 현실과는 괴리가 있는 분류가 되었다.

세계적으로 권위를 인정받는 영국의 「제인연감」의 무기체계 분류 방법은 먼저 군을 분류하고 각 군에서 사용하는 병종별 무기체계로 구분한다. 한국판 제인연감이라는 「한국군 무기연감」(2016~2017)[15] 역시 무기체계를 육군, 해군, 공군, 해병대로 구분하여 각 군에서 사용하는 병종별 무기체계로 구분하였다. 예를 들어 육군 무기체계의 경우 소총, 전차, 장갑차, 화포 · 대공화기, 헬기, 대공 · 대전차 미사일, 현무 미사일 등으로 분류하고 있다. 그러나 사이버 무기체계의 위력에도 불구하고 육 · 해 · 공군 무기체계에 대한 분류 외에 사이버 무기체계에 대한 분류는 전무한 실정이다.

2. 사이버 무기체계의 분류 필요성 : 비례대응

사이버 공간에서의 주권은 어떻게 지켜낼 수 있을 것인가? 기존의 주권은 주로 물리적 공간에서 논의되었으나, 최근 IT기술의 발달로 인하여 사이버 공간에서도 주권 문제가 대두되고 있다. 일반적으로 주권국가는 외국으로부터 영토에 대한 침해를 받으면 자위권을 발동하거나 안보리 승인을 받아 전쟁을 할 수 있는 권리가 있다. 전쟁은 자위권[16] 의 필요성과 비례성의 원칙하에 진행된다. 자위권은 공격을 받은 후에 발동하는 반격이 우선 고려되지만 합리적 추정에 의한 선제공격과 예방공격으로 구체화될 수 있다. 이것은 헌법에 명시된 국가의 의무인 국민의 생명과 재산을 보호하는 구체적인 행위라고 할 수 있다.

2007년 러시아가 에스토니아에 대한 사이버 공격을 감행함에 따라 2009년 탈린Tallinn, 에스토니아 수도에 국제 전문가그룹이 모여 사이버 국제법인 「탈린 메뉴얼」을 작성하였다. 이 매뉴얼에서는 사이버 공간에서 발생한 악의적인 국가 간 행위를 사이버 전쟁으로 규정하고 있다. 따라서 국가는 사이버 공격에 대한 수단과 효과 분석을 통해 비례적 대응을 해야 하는데 이를 위해 사이버 무기체계의 분류에 대한 필요성이 대두되었다. 사이버 공간에 대한 국제적 규범이라고 할 수 있는 탈린 메뉴얼의 제1부는 국제사이버안보법이다. 이 법 '규칙 13'은 사이버 공격에 대한 자위권, '규칙 14'는 자위권 행사의 필요성과 비례성[17] 에 대하여 설명하고 있다.

규칙 13- 무력 공격에 대한 자위
무력 공격의 수준에 이르는 사이버 공격의 목표가 된 국가는 자위의 고유한 권리를 행사할 수 있다. 사이버 작전이 무력 공격을 형성하는지 여부는 그 규모와 효과에 따라 결정된다.

규칙 14-필요성과 비례성
자위권의 행사에 있어 일국이 취한 사이버 작전을 포함하는 무력 사용은 반드시 필요하고 비례적이어야 한다.

탈린메뉴얼의 국제사이버안보법 '규칙 13'의 무력공격에 대한 자위에 대하여 부연 설명을 하면, 자위권과 관련하여 국제연합헌장 제2조 4항이 인정하는 관습법 상의 자위권은 일국이 무력 공격으로 인정되는 사이버 작전을 수행하거나, 그 장소와 무관하게 비국가적 행위자가 사이버 작전을 지시하는 경우 기준을 충족한다고 본다.[18] 자위권의 범위는 물리적인 무력 공격을 넘어서 사이버 작전 전반을 포괄하는 무력 공격에까지 미친다.

국제연합헌장 제2조 4항
전쟁의 정당성에 관한 법으로써 UN헌장 제2조 4항은 '자위(Self-defense)'의 목적을 위한 최소한의 합법적인 무력사용의 조건을 규정하고 있다. 모든 국가는 회원국의 영토적 통합이나 정치적 독립성을 해칠 수 있는 '위협' 또는 '무력 사용'을 중지해야 한다. 단, 여기서 무엇이 무력의 범주에 해당하는지는 보다 구체적으로 밝히지 않고 있기 때문에 개념의 해석을 둘러싸고 의견이 분분한 상황이다. 또한 UN헌장 제39조는 안전보장이사회의 판단에 따라 국제 평화와 안보를 위해 필요 조치를 할 수 있도록 규정하여 '집단안보'를 통한 합법적인 무력 사용을 밝히고 있다. 동 헌장 제51조는 개별 회원국(또는 집단)이 무력 공격을 받을 경우 '자위'를 위한 본연의 권리에 대해서도 규정하고 있다. 이 조항은 UN 회원국에 대한 무력 공격 시 안전보장이사회가 국제평화와 안전을 위하여 별도 조치를 하지 않는 이상 UN헌장의 어떠한 조항도 개별 또는 집단 자위를 위한 본연의 권리를 침해할 수 없도록 하였다. 따라서 전쟁법과 사이버 안보의 관련성을 말하는 데 있어서 핵심적인 이슈는 사이버 공격 (또는 침해)이 UN헌장이 금지하는 '무장 공격'에 해당하는가를 판단하는 기준이 되어야 한다. 즉 헌장 제2조 4항이 무력 사용의 조건을 규정하고 있고, 헌장 제51조는 무력 사용에 합법적인 대응을 위한 조건을 규정하고 있는데, 이 역시 사이버 공격에 적용하기에는 여전히 모호하다고 할 것이다.

– 민병원 (2015), 「사이버공격과 사이버억지 : 국제정치적 의미와 대안적 Paradigm의 모색」, JPI정책포럼 세미나(2015.07.17.) 발표자료 7쪽 참조 평가 『세계지역연구논총』 34집(4), 170쪽 참조

'규칙 14'의 필요성과 비례성에 대한 설명은 다음과 같다. 첫째, 탈린 메뉴얼에서 말하는 필요성은, 무력의 사용이 긴박한 무력 공격을 성과적으로 방어하거나 진행 중인 무력 공격을 파쇄시키기 위한 불가피한 수단이어야 함을 말한다. 사이버 공간에서의 필요성은 무력 사용을 하지 않아도 되는 대안을 가지고 있느냐 없느냐에 달려 있다.[19] 따라서 필요성은 당연히 피해국의 관점에서 판단되어야 하며 합리적이어야 한다.[20]

둘째, 비례성은 사이버 무력으로 대응할 때 어느 정도의 무력을 허용할 것인가를 정하는 것이다. 비례성을 다룰 때는 자위권의 행사를 정당화하는 방어적인 대응 규모, 기간, 강도, 범위를 제한한다. 비례성은 과소해서도 안 되지만 과도한 것은 더욱 거부된다. 사이버 작전은 목적에 부합되어야 하지만 사이버 공격자의 추가적인 사이버 공격[21] 의도를 분쇄시키기 위한 물리적인 작전이 완전히 거부되는 것은 아니다. 비례대응을 하려면 적성 국가의 공격 수단과 효과에 대하여 정확히 파악하고 있어야 한다. 사이버 공간에서 비례대응의 원칙을 지킨다는 것은 공격당한 국가의 자존심을 지키면서 확전을 방지하기 위한 것이다.[22]

비례대응의 원칙 준수

보복을 통한 억지 전략이 성공하기 위해서는 억지 능력의 확보, 억지 위협의 신뢰성, 그리고 억지 위협의 전달이 제대로 구현되어야 한다. 그러나 사이버 위협이나 사이버 공격은 과거와 같은 냉전식 논리를 그대로 적용하여 억지 효과를 기대하기가 난망하다. 사이버 공격의 경우 핵 공격에 비해 진입 비용이 낮기 때문에 경제적으로 열세인 국가(또는 비국가행위자)들의 참여가 쉬우며, 따라서 사이버 공격을 사전에 탐지하기도 곤란하다. 또 보복을 한다고 해도 사이버 수단을 이용한 보복의 가능성이나 효과도 크지 않다. 만약 방어하는 쪽의 취약성이 클 경우 억지나 보복 행위로 인한 사태 악화의 가능성 때문에 보복 의지를 강하게 전달하기 어려운 점도 고려해야 한다. '거부'를 통한 사이버 억지 전략은 사전에 적의 사이버 공격을 방어할 수 있는 시스템을 체계적으로 구축함으로써 상대방의 공격 의지를 무산시키는 것을 주목표로 한다. 사이버 공격의 가능성에 대비하는 최선의 방법은 공격 가능성에 대한 '공포'가 공유되는 '상호 억지' 시스템을 지속시키는 것이다. 사이버 공간에서 이루어지는 공포의 균형을 '사이버 상호확증파괴'라고 하는데, 공포의 균형 속에서 국가들이 공개적으로 사이버 공격능력과 공격에 대한 자신들의 취약성을 유지함으로써 상호 안정을 도모하고자 하는 것이다.

– 민병원 (2015),「사이버공격과 사이버억지 : 국제정치적 의미와 대안적 Paradigm의 모색」, JPI정책포럼 세미나 발표자료(2015.07.17.), 11~12쪽 참조

사이버 무기체계의 보유 자체만으로 전쟁을 억지하는 전략적인 효과와 가치를 갖는지는 불분명하다. 그러나 다수의 군사 전략가들은 사이버 무기체계를 핵무기에 비견하곤 한다.[23] 두 가지 모두 전략적 차원에서 대규모 피해를 유발하며 사용 전에 반드시 최고통수권자의 승인을 받아야 한다는 공통점이 있기 때문이다. 그러나 핵은 과거에 인류가 실전에서 사용함으로써 참상을 목격한 바 있다. 따라서 인류의 마음속에는 핵 불용에 대한 일종의 묵계가 존재한다. 냉전시기에 인류는 상호 핵무기를 통한 확증파괴전략으로 위태로운 평화를 경험하기도 했다.

반면 사이버 공간에서 전쟁이 발발하면 공격에 대응하여 동원할 수 있는 유일한 방법은 상대방의 네트워크를 파괴하는 것이다. 따라서 사이버전은 사전 위협 동작이나 신호, 선전포고 없이 바로 전면전에 돌입하게 된다. 사이버 전쟁에서는 모든 국가 자원을 전장으로 동원한다는 전쟁 지속능력 확보라는 전통적 개념이 무의미하다. 공격하지 않거나 공격하거나 둘 중 하나다. 따라서 사이버 측면에서 전쟁억지 전략이 정교하지 못하다면 무용지물이다.[24]

3. 비례적 대응을 위한 고려사항

비례대응은 공격한 적의 규모, 공격수단, 아군이 받은 피해 정도에 따라 대응하는 것이다. 비례적 대응을 위한 첫 번째 고려 사항은 규모의 비례성이다. 이는 공격 규모에 대한 비례성으로 물리적인 상황에서라면 포 1개 대대로 공격했을 경우 우리도 그에 상응하는 규모로 공격하는 것이다. 이는 반드시 같은 종류의 공격 무기가 아니어도 된다. 공격받은 규모와 유사한 수준으로 공격하는 것이다. 둘째, 수단의 비례성이다. 이는 반드시 동종의 무기로 대응하는 것을 말한다. 적이 ICBM급 미사일로 공격하면 우리도 ICBM급 미사일로 맞대응한다는 것이다. 이는 동종의 수단을 보유하고 있다는 전제하에 가능한 대응 방법이다. 셋째, 피해의 비례성을 들 수 있다. 이는 아군 관점에서 평가되며 적의 규모, 수단과 상관없이 우리가 받은 피해에 상응한 만큼의 대응을 하는 것이다.

사이버 상황에서의 비례적 대응도 이와 다르지 않다. 사이버 무기체계 분류에 따른 분류인 정보수집, 공격, 방호에 각각 적용하여 시행한다. 정보수집용 사이버 무기체계는 평시 사이버 경보태세 변경과 피해발생 시 공격자를 특정하고 규모, 수단, 피해정도를 확인하기 위하여 사용한다. 따라서 비례적 대응을 위해서는 상시 운용이 필수적이다. 공격용 사이버 무기체계는 수집된 정보로 판단된 규모, 수단, 피해정도에 따라 상응하는 대응을 위해 공격 직전 선택된다. 방호용 사이버 무기체계는 상시 사용되어 아 체계를 보호해야 한다. 이를 종합하면 【표 4-3】과 같다.

【표 4-3】 사이버 무기체계의 비례적 대응을 위한 고려사항

구분	정보수집	공격	방호
규모의 비례성	항상		항상
수단의 비례성	항상	상황에 따라 선택	항상
피해정보의 비례성	항상		항상

제3절 사이버 무기체계의 분류

무기체계를 분류할 때 대분류는 사용군, 중분류는 부대 운용 목적, 소분류는 작전 형태에 따라 분류하고 소분류 밑에 구체적인 대상 장비로 다시 구분한다. 사이버 무기체계도 이 분류기준에 따라 【표 4-4】와 같이 정보수집과 공격, 방호로 크게 나누고 다시 정보수집 6가지, 공격 7가지, 방호 9가지로 분류하였다.

【표 4-4】사이버 무기체계의 분류

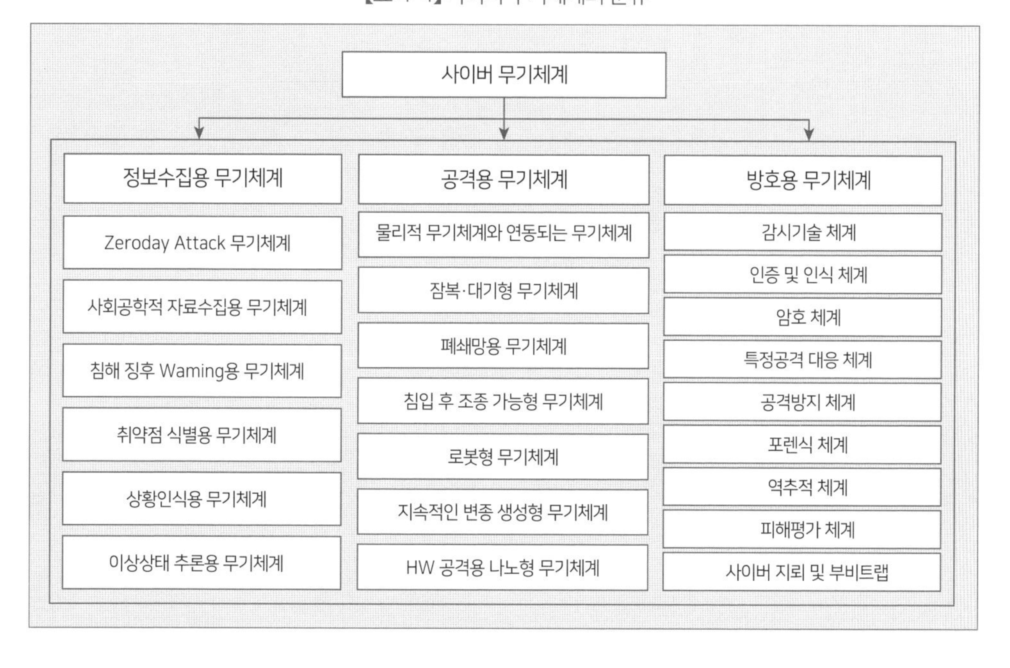

사용목적, 용도 및 필요성에 따라 나눈 정보수집용 사이버 무기체계, 공격용 사이버 무기체계, 방호용[25] 사이버 무기체계에 대해 살펴보기로 한다.

1. 정보수집용 사이버 무기체계

물리적인 환경에서의 정상적인 정보수집 활동은 국제법적으로 불법이 아니다. 그것은 사이버 공간에서도 통용된다. 그러나 정보수집이 법에서 금지하는 수단을 통해 수행될 경우에는 불법이라고 해야 할 것이다. 불법적으로 수집한 정보는 반드시 제2의 범죄로 이어지게 된다. 따라서 사이버 정보수집 활동도 공개정보에 대한 수집 활동은 보장되나 불법적인 정보수집 활동은 거부된다.

2017년 8월 미 육군은 중국 DJI사의 드론 제품을 군에서 사용하지 못하도록 지시하였다. 이 제품이 GPS정보, 실시간 (동)영상을 자국 및 어딘지 알지 못하는 전 세계에 퍼져있는 자사의 데이터센터에 자동전송 하는 것을 알았기 때문이다. 미군이 운용하는 DJI사 드론을 통해 수집되는 정보와 드론에서 발생 되는 정보가 항상 중국 측에 전달된다는 것때문에 이를 통해 미군의 주요 군사 활동과 정보가 중국에 보내진다는 사실이 우려되었기 때문이다.[26] 이처럼 세계 각국은 사이버전을 위한 준비활동을 통해 대상국의 다양한 정보를 수집하고 있다.

정보수집용 사이버 무기체계는 Zeroday Attack용 무기체계, 사회공학적 자료수집용 무기체계, 침해 징후 경고용 무기체계, 취약점 식별용 무기체계, 상황인식용 무기체계, 이상 상태 추론용 무기체계로 소분류된다.

① 'Zeroday Attack'은 최근 각광 받는 공격방법이다. 모든 운영체계에는 취약점이 있다. 취약점이 발생할 경우 체계는 패치를 하여 취약점을 보완하고 그 내용을 공개한다. 그러나 개별 컴퓨터에 적용되는 패치는 반응이 늦을 수밖에 없다. 이는 알려진 취약성을 즉각적으로 패치하는 개인이나 조직이 많지 않기 때문이다. 미 NSA는 이러한 공격방법에 적극적으로 대응하기 위하여 Zeroday Attack을 위한 자료를 공식적, 비공식적으로 수집하고 있다.

② '사회공학적 자료수집'은 공격자를 특정하거나 공격할 대상의 취약성을 찾아내기 위해서 반드시 필요한 과정이기 때문에 이를 위한 무기체계는 앞으로도 계속 발전할 것이다. 개인정보를 보호하기 위한 노력과 찾아내고 이용하기 위한 싸움에서 유용한 무기체계이다.

③ '침해 징후 경고용 무기체계'는 피 · 아 공히 정보수집 활동이 적극적으로 전개될 때 그것

을 회피하고 찾아내어 경고하고 역이용하기 위한 무기체계로 전략 및 전술적으로도 반드시 필요하다.

④ '취약점 식별용 무기체계'는 체계의 취약점을 적의 입장에서 식별하는 무기체계이다. 특히 Zeroday Attack의 관점에서 끊임없이 아군의 취약점을 식별하는 것은 군의 일상이라고 할 수 있다.

⑤ '상황인식용 무기체계'는 동시다발적인 사이버 상황의 인식에서 혼란을 방지하기 위한 무기체계이다. 상황이 동시다발적으로 발생했을 때 시간대별로 지역별로 대상별로 공격의 유형을 분석하고 정리하여 인식하는 것은 대응의 절차와 수준을 결정할 때 용이하게 사용될 것이다.

⑥ '이상상태 추론용 무기체계'는 정밀한 사이버 공격 시에 사이버 상의 이상 징후도 매우 미약할 것(또는 전혀 없거나)이므로 작은 이상 징후도 놓치지 않기 위한 무기체계이다. 특히 이 무기체계는 침해 징후를 경고해 주는 것과는 다르게 작은 이상 징후에 대한 경고와 빈도, 사례를 분석하는데도 용이하게 적용될 것이다.

정보수집용 사이버 무기체계는 사이버 무기체계 개발의 개념 설계와 기획 단계에서 개발 방향과 사이버 활동의 기법과 기술, 물리적 환경을 이용할 방법을 구상하는데 사용될 것이다.

2. 공격용 사이버 무기체계

사실 가장 큰 사이버 위협은 대량살상이나 대량 붕괴가 아니라 정밀한 붕괴, 즉 통제된 사이버 정밀공격이다. 이러한 공격은 새로운 정보사회의 특성을 활용하여 공격자의 실체는 감추거나 오랜 세월이 지나서야 밝혀지게 되고 상대방에게는 치명적인 피해를 강요하게 된다. 이에 반하여 동일한 효과를 얻고자 할 때 전통적인 행위자는 전통적으로 대량살상무기로 지정된 무기를 포함한 전통적인 무기를 선택할 가능성이 더 높다.

공격용 사이버 무기체계는 물리적 무기체계와 연동되는 무기체계, 잠복 · 대기형 무기체계, 폐쇄망용 무기체계, 침입 후 조종 가능형 무기체계, 로봇형 무기체계, 지속적인 변종 생성형 무기체계, HW 공격용 나노형 무기체계로 분류할 수 있다.

① '물리적 무기체계와 연동되는 무기체계'는 향후 전쟁은 사이버전과 물리전이 동시에 이루어질 것을 고려한 무기체계이다. 물리적인 무기체계도 점차 첨단화되면서 모든 통제가 사이버 공간에서 이루어질 것이다. 따라서 사이버 공간과 물리적인 차원의 공격은 연동되고 통합되어 동시 통합작전에 운용될 것이기 때문에 필요한 무기체계이다.

② '잠복 · 대기형 무기체계'는 물리적인 무기의 SW나 일반 전산장비에 미리 침투하여 공격자의 명령을 대기하거나, 대상자의 특정한 상황이 발생할 때까지 잠복하다가 동시에 특정 임무를 수행하는 무기체계이다. 이 무기체계에는 적의 탐지기술에 대응하는 은닉기술이 필수적으로 필요하게 된다.

③ '폐쇄망용 무기체계'는 폐쇄망은 안전하다는 믿음을 갖고 있기 때문에 그 공간의 사용자는 오히려 많은 자체 취약점을 가지고 있다는 현상을 고려하여 구상되었다. 따라서 폐쇄망에 대한 공격자의 도전은 계속되고 있으며 최근 북한에서는 그러한 공격능력을 확보했다고 알려지고 있다.[27)]

④ '침입 후 조종 가능형 무기체계'는 잠복 · 대기형이 사전 약정된 상황이나 조건에 따라 움직이는 피동형 무기라고 한다면 이 무기는 능동형이라고 할 수 있다. 공격자에게 사전 약정된 조건의 도래를 신호하여 공격자가 능동적으로 조종이 가능하도록 하는 무기이다. 이는 상황변화에 대한 인간의 판단과 평가를 동시에 적용하면서 상황의 강약과 진퇴를 조절하기 위한 목적으로도 사용될 것이다.

⑤ '로봇형 무기체계'는 AI형 무기라고 할 수도 있는 것으로 적의 퇴치 활동에 능동적으로 반응하면서 자기 방호력을 가지고 목적을 달성하기 위한 무기이다.

⑥ 'HW 공격용 나노형 무기체계'는 물리적 무기와 사이버 무기체계의 경계에 존재한다. HW를 파괴하기 위해서는 프로그램에 의한 것도 가능하지만 극초소형의 무기가 적의 정밀한 무기체계에 침투하여 SW와 HW에 동시에 공격을 하게 된다면 적에게는 보다 심대한 피해가 될 것이기 때문이다.

⑦ '지속적인 변종 생성형 무기체계'는 방어자의 즉각 대응에 대하여 지속적인 공격력을 유지

하기 위한 체계이다. 체계 취약성에 대한 방어자의 패치는 공격자에게는 치명적이다. 따라서 방어자의 패치가 적용되면 스스로 변종을 만들어 임기응변함으로써 최초의 목적을 달성하거나 바뀐 상황에 대한 목표를 수정하고 대상에게 최대의 피해를 강요할 수 있는 무기체계이다.

【표 4-5】는 지속적인 변종 생성형 무기체계인 랜섬웨어가 2017년 이후 얼마나 많이 식별되었고 어떤 특징을 나타내고 있었는지, 그리고 사이버 공간에서 얼마나 많이 활동하고 있고 얼마나 많은 변종을 생성하고 있는지 알 수 있도록 정리한 것이다.

【표 4-5】 2017년 이후 식별된 랜섬웨어의 종류별 특징

종류	시기	특징
Venus Locker	2016	• 바로가기 파일 클릭 시 문서 파일로 위장된 실행 파일 작동 • 2016년 말부터 유포가 시작된 국내 맞춤형 랜섬웨어 • 주요기관과 기업 겨냥 지속 발전, 2017년 상반기에만 3가지 변종 유포 • 한국어를 사용한 정교한 사회공학적 기법, 이메일로 유포
Locky	2016.2.	• MS Office 기능을 이용해 감염되는 랜섬웨어
Satan	2017.1.	• 서비스형 랜섬웨어 • 랜섬웨어 코드 제작자에게 누구나 랜섬웨어 코드를 제공 받아 공격 후 수익 배분
KillDisk 변종		• 리눅스를 타겟으로 하는 변종 • 리눅스 랜섬웨어의 등장은 2015.11월 리눅스 Encoder가 최초 • 복호화 비용 222 Bitcoin(당시 한화 약 2억 7천만 원) 요구 • 대부분 비용을 지불해도 복호화 불가능
Cryptoshield	2017.2.	• Cryptomix 변종으로 RIG Exploit kit을 이용하여 유포 • 웹 사이트에 포함된 광고 서버를 해킹하여 유포
Sage		• 이메일 내 악성 자바 스크립트 첨부 파일 형태로 전파 • 컴퓨터 시스템의 Key board Layout을 검사하여 러시아 등의 언어로 설정된 경우 공격 미실행 • 암호화된 파일의 확장자명(.sage)
Erebus		• 컴퓨터의 사용을 기록하는 Event Viewer를 이용하여 관리자 권한 탈취 후 랜섬웨어 유포 • 감염 시 Windows 복원 불가

종류	시기	특징
PetWrap	2017.3.	• Petya의 암호화 기능을 활용한 랜섬웨어 • 음성 인식 기능을 탑재한 Android용 랜섬웨어 • 기존 Petya와는 다른 자체 암호 Routine 사용 • PC 피해 정도를 판단하거나 복구하는 것이 힘들도록 기존 Petya 감염화면인 해골을 보여주지 않음
Revenge		• Cryptomix 변종으로 RIG Exploit kit와 결합한 랜섬웨어, 한글 지원
WannaCryptor	2017.4.	• 2017. 5.12 전 세계적으로 WannaCry 사태 유발 • 미 NSA가 보유한 Zeroday 취약점이 'Shadow Brokers'라는 해킹그룹에 유출되어 발생 • Windows SMB 취약점을 사용하여 Worm 형태로 네트워크에 전파
AutoCryptor	2017.5.	• 기존 Venus Locker 방식처럼 한글 이메일로 유포 • 기존 암호해독 비용의 1/10에 불과한 0.1 Bitcoin 요구(저렴한 몸값)
Matrix	2017.5.	• 홈페이지 방문만으로 감염되는 Drive by Download 기법과 결합된 랜섬웨어 • 감염된 PC 사용자의 IP가 아동 음란물 사이트 등에 접속하여 미국 연방법을 위반하였기 때문에 모든 중요 파일들을 암호화하였고, 벌금을 내야한다고 경고 • 기존 다른 랜섬웨어와 달리 암호화된 확장자가 비 변경
Erebus 변종	2017.6.	• 국내 웹 호스팅업체 '인터넷 나야나'의 랜섬웨어 감염시 기존 Windows 대상이 아닌 리눅스에서 동작하는 변종 사용 • 암호화된 파일의 확장자명(.encrypt)
Petya 변종		• WannaCry이후 SMB 취약점을 이용한 랜섬웨어, PC 부팅 방해
NotPetya		• 기업을 표적으로 하는 랜섬웨어 • Petya는 스팸메일 내 첨부 파일 실행을 통해 감염되는 반면 NotPetya는 사람의 개입 없이 악성코드를 유포하는 다양한 방법을 가지고 있으며, SMB뿐 아니라 다른 파일까지 암호화하는 등 감염 방식 정교
Defray	2017.8.	• 특정 산업(의료, 교육, 제조, 기술업계)을 타겟으로 한 공격 • MS Windows 문서가 첨부된 위장 해킹 메일 발송, 첨부 파일 실행시 동작
SCARAB		• 확장자가 존재하지 않는 경우에도 암호화 수행, 부팅에 필요한 C:\경로의 Windows 시스템 파일까지 암호화하여 PC 실행 불가능 • 파일에 대한 암호화가 완료된 이후 감염 알림 메시지를 출력함과 동시에 Windows OS 종료 • 암호화 파일의 확장자명(암호화된 파일명+해커의 이메일 주소.scarab)
WannaCry (모바일)	2017.9.	• Android Robot Icon을 가진 앱 • 위장 앱 실행시 SD카드 내 존재하는 모든 파일을 암호화하며 메신저를 이용, 직접 연락을 취해 복호화 금액 지불 요구
Princess 변종		• Browser Exploit kit인 테러 Exploit kit와 만나 재유포('16. 9월에 최초 등장) • 한국어를 포함한 12개국 언어 지원

<table>
<tr><th>종류</th><th>시기</th><th>특징</th></tr>
<tr><td>Bad Rabbit</td><td rowspan="3">2017.10.</td><td>• 기업을 표적으로 하는 랜섬웨어
• NSA와 관련 있는 해킹 Tool, Eternal Romance를 활용하여 제작
• NotPetya와 공격 유사성 때문에 동일한 공격자(깊은 연관성) 추정</td></tr>
<tr><td>Halloween</td><td>• 10월 31일 할로윈데이 시점에 발견
• 현재도 지속적으로 변종 제작 및 업데이트 중</td></tr>
<tr><td>Magniber (My Ransomware)</td><td>• 한국어를 기반으로 한 국내 사용자 대상 랜섬웨어로 변종 제작 추정
• 내부 전파기능 없고, 악성 광고페이지 노출처럼 다운로드 방식 감염</td></tr>
<tr><td>GandCrab</td><td>2018.4.</td><td>• 컴퓨터 파일 암호화 후 해독키 제공 대가로 가상통화(Dash Coin) 요구
• 암호화가 완료된 파일 확장자 변경(.CRAB)
• 암호화 폴더에 복호화 방법이 기술된 랜섬노트 생성(CRAB-DECRYPT.txt)
• 감염기기 식별을 위해 Host 정보 탈취
• 암호화를 위해 특정 프로세스 종료
• 악성 이메일을 발송하여 첨부파일을 열어보도록 유도하는 방법으로 감염</td></tr>
<tr><td>SamSam</td><td>2018.6.</td><td>• 애틀란타 주의 IT 네트워크, 병원, 시의회 등을 공격한 악명 높은 랜섬웨어
• 이는 랜섬웨어 제작자들이 의도한대로만 랜섬웨어를 실행하도록 하는 새로운 보호 매커니즘
• 주로 대기업이나 정부기관의 프라이빗 네트워크를 해킹 후에 배포하는데, 이로 인해 스팸 이메일이나 웹에서 샘플을 쉽게 찾아볼 수 없음</td></tr>
<tr><td>Kraken Cryptor (변종 포함)</td><td>2018.9.</td><td>• 보안프로그램으로 위장한 랜섬웨어
• 공격자들은 Kraken Cryptor 랜섬웨어를 superantispyware.com 사이트의 접근권한을 통해 배포
• 정식 프로그램에서 ‘s’를 추가한 ‘SUPERAntiSpywares.exe’라는 가짜 실행 파일을 배포
• 랜섬웨어가 실행되면 ‘C:\ProgramData\Safe.exe’를 실행하여 감염 PC의 이벤트 로그를 C:\ProgramData\EventLog.txt로 저장하고, 구성 파일과 비교
* 구성파일에는 중지할 프로세서, 공개키, 공격자 연락처, 랜섬 가격, 확장자, 제외 파일 및 폴더, 제외 국가 및 언어 등 포함
• 감염 PC의 언어, 위치(국가), 확장자를 확인하여 ‘00000000-Lockonion’ 형식으로 암호화 진행
* 파일명의 숫자는 파일이 암호화 될 때마다 증가</td></tr>
<tr><td>Anatova</td><td>2019.1.</td><td>• 탐지 회피를 위해 암호화 시작, 백업 파일은 10번 덮어쓰기로 복구 불가 상태로 전환
• 난독화 기능이 뛰어나고 네트워크 공유자원까지 감염
• 모듈 구조로 되어있어 공격자들이 추가로 기능을 덧붙일 수 있는 점도 위협적으로 작용
• 랜섬웨어 샘플마다 고유한 키를 가지고 있기 때문에 마스터키 부 존재</td></tr>
</table>

종류	시기	특징
Clop	2019.2.	• 중앙 관리 서버(AD서버)를 악용해 랜섬웨어(Clop) 감염 • 공격자는 중앙 관리 서버에 침투한 후 관리서버에 연결된 시스템에 랜섬웨어를 삽입 및 감염 • 랜섬웨어는 사용자의 파일을 암호화한 후 복호화를 위해 공격자의 이메일로 연락을 취할 것을 요구 • 피해 시스템의 주요 파일 암호화 및 확장자 변경(.Clop) • 암호화 폴더에 복호화 방법이 기술된 랜섬노트 생성(ClopReadMe.txt)
sodinokibi	2019.4.	• 공개된 취약점(CVE-2019-2725)을 악용 • 사용자 디렉터리의 데이터 암호화, 섀도 복사본 백업을 삭제하여 데이터 복구를 더 어렵게 전환 • 기존 GandCrab 랜섬웨어와 유사한 방식으로 Sodinokibi 랜섬웨어 유포 • 한글로 작성된 메일 내부에 정상파일로 위장한 랜섬웨어 열람 유도 • 랜섬웨어는 사용자의 파일을 암호화한 후 복호화를 위해 가상화폐 요구 • 피해 시스템의 주요파일 암호화 및 확장자 변경(.[random]) • 암호화 폴더에 복호화 방법이 기술된 랜섬노트 생성([random]-readme.txt)

3. 방호용 사이버 무기체계

방호는 우리 체계의 생존성을 증대시키고 침해세력의 사이버 위협으로부터 기습을 방지하여 국가의 사이버 능력을 보존하기 위한 목적으로 수행된다. 방호용 사이버 무기체계는 공격 발생 즉시 공격자를 특정하기 위해 스모킹 건Smoking Gun을 찾는 DB구축으로부터 시작되며 감시기술 체계, 인증 및 인식 체계, 암호 체계, 특정 공격 대응 체계, 공격방지 체계, 포렌식 체계, 역추적체계, 피해평가체계, 사이버 지뢰 및 부비트랩 등이 있다.

① '감시기술 체계'는 적의 공격형 사이버 무기체계를 즉시 식별하거나 아군 체계의 피해를 즉시 식별해 냄으로써 전투지속능력을 확보하기 위한 무기체계이다.

② '인증 및 인식 체계'는 적을 식별해 내는 것 못지않게 아군임을 인증해 내는 것 또한 매우 중요하기 때문에 고안된 무기체계이다. 이것을 무기로 분류한 것은 적의 사회공학적인 공격에 효과적으로 대응하기 위한 것이다. 적이 사회공학적으로 찾아낼 수 없는 미세하지만 매우 특징적인 부분을 독자적 영역으로 구축하는 것은 방호에 매우 효과적이기 때문이다.

③ '암호 체계'는 정보보호의 가장 첨단이자 핵심적인 수단이다. 강한 내성을 가진 암호를

통해 피 · 아를 구별하는 것은 방호능력을 강화해 줄 것이다.

④ '특정 공격 대응 체계'는 사이버 공간에서 적이 기상천외한 방법으로 아군의 취약점을 찾아낼 것이기 때문에 이에 대응하기 위한 아군의 방법도 기상천외한 상상력을 동원해야 한다는 철학에서 출발한 무기체계이다. 따라서 다양한 공격 방식을 상정하고 시뮬레이션 할 수 있는 대응체계는 반드시 필요하다.

⑤ '공격방지 체계'는 적의 대규모 공격은 아무리 징후를 감추려 해도 반드시 노출될 것이라는 전제 하에 개념이 수립되었다. 따라서 대규모 사이버 공격을 방지하기 위한 사이버 방호 수단의 필요에 의해 고려되었다.

⑥ '포렌식 체계'는 적의 공격을 받은 후에 신속하게 공격자를 특정해 내야 하는 중요한 방호용 무기체계이며 전술한 필요성과 비례성을 위한 무기이다. 이 무기체계는 신속성에 주안을 두고 있기 때문에 빅 데이터와도 연관된다.

⑦ '역추적 체계'와 관련하여서는 대부분의 잠복 · 대기형 무기체계의 공격은 매우 은밀히 이루어지기 때문에 식별하기가 어렵다는 단점을 인식하는 것에서부터 시작된다. 그러나 식별된 후에는 그것을 즉시 공개하기보다는 공격자를 특정하고 그 의도를 평가하는 것이 더욱 중요하다. 더 나아가서 그 의도에 따라 아군이 역으로 이용할 가능성도 있기 때문이다. 따라서 은밀하게 공격자를 역추적하는 기술은 방호 및 역공격을 위한 핵심기술이다.

⑧ '피해평가 체계'는 얼마만큼 신속하게 그 피해규모를 특정하느냐 하는 것이 방호자의 사이버 능력을 가늠하는 지표가 된다는 생각에서 고안되었다. 사건발생 시 피해를 평가하고 그 규모를 산정할 때 시간은 방호자의 편이 아니기 때문이다.

⑨ '사이버 지뢰 및 부비트랩'은 적 공격 시 흔적 식별을 통해 자동으로 경고해 주는 매우 전술적인 무기체계이다. 공격자의 수준이 항상 최상일 수는 없기 때문에 간단한 사이버 기술을 이용해서도 방호를 효과적으로 해낼 수 있을 것이다. 따라서 공격자가 쉽게 접근할 수 있는 경로에 임기응변식으로 설치하여 사용할 수 있다.

공중 무기체계에 영문 약칭을 붙이는 명명법

영어권은 물론이고 서방측의 대부분의 나라들은 무기체계에 약칭을 붙인다. 그 이유는 일관성 있는 명명을 통해 무기체계의 성격을 규정하고 관리와 정비를 용이하게 하기 위함이다. 일반적으로 무기체계에 영어 약칭을 붙이는 명명법은 미국의 항공 및 우주장비 명명법을 따른다. 미국은 1962년에 육 · 해 · 공군 통합명명법을 제정하였다. 이전에는 같은 기종이라도 해군과 공군에서 부르는 명칭이 달라 혼란이 있었기 때문이다. 예를 들어 F-4(Phantom)는 해군에서는 F-4H라고 불렀고 공군은 F-110이라고 하였다. 같은 기종을 군에 따라 부르는 이름이 달라서 군수지원이 원활할 수 없었고 이는 막대한 국방의 손실로 이어졌다. 그래서 미국이 군용기와 항공 · 우주 장비의 제식 명칭을 정하는 방법을 규정한 것인데 이를 알면 해당 기종의 용도와 임무를 알 수 있다.

A : Attack 공격기
B : Bomber 폭격기
C : Cargo 수송기
D : Detector 탐색기
E : Electric Warfare 전자전기 또는 Early warning 조기경보기
F : Fighter 전투기
FB : Fighter-Bomber 전투폭격기
H : Helicopter 헬기
K : Kerosene 공중급유기
L : Liasion 연락기
M : Multy-Mission 다목적기
O : Observation 관측기
P : Patrol 초계기
Q : Unmanned Aerial Vehicle 무인기
R : Reconnaissance 정찰기
S : Anti-Submarine 대잠기
T : Training 훈련기
U : Utility 다목적기
V : Verical Takeoff & Landing 수직이착륙기
W : Weather 기상관측기
X : eXperimental 실험기
Y : Prototype 시제기

미 군용기는 기존 기체를 이용하여 다른 용도로 개발하는 경우 원래 이름 앞에 개량된 임무를 나타내는 기호를 붙인다.

AC : 수송기를 공격기로 개조
AV : 공격기에 수직이착륙기능 부여
RF : 전투기를 정찰기로 개조
OA : 공격기에 관측기 임무 부여
EF : 전투기를 전자전기로 개조
EP : 초계기를 전자전기로 개조
AH : 공격 헬리콥터
UH : 다용도 헬리콥터
RQ : 무인기에 정찰임무 부여

단, 임무명칭에 /를 붙이면 두 가지 임무를 동시에 수행한다는 것이다. F/A-18이 그렇다.

제4절 효과기반의 피해 범주에 따른 피해등급 분류

사이버 피해는 상대적이다. 어떤 사이버 무기체계의 기획 의도는 매우 커다란 피해를 목표로 하였으나, 상대방의 대비태세가 철저하고 해당 취약점에 대하여 잘 알고 있는 요원이 있다면 그 사이버 무기체계는 최초의 목적을 달성하지 못하게 된다. 반대로 어떤 초보적인 해커가 사이버 무기체계라고 명명하기도 어려운 간단한 악성코드를 제작하여 재미로 뿌린 것이 오랜 시간 동안 많은 피해를 유발하기도 한다.

워너크라이(WannaCry)

WanaCryptor 2.0은 2017년 5월 12일부터 대규모 사이버 공격을 통해 널리 배포되어 전 세계 99개국의 컴퓨터 12만 대 이상을 감염시켰다. 워너크라이 공격으로 스페인(텔레포니카), 영국(국민건강서비스 : NHS), 페덱스, 도이체반 등의 대기업이 피해를 보았으며, 러시아 내무부, 방위부, 통신사 메가폰도 피해를 보았다. 이러한 공격 때문에 마이크로소프트사는 Windows XP 이상의 오래된 미지원 운영체제에 대한 업데이트를 제공하는 이례적 조치를 취했다. Kaspersky lab과 몇몇 사이버 전문가들은 워너크라이의 배후에 북한이 있을 거라고 생각하고 있다. 대규모 공격 이틀째인 5월 13일, 트위터 계정으로 '@멀웨어(Malware)techblog'라는 이름의 사이버 보안 전문가가 미국 보안업체 프루프포인트의 다리엔 후스 등 다른 이들의 도움을 받아 워너크라이 랜섬웨어의 Kill switch를 발견했다. 워너크라이 랜섬웨어의 악성코드를 분석한 결과 이 코드가 특정 도메인에 접속을 시도하며, 이 도메인은 등록돼 있지 않아 활성화되어 있지 않은 점을 발견했다. 여기에 주목한 전문가는 10.69달러를 등록비로 내고 도메인을 등록해 활성화한 후, 미국 LA에 있는 서버가 이 도메인 이름을 쓰도록 했다. 정보 분석 결과 워너크라이 랜섬웨어는 만약 도메인 주소가 활성화돼 있지 않으면 확산 활동을 계속하고, 도메인 주소가 활성화돼 있으면 스스로 전파를 중단하는 것으로 나타났다. 실제로도 도메인 이름이 활성화된 후부터 워너크라이 랜섬웨어는 스스로 전파를 중단하기 시작했다. 때문에 워너크라이 랜섬웨어 제작자는 원하는 경우 확산을 중단할 수 있도록 도메인 이름으로 된 Kill switch를 넣어 악성코드를 설계한 것으로 추정되었다. 도메인 이름을 등록한 보안전문가는 〈데일리 비스트〉와의 인터뷰에서 "(도메인 이름이) 등록돼 있지 않은 것을 보고 내가 등록해야겠다는 생각을 했다"며 등록하자마자 "즉각 초당 5,000~6,000건의 접속이 이뤄지는 것을 봤다"고 설명했다. 또 "도메인 이름을 등록할 당시에는 이렇게 하면 확산이 중단될 것이라는 사실을 몰랐고, 그런 면에서는 우연히 발견한 것이라고 할 수 있다"고 설명했다. 우리나라도 고려대학교 전산실에서 전 국민을 대상으로 대응방책을 즉각 전파하였고 그로 인하여 대규모 피해를 미연에 방지할 수 있었다.

– 워너크라이 : https://ko.wikipedia.org/wiki/2018.10.2. 검색

또한 사이버 무기체계의 등급은 전술한 바와 같이 각국이 은밀하게 개발하기 때문에 물리적인 무기체계와 같이 공개적인 기준을 제시할 수도 없다. 물리적인 무기체계라면 수류탄은 수류탄으로 핵무기는 핵무기로 대응할 수 있을 것이지만 사이버 무기체계는 물리적인 무기체계와는 완전히 다른 속성을 가지고 있기 때문이다. 이는 대응 태세를 갖추어야 하는 조직에게는 매우 커다란 난관이 될 수밖에 없다. 대응이란 비례성과 필요성에 따라 수행된다고 전술한 바 있는데 이는 기준이 있어야 한다는 전제를 깔고 있는 것이다.

그러나 사이버 무기체계는 은밀성과 비공개성으로 인하여 합의된 기준이 없기 때문에 기준을 제시하고 등급을 분류하는 것은 불가능하다는 결론에 도달하였다. 따라서 사이버 무기체계의 등급 분류기준은 지금까지 각국에서 피해를 산정할 때 일반적으로 평가하는 피해의 범주를 그 기준으로 삼아 【표 4-6】과 같이 총 7가지의 범주로 구분하였다.

이는 효과에 기반한 피해의 범주에 따라 피해등급을 가지고 분류하는 것이 가장 합리적이라는 판단에서이다. 그러나 사이버 무기체계를 사이버 무기체계로만 대응한다는 것은 용납될 수 없다. 물론 사이버는 사이버로 대응할 수 있다면 바람직하겠으나 사이버 공간의 특성상 북한과 같이 공격자가 타국에서 공격 활동 후 그 접점을 제거하고 자국으로 복귀한다거나, 또는 공격한 국가의 사이버 공간과 네트워킹 수준이 피해국의 수준에 훨씬 못 미쳐서 도저히 피해 수준과 동일한 공격 효과를 달성할 수 없다면, 사이버로 대응한다는 것은 매우 불리할 뿐만 아니라 국민감정이 용납하지 않을 것이기 때문이다. 따라서 사이버 공격에 대한 대응 활동은 비례성과 필요성에 따른 물리적인 공격도 포함되는 것이 타당하다고 판단된다. 【표 4-6】은 적의 공격 효과에 대하여 피해자의 수 등 피해 범주에 따라 피해등급을 분류하는 기준을 제시한 표이다.

【표 4-6】 효과기반의 피해 범주에 따른 피해등급 분류

피해 등급	피해자 수 (명)	피해 PC (대)	피해 Server (대)	유출된 개인 정보의 종류 *	누설된 비밀등급	금전적 피해 (달러)	피해 국가
1	1백	1백	1	1	Ⅲ	10만	1
2	1천	1천	3	2	Ⅲ	100만	5
3	1만	5천	5	3	Ⅲ	1천만	10
4	10만	1만	10	4	Ⅱ	1억	15
5	1백만	5만	30	5	Ⅱ	50억	20
6	1천만	10만	50	6	Ⅱ	100억	30
7	5천만	50만	100	7	Ⅱ	1천억	40
8	1억	1백만	300	8	Ⅱ	1조	50
9	3억	5백만	500	9	Ⅰ	5조	100
10	5억	1천만	국가급 IDC전체	10	Ⅰ	10조	150

* 개인정보의 종류는 이름, 전화번호, 주소, 주민등록번호(여권번호, 생년월일 등), 신체/생체정보, 가족관계, 금융계좌, ID/PW, 출신학교, 직장/직급 등 사회공학적인 정보를 포함한다.

1. 피해자의 수

이는 사이버 공격을 통해 직접적으로 피해를 받은 사람의 수를 나타내며, 간접적인 피해는 포함하지 않았다. 그 이유는 간접적인 피해까지를 포함할 경우 너무 범위가 확대되고 피해 산정의 기준이 상황에 따라 달라질 수 있기 때문이다. 현재까지 최대 피해를 유발한 사건은 2003년 8월 14일 오후 4시 11분에 북미에서 발생한 대규모 정전사건이다.[28] 미국의 미시간, 오하이오, 뉴욕 등 동북부 8개 주와 캐나다 퀘벡 등 2개국 9개 주의 93,000mile² 지역에 6,180만kw의 전기 공급이 중단되었다. 정전기간 동안 항공기를 포함한 대중교통 중단과 상업활동 중지 등으로 인하여 약 60억 달러의 금전적인 피해가 발생하였다.

다행히 전력공급은 3일 만에 상당 부분 복구되었다. 이 당시 지하철 등 대중교통은 마비 수준이었고, 통근 열차도 운행을 중단하였다. 택시 요금은 16배가 뛰었고 휘발유 가격은 24% 급

등하였다. 교차로의 신호등이 멈추어 경찰들의 수신호가 필요하였고, 촛불사용으로 인한 화재의 급증으로 소방관들은 5,000회 이상 출동하였다. 이동전화망은 작동을 멈추었고, 자동차와 반도체 공장들은 문을 닫았다. 정전으로 상하수처리를 할 수 없어서 수돗물도 정상적으로 이용할 수 없었다.

이상의 피해를 평가해 보면 사이버 공격을 통해 받은 직접 피해는 전기공급 중단과 그 피해자 5,500만 명, 금전적인 피해액 60억 달러이다. 그 외의 상황은 2차적인 피해라고 볼 수 있다. 따라서 이 사이버 공격에 의한 피해는 피해자 수와 금전적인 피해를 기준으로 사이버 무기체계의 등급을 정한 결과 피해자 수는 피해등급 8등급 수준이고, 금전적인 피해는 피해등급 6등급 수준이다. 따라서 가장 피해가 큰 항목을 기준으로 평가한 결과 그 등급은 피해등급 8등급으로 분석하였다. 피해자의 수를 최대 5억 명으로 제시한 이유는 중국이나 인도와 같은 인구 밀집 지역의 경우를 고려하였기 때문이다.

2. 피해 PC의 수

피해 PC의 수에는 좀비 PCZombie PC로 사용된 것을 포함한다. 본래 소유자의 의도와 다르게 공격자의 악의적인 목적에 사용되었으므로 좀비 PC는 피해 PC로 보는 것이 타당하다고 할 것이다. 지금까지 가장 많은 PC 감염사례는 2001년 7월 19일에 발생한 '코드 레드Code Red'[29] 웜으로 9시간 만에 PC 359,000여 대를 감염시켰고, 8월 4일에는 변종Code Red-II이 발견되어 최종적으로 100만 대 이상의 PC가 감염된 것으로 파악되었다. 이로 인해 발생한 금전적인 피해액은 26억 달러였다.

이 사이버 무기체계는 역대 최악의 10대 바이러스에 꼽힐 만큼 치명적이다. 코드 레드는 네트워크 서버와 인터넷을 통해 전파되었다. 이 웜은 마이크로소프트사의 IIS 웹 서버에서 작동하는 컴퓨터를 목표로 했기 때문에 IIS 운영체계의 취약점을 공략할 수 있었다. 그러나 아이러니는 마이크로소프트사가 이미 보름 전에 그 취약점을 해결한 패치를 발표하였다는 것이다. 결국 패치를 발표하였으나 사용자가 수정하지 않은 Zeroday Attack을 이용한 공격이었던 것이다.

이 웜은 미 백악관의 웹 서버 등 특정 IP에 대한 디도스 공격도 감행하였다. 이 사이버 무기체계는 한 달 만에 한국에도 영향을 미쳐 전국 13,000여 개 기관민간기업 6,020개 포함과 40,000여 대의 서버에 침입하였다.[30] 이상의 피해를 평가해 보면 최초 피해 PC는 피해등급 6등급이었으나 변종 발생 이후에 100만 대로 증가하였으므로 최종평가는 피해등급 8등급으로 평가되었다. 이는 최초 평가된 피해등급도 시간이 지남에 따라 피해 규모가 달라지면 상향조정될 수 있다는 것을 의미한다.

3. 피해 서버의 수

서버의 용량은 통상 TB단위로 구분하며 서버 한 대의 기본 용량은 통상적으로 10TB로 본다. 그러나 데이터센터와 같이 대량으로 데이터를 저장하는 곳에서는 평균적으로 100~1,000TB급의 서버를 사용한다. 우리나라 과학기술정보통신부가 발표한 2, 3, 4G를 포함한 이동전화 단말기별 트래픽 현황 자료에 의하면 2017년 기준 월평균 1인당 데이터 사용량은 5.22GB였다.[31] 이를 우리나라 국민 약 5,000만이 사용하는 총 데이터 양으로 환산하면 261PB가 된다. 이는 500TB용 서버 522대에 해당하는 용량이다. 따라서 1개 중견 국가의 1년치 데이터를 저장할 수 있는 국가급 데이터센터의 총 용량을 약 300PB500TB급 서버 522개를 기준으로 설정하였다. 피해 서버 1대의 기준 용량은 500TB로 한다.

2011년 4월 12일에 발생한 한국 농협은행 전산망 마비 사태는 농협은행의 서버를 파괴시킨 사건이다. 공격자는 2011년 4월 12일에 공격 명령을 내렸고, 1차 공격을 받은 전산망 서버들이 좀비 컴퓨터로 변하여 다른 서버들을 잇달아 공격하였다. 이로 인해 서버 273대가 파괴되었다. 이때 피해를 입은 서버의 용량을 현재 정확히 확인할 수는 없으나 통상적인 서버 용량인 10TB로 가정할 경우 500TB 서버를 기준으로 하면 5.4대100TB로 가정할 경우 54대가 되고 이를 피해등급으로 따지면 4등급54대일 경우 피해등급 7등급으로 평가된다.

4. 유출된 개인정보의 종류

개인정보는 이름, 전화번호, 주소, 주민등록번호여권번호, 생년월일 등, 신체 · 생체정보, 가족관계, 금융계좌, ID · PW, 출신학교, 직장 · 직급 등 사회공학적인 정보를 포함한다. 개인정보는 사이버 무기체계를 사용하기 전에 사전 준비작업을 하는 과정이나 SNS를 통해 수집되기도 한다.

최근 개인정보의 비식별화에 대한 논의가 활발한 것은 개인정보가 식별되면 정교한 공격을 위한 발판을 제공하기 때문이다. 따라서 개인정보는 어떤 정보가 더 중요하고 어떤 정보는 덜 중요하다고 볼 수 없고 개인정보의 개수와 이의 통합적인 적용이 중요하다고 할 것이다.

5. 누설된 비밀의 등급

초연결사회에 진입하는 시점에서 전 세계는 모든 체계가 연결되는 추세이다. 그럼에도 불구하고 국가 및 국방 관련 비밀은 반드시 보호되어야 한다. 통상적으로 비밀은 폐쇄망 안에서 유통되기 때문에 쉽게 누설될 가능성은 없다. 그러나 사회공학적인 또는 심리적인 방법을 사용하여 정보수집용 악성코드를 삽입하고 비밀을 빼내려는 수법은 날로 교묘해지고 있다.

2008년 8월 10일 미국에 적대적인 세력이 아프가니스탄 내 미군의 중부사령부 주차장에 USB를 유기하였다. 어떤 미군 한 사람이 이를 습득하여 군사 기밀망에 삽입하였고, USB에 잠복해 있던 정보수집용 악성코드는 미군 기밀망에 침입할 수 있었다. 이 악성코드를 제작한 간첩은 전파를 이용하여 수 마일 이격된 곳의 멀웨어와 통신을 통해 군사 기밀망의 기밀을 빼가려고 했던 것이다. 이 악성코드는 스스로를 복제하여 다른 두 곳의 군사 기밀망에도 출현하였다.

그러나 군사 기밀망을 관제하던 미 NSA의 신속한 조치로 기밀누설을 미연에 방지할 수 있었다. 이후 미군은 2008년 11월 전 세계의 군사용 컴퓨터에 USB 드라이브 사용을 금지하도록 지시하였고 미군에 사이버사령부가 창설되는 계기가 되었다.[32)]

이처럼 유출된 비밀등급은 중요한 피해산정의 기준이 된다. 일반적으로 일국의 군사력을 비교[33] 하는 기준인 인구 1,000명당 상비군 수를 비교해 보면 0.1(부탄 등)~46명(북한)까지 분포되어 있고 그 중간은 벨기에로 3.7명이다. 벨기에 병력은 139,760명이다.

상비군들이 운용하는 비밀은 통상적으로 Ⅰ급 비밀에서 Ⅲ급 비밀까지이다. 그 중 Ⅲ급 비밀의 수가 가장 많다고 할 수 있겠다. Ⅰ급 비밀은 국가 및 군의 최고 수뇌부들만이 볼 수 있을 것이고, 그 숫자 또한 많지 않다. 반면 Ⅲ급 비밀은 많은 수의 군인들이 일상적으로 활용하는 비밀이다. 비밀이 누설되면 1차적으로 군인들에게 피해가 돌아간다. 물론 전쟁으로 전환된다면 국민 전체에게 피해가 확산되겠지만 우선적인 피해자는 군인일 것이다.

그렇다면 사이버 공격으로 인한 국방 비밀누설 시 피해자 수를 1만 명이라고 했을 때 모든 나라의 평균적인 군인 숫자인 벨기에군의 10% 이하에 해당된다. 이 규모를 Ⅲ급 비밀누설에 의한 피해자로 기준하였다. Ⅱ급 비밀이 누설된 경우는 군사력 비교표 중 군 보유 100만 명 이상의 국가가 전체 국가의 10%인 15개국인 점을 고려하여 Ⅱ급 비밀누설의 피해자 수를 10만 명으로 평가하였다. Ⅰ급 비밀누설 피해는 영향정도의 심각성으로 보아 피해등급 9등급 이상으로 평가하였다.

6. 금전적인 피해

2000년 이후 지금까지 발생한 사이버 피해 사례 중에서 금전적으로 최고의 피해를 유발한 악성코드는 2004년 1월 18일에 등장한 '베이글Bagle'이다. 이 악성코드는 이메일의 첨부 파일로 사용자 체계를 감염시킨 후 복제용 이메일 주소를 Windows에서 검색하여 감염시키고, 시스템의 데이터 접근을 위해 TCP 포트에 백도어를 제공하기 때문에 위험성이 크고 100여 종의 변종도 발생하였다. 이 악성코드는 공격자에게 '자기 과시'와 '금전적인 이득'이라는 범죄자의 굴레를 추가한 것이다.

이 악성코드는 2004년 1월 28일 이후에 활동이 중지되도록 되어 있었으나, 그 후에도 연이어 다양한 변종이 등장하면서 지금까지도 활동을 계속하고 있다. 이 악성코드가 유발한 금전적인 피해는 수천만 달러에 이르는 것으로 평가된다. 이를 기준으로 '베이글'에 의한 피해를 피해등급 8등급으로 평가하였다.

7. 피해 국가의 수

전 세계 모든 국가는 네트워크로 연결되어 있다. 이것은 한 국가의 피해는 곧 연결된 모든 국가의 피해가 된다는 것이다. 2017년 5월 12일에 발생한 북한발 악성코드 '워너크라이'는 피해 국가 수가 가장 많은 악성코드 사건이다. 워너크라이 공격으로 스페인의 Telefónica, 영국 국민건강서비스 업체인 NHS, 독일의 도이체반 등의 대기업이 피해를 당하였고[34] 전 세계 150여 국가에서 많은 컴퓨터가 공격 대상이 되었다고 밝혔다.[35]

이 악성코드는 2017년 4월 14일 해킹그룹 'The Shadow Brokers'가 'EternalBlue'라는 MS Windows의 파일 공유에 사용되는 SMBServer Massage Block의 원격 코드 취약점을 이용한 것으로 이메일 첨부 파일로 유포되는 일반적인 악성코드와 달리 인터넷 접속만으로도 감염되었다.[36] 문서, 압축파일, DB파일, 가상머신파일 등을 암호화하였고 28개국의 언어로 300~600달러의 비트코인을 요구하였다.

다행스럽게도 5월 13일 이 악성코드의 Kill Switch가 발견되었고, 마이크로소프트사의 MS17-101 취약점 패치를 통해 예방이 가능하게 되었다. 감염 사례는 전 세계에서 발견되었으나 특히 유라시아러시아, 유럽, 인도, 미국, 대만 등 대륙에 집중되었다. 지금까지 발견된 변종만 500개 이상안랩 위협분석 시스템 ASD 분석기준인 것으로 보고되었다.

피해 국가 수를 기준으로 하면 150개 국가 이상에 피해를 유발한 악성코드는 EMP사이버계의 핵무기[37] 수준으로 평가되어야 한다. 150개국은 2020년 6월 현재 UN 회원국 193개국의 70%에 해당하는 수준이다.[38] 따라서 이 악성코드는 일부 인터넷이 원활하지 않은 나라를 제외한 전 세계가 피해를 입은 것으로 피해등급 10등급으로 평가되었다.

사이버 기술이 발달해 감에 따라 특정한 국가 또는 한 기업만을 대상으로 하는 공격[39] 이 가능한 사회가 되었다. 따라서 피해등급 1등급은 피해 국가로만 평가하여 1개국으로 한정하였고, 인터넷으로 네트워킹되는 현 상황에 비추어 20개국 이상이 피해를 입을 경우 피해등급 5등급을 적용하였다.

군사안보지원사령부 정보보호인증센터

군사안보지원사령부 정보보호인증센터에서 현재 우리나라에서 운용되는 물리적인 무기체계의 SW를 대상으로 보안성 검증을 시범적으로 수행한 후 2018년 6월 제5회 방산보안 워크숍을 통해 결과를 발표하였다. 군사안보지원사령부는 먼저, 무기체계에 삽입된 SW가 기본적인 보안 요소도 지키지 않은 사례가 다수 발견되었다는 것을 지적하면서, 과거 무기체계와 최신 무기체계의 첨단화 수준을 SW 사용량을 통해 단적으로 설명했다. 과거 F-4전폭기는 SW가 1,000라인 정도 사용되었고 전체 기능의 약 18%를 SW로 구현할 수 있었다면, 최신 F-35 전투기의 경우에는 182,000라인에 달하는 SW를 사용하고 전체 기능의 90%를 SW로 구현하고 있다는 것이다.[40] 이처럼 첨단 무기체계의 경우는 최신의 첨단 기능을 구현하기 위하여 SW 사용 비중이 더욱 증가하고 있는추세이며 이러한 SW 취약점을 이용하려는 적의 사이버 공격도 함께 증가하고 있다.

이란의 미국 UAV 해킹 포획

2011년 이란은 미국의 무인 항공기UAV를 사이버 공격으로 납치하였다. 당시 미국의 공식적인 발표는 UAV의 통제력이 상실되어 사막에 추락하였다고 하였으나, 이란은 손상된 곳이 전혀 없는 원형 그대로의 실물을 공개하면서 해킹 포획을 주장하였다. 이후 이란은 미국의 UAV를 복제[41] 하여 2016년 자체 개발한 UAV를 공개하였다.

Note

1) Thomas Rid & Peter McBurney (2012), 『Cyber weapon』, The RUSI journal, vol 157, 2012. 2.29, pp. 6~13
2) DoD (2011), 「Cyberspace Policy Report」, 2011.11. p. 2
3) Eriksson, E. A. (1999), 「Information warfare : Hype or reality」, http://cns.miis.edu/npr/pdfs/ erikss63.pdf.
4) 사이버 군에 대한 필요성이 이 개념에서 나온다고 본다.
5) 국방부훈령 제1862호 (2015.12.30.), 『국방 사이버 안보훈령』, 국방부, 별표 1(용어의 정의)
6) 사이버전의 특징은 ①투자비용이 적다 ②비전선전이다 ③주체를 식별하기 어렵다 ④일방적인 공격이 가능하다 ⑤방어가 항상 사후수습이다 ⑥24시간 전시체제이다 ⑦피해평가가 어렵다. 손영동 (2013), 『0과1의 끝없는 전쟁』, 인포더북스, 서울, 154~156쪽
7) 1991년 1월 16일 사막의 폭풍작전 명령하달 후 EC-130H 전자전기가 이라크의 통신망을 무력화시켰고 공습이 시작되어 이라크는 제대로 된 방호작전을 수행할 수 없는 상태에서 전쟁이 종료된 것이다. http;//ko.wikipedia.org/wiki/%EA%B1%B8%ED%94%84_%EC%AO%84%EC%9F%81, 위키피디아, 「걸프전쟁」, 2017.11.10. 검색
8) E. Anders Eriksson (1999), 「INFORMATION WARFARE : HYPE OR REALITY?」, The Nonproliferation Review/ Spring-Summer 1999, pp. 57~64
9) Buckshot Yankee작전'의 경과에 관해서는 다음의 논문을 참고할 것. Karl Grindal (2013), 'Operation Buckshot Yankee', chapter in Jason Healey (Eds.), 「A fierce domain : conflict in cyberspace 1986 to 2012」, (USA, Cyber Conflict Studies Association : 2013), p. 208
10) 이용석 (2018), 「사이버무기 분류체계에 관한 시론」, 『정보 보호학회논문지』, 제28권(4), 2018년 8월, 905~917쪽 전제
11) 국방부훈령 제1975호 (2016.11.23.), 『국방전력발전업무훈령』, 국방부, 서울, 2016, 제14조(무기체계 분류) 참조
12) 법률 제14182호 (2016. 5.29.), 『방위사업법』, 제3조(정의) 참조
13) 대통령령 제27618호 (2016.11.29.), 『방위사업법』, 시행령 제2조(무기체계의 분류) 참조
14) 국방부훈령 제1825호 (2015.8.27.), 『국방전력발전업무훈령』, 2017.12.27. 개정, 별표 2
15) 안승범 등 (2016), 『한국군 무기연감 2016~2017』, 디펜스타임스, 서울, 2016
16) 조약 제1059호 국제연합헌장 (1991.9.18일 발효), 제51조 참조
17) 마이클 N.슈미트, 한국전자통신연구원 부설연구소 옮김 (2014), 『Tallinn Manual』, 글과 생각, 서울, 99~101쪽
18) 마이클 N.슈미트, 한국전자통신연구원 부설연구소 옮김 (2014), 『Tallinn Manual』, 글과 생각, 서울, 89~98쪽
19) 한편 사이버공간을 군사화하지 말아야 한다는 주장도 있다. Dorothy E. Denning, Bradley J. Strawser (2013), 「Moral Cyber Weapons」, Part-II-CH-6, 2013.10.24. 참조
20) 자율무기의 국제법적 규제에 관한 토론 시스템(AWS : autonomous weapon systems)에 관해서는 다음 문서를 참고할 것, Kenneth Anderson, 「Why The Hurry to Regulate autonomous Weapon 시스템-but not Cyber-Weapons?」, Temple Int'l & Comp. L.J. 2016.
21) 사이버공격 절차 : 정보수집(취약점 식별) - 시스템/네트워크 침입(ID, PW 획득) - 관리자권한 획득(시스템 내부 취약성 확인) - 공격흔적 삭제 및 Backdoor 설치(재공격 통로 유지), 엄정호 등 (2012), 『사이버전 개론』, 홍릉과학출판사, 서울, 34~35쪽 참조
22) Nick Ebner (2015), 「Cyber Space, Cyber Attack and Cyber Weapons」, IFSH, 2015.10. p. 2

Note

23) 핵무기와 사이버 무기체계를 비교하는 것에 대한 반론은 다음 논문을 참고할 것. Timothy Farnsworth (2013), 「Is the re a place for nuclear deterrence is cyberspace?」, Arms Control Now, (30 May 2013), http://armscontrolnow.org/2013/05/30/is-there-a-place-for-nuclear-deterrence-in-cyberspace/, Farnsworth went on to say that"……the threat of nuclear retaliation to a major cyber attack is neither proportional, nor credible, in stopping (deterring) high-level catastrophic cyber attacks against a nation's critical 인프라structure by other states, including the nuclear weapons complexes."
24) Shane Harris 지음, 진선미 역 (2105), 「보이지 않는 전쟁 @War」, 양문사, 서울, 103쪽
25) 서동일 등 (2011), 「사이버전을 위한 보안기술 현황과 전망」, 정보 보호학회지 21(6), 2011.10. 42~45쪽
26) DAMO-AV (2017), 「US Army calls for units to discontinue use of DJI equipment」, 2017.8.2.
27) 조선일보, 2018.2.22.일자, 「북한의 해킹 기술력, 세계 최고 수준… 인터넷 연결 안 된 컴퓨터 자료도 빼내」, 2018.8.22. 검색
28) http://www.yonhapnews.co.kr/international/2013/06/11/0601090100AKR20130611006500072.HTML, 2017.11.13. 검색
29) http://www.comworld.co.kr/news/articleView.html?idxno=5674, Code Red, Wikipedia, 2017.11.13. 검색
30) http://acc.ahnlab.com/secu_view.asp?seq=1236, 2017.11.13. 검색
31) ZDNet Korea, 「韓, 모바일 데이터 사용량 46%↑...'월평균 3.8GB'」, (2017.10.17.일자 기사), 2017.11.23. 검색, http://www.zdnet.co.kr/news/news_view.asp?artice_id=20171017100820&type=det&re=
32) Shane Harris 지음, 진선미 역 (2105), 「보이지 않는 전쟁 @War」, 양문사, 서울
33) https://ko.wikipedia.org/wiki/%EB%B3%91%EB%A0%A5%EC%97%90_%EB%94%B0%EB%A5%B8_%EB%82%98%EB%9D%BC_%EB%AA%A9%EB%A1%9D, Wikipedia, 2017.11.13. 검색
34) Alex Hern & Samuel Gibbs (2017.5.12.), "What is WannaCry ransomware and why is it attacking global computers? (https://www.theguardian.com/technology/2017/may/12/nhs-ransomware-cyber- attack-what-is-wanacrypt0r-20), 2017.11.17. 검색
35) 합뉴스, 「英 정부, '워너크라이' 공격은 北 소행 공식 확인」, 2017.10.27.일자 / http://www.yonhapnews.co.kr/bulletin/2017/10/27/0200000000AKR20171027174400085.HTML?from=search, 2017.11.17. 검색
36) Ahnlab ASEC 분석팀, 「워너크립터 Ransomware 분석 보고서」, AhnLab, 경기, 2017. 5. 참조
37) 나무위키, 「전자기펄스(EMP)」, https://namu.wiki/w/%EC%A0%84%EC%9E%90%EA%B8%B0%20%ED%8E %84%EC%8A% A4, 2017.11.17. 검색
38) https://ko.wikipedia.org/wiki/%EC%9C%A0%EC%97%94_%ED%9A%8C%EC%9B%90%EA%B5%AD, Wikipedia, 2017.11.17. 검색
39) 2014.11.24.일 Sonny Pictures가 해킹되어 2015년 공개 예정인 「007 스펙터」의 각본 사본이 유출되었다. 이는 「디 인터뷰」가 김정은을 희화화 했다는 북한의 항의 후에 발생하였기 때문에 북한의 소행으로 추정되고 있다. Wikipedia, 「소니 픽처스 엔터테인먼트 해킹 사건」, https://ko.wikipedia.org/wiki/%EC%86%8C%EB%8B%88_%ED%94%BD%EC%B2%98%EC%8A%A4_%EC%97%94%ED%84%B0%ED%85%8C%EC%9D%B8%EB%A8%BC%ED%8A%B8_%ED%95%B4%ED%82%B9_%EC%82%AC%EA%B1%B4,Wikipedia, 2017.11.17. 검색

Note

40) 전자신문 2018.6.19,「무기체계 SW 보안성 검증했더니..기본도 안 지켰다.」, http://www.etnews. com/2018061900 0155, 2018.6.23. 검색

41) Reverse Engineering, RE, 역 공학(逆工學)은 장치 또는 시스템의 기술적인 원리를 그 구조분석을 통해 발견하는 과정이다. 이것은 종종 대상(기계 장치, 전자 부품, SW Program 등)을 조각내서 분석하는 것을 포함한다. https://ko.wikipedia.org/wiki/%EB%A6%AC%EB%B2%84%EC%8A%A4_%EC%97%94%EC %A7%80%EB%8B%88%EC%96%B4%EB%A7%81, 2018.10.13. 검색

CYBER
ATTACK

PART 05

사이버 무기체계 구축을 위한 전략방안

사이버 무기체계는 직접적인 인명살상용 무기체계로까지 발전될 것이기 때문에 적극적인 대비책을 강구해야 할 것이다. 사이버 무기체계 개발을 위한 전략구축방안에 대해 알아보자.

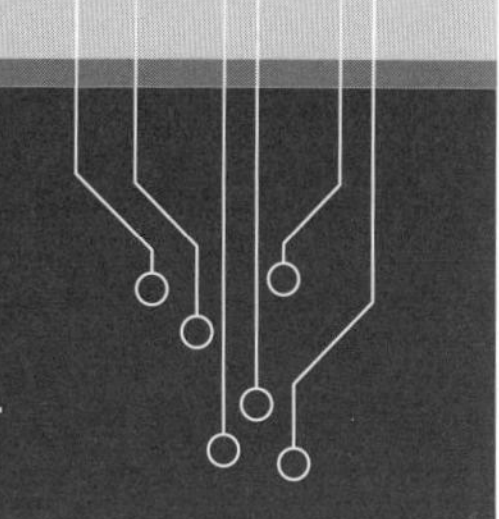

PART 05
사이버 무기체계 구축을 위한 전략방안

제1절 사이버 무기체계 개발을 위한 법 · 제도적 기반 마련

1. 법령의 제 · 개정

지금까지 발표된 사이버전 준비와 정보보호를 위한 이론들은 사이버 공간에 대한 상황변화에 따라 재검증을 요구받고 있다. 그 이유는 첫째, 사이버 공간과 오프라인이 최근 빅 데이터와 IoT 기술의 발달로 인해 무한 연결되면서 사이버 공간의 범위가 확장되고 있기 때문이다. 둘째, 사이버 안전과 정보보호의 범위가 처음에는 유통되는 정보에 국한되었으나, 네트워크가 추가된 이후 계속적으로 수정, 확장되고 있다. 셋째, 해커와 비국가행위자가 등장하고 포털 기업과 검색 엔진을 운영하는 기업 등 다양한 다국적 플랫폼 기업들이 등장하면서 수많은 안보 중심축이 다차원적으로 발생하고 있다. 넷째, 사이버 안전과 정보보호를 위협하는 사이버 공격 방법과 기술의 진보가 정부 등 국가행위자의 통제범위를 벗어나고 있다. 다섯째, 사이버 안전의 강화와 프라이버시, 정보자기결정권 등이 보호받아야 하는 가치들로 자리매김하게 되면서 제 가치들의 보호와 적법요건 간의 조화가 중요해지고 있다. 여섯째, 프라이버시와 기본권 보호수준이 국제적인 기준으로 상향되고 있다.[1]

정보자기결정권

독일의 경우 '인격권이 침해될 수 있는 개인정보가 처리되는 과정에서 개인을 보호하기 위하여' 제정한 「정보보호법(BDSG: Bundesdatenschutzgesetz)」에 개인정보를 보호하고 개인정보 국외 이전과 국가 간 이전에 대한 요건을 엄격하게 규정하였다. 특히 제4조 1항은 정보자기결정권을 보장하는 대표적인 규범이다.

– Simitis(Hrs.) (2011), Bundesdatenschutzgesetz, 7. Auflage, Nomos Verlagsgesellschaft, Baden-Baden, S. 415. 성봉근 (2017), 「사이버상의 안전과 보호에 대한 독일의 입법동향과 시사점」, 『法과 政策硏究』, 第17輯(1), 112쪽

이러한 상황임에도 불구하고 우리나라는 사이버 안보와 관련된 기본법 체계조차 마련되지 않았고, 사이버 공간을 관리하는 컨트롤 타워도 설정되어 있지 않다. 그러나 세계는 사이버 안보 문제를 사이버 공간에 국한된 논의만이 아니며 국가의 존립과 연결된 심각한 문제라는 것에 인식을 같이하고 있다.[2)]

미국의 경우는 국토안보법에 의해 공공 · 민간에 대한 물리적 위협과 사이버 위협을 막론한 보호조치를 총괄적으로 집행한다. 우리나라도 이와 같은 상황변화를 인정하고 독일의 「정보기술 시스템의 안보를 제고하기 위한 법률」, 일본의 「사이버보안기본법」의 입법 사례를 참고하여 가칭 「사이버보안법」을 제정할 필요가 있다.

이 법의 제정을 통해 국가의 각 분야를 관장하는 개별 행정기관이 부여받은 전문성에 더하여 국가급 거버넌스인 제어기관을 임명하여 행정기관들이 상호 견제와 균형을 유지하면서 협력할 수 있도록 해야 한다. 사이버보안법이 사이버 기준법이 되어 개별 행정기관이 각자의 편의와 정책적인 고려를 가지고 만든 개별법들에서 개별 조항들이 서로 상충되는 요소와 상이한 철학적 배경으로 인한 법률 간 충돌요소를 제거해야 한다.

또한 사이버 기술의 발달이 급속히 진행되고 있음에 따라 일일이 대응법을 제정하거나 수정하기 어려운 만큼 사이버보안법에 국가가 사이버 분야에 대한 지향 방향을 설정해 놓는다면 법의 해석과 유추에서도 일관성 있는 적용이 가능할 것이다. 그렇게 되어야 국민들이 느끼는 법 안정성이 높아지고 행동과 대응을 예측 가능하게 할 것이다. 특히 사이버 안보를 국가가 모두 책임질 수 없는 환경이 도래한 만큼 사이버 관련 이해 당사자들과 행정기관들이 모두 망라된 대화체를 설치할 수 있도록 하는 것도 필요하며 이를 위하여 독일이 구성한 「IT안보법」과 같은 새로운 패러다임 즉 사이버보안법을 제정하는 것이 타당하다.[3)]

사이버 안보를 위한 새로운 패러다임

사이버 위기의 특성상 공공과 민간을 구분할 수 없고 개인 법익의 침해로 시작된 사이버 침해가 국가적인 안전을 위협하는 사이버 위기로 발전할 가능성이 있다. 그러나 우리나라의 사이버 위기 관련 법제 현황은 공공과 민간에 따라 적용법령이 다르고, 주요 정보통신 기반시설의 여부에 따라 적용 법령이 또 달라진다. 공공과 민간을 막론하고 주요 정보통신 기반시설에는 「정보통신기반보호법」, 그 외 공공부문은 「국가사이버안전관리규정」, 민간은 「정보통신망 이용촉진 및 정보보호 등에 관한 법률」이 적용된다. 이처럼 내용이 상이한 법률이 각각 적용됨에 따라 부문마다 사이버 위기대응이 별도로 이루어지는 문제가 있다.

- 김도승 (2009), 「사이버위기 대응을 위한 법적 과제」, 『초점』, 제21권(17), 통권 470호, 37쪽

국가 기간망에 대한 사이버 공격이 초래하는 국가적인 안보위협에 대응하기 위하여 국가 전체를 규율할 법률 체계인 「사이버보안법」을 제정할 때는 컨트롤 타워 임무를 수행하게 되는 기관에 대한 민주적인 감시와 통제가 가능한 장치는 필수적으로 구상되어야 한다. 국가 사이버 위기관리와 조사 활동에는 국민의 기본권 침해가 필연적으로 동반될 것이기 때문이다. 따라서 이 업무를 담당해야 하는 기관은 법률적인 통제뿐만 아니라 국회와 사법부에 의한 민주적 감시와 통제장치도 요구된다 할 것이다.

따라서 이러한 조건을 모두 충족시킬 수 있도록 국가 안보를 책임지는 NSC 산하에 국가 중요기관을 망라한 국가급 사이버 거버넌스가 필요하다. 이와 유사한 정책적 제안이 2017년 1월 3일에 정부에서 제출한 「국가사이버안보법안」[4] 이다.

그러나 이 법안의 구체적인 내용을 들여다보기도 전에 법안이 공개되자마자 찬반양론이 심각하고 첨예하게 대립하였다. 우선 이 법안에 찬성하는 입장[5] 은 첫째, 사이버 공격을 사전에 탐지하여 조기에 차단하고 위기 상황에 대해서 국가의 역량을 총합하여 신속하게 대응하기 위한 입법의 필요성을 잘 구현하였다. 둘째, 사이버 안보의 특수성과 중요성으로 인하여 주요 국가들은 사이버 관련 입법을 속속 시행하고 있음에 비추어 볼 때 우리나라는 매우 늦은 감이 있지만 이제라도 「사이버기본법」이 제정되어야 한다. 셋째, 우리나라는 정보통신 기반시설의 수준이 높기 때문에 사이버 안보에 대응하기 위한 공공과 민간을 통합적으로 규율할 입법적 기반이 절실히 필요하다. 넷째, 우리나라 주변의 국가[6] 들은 모두 「사이버기본법」을 제정하고 있

다. 다섯째, 국내에서 사이버 공격 등에 대한 분석과 대응의 가장 전문가 집단은 국가정보원이기 때문에 그 기관에 중요 책임을 부여하는 것은 타당하는 등의 이유를 들고 있다.

반대하는 입장[7] 에서는 첫째, 현행 법체계로도 충분히 사이버 안보에 대응할 수 있다. 둘째, 사이버 안보를 명분으로 국가정보원이 민간에 대한 감시 권한을 확대하려는 계략이다. 셋째, 사이버 안보 업무는 국정원법 제3조의 직무 범위를 벗어난다. 넷째, 국가정보원의 컨트롤 타워에 대한 견제구조가 미흡하다는 것을 이유로 들고 있다.

그렇다면 이 법안의 문제점을 살펴보고 어떤 개선 방향이 도출될 수 있는가를 알아보자. 우선 이 법안이 구현하고자 하는 목적은 국가 안보를 위협하는 사이버 공격을 신속히 차단하여 피해를 최소화하기 위한 것이다. 이를 위해 국가기관, 지방자치단체, 사이버 기술 보유 및 관리 기관들에게 사이버 공간에 대한 보호책임을 부여하고 사이버 위협정보 공유, 사이버 공격 탐지 및 대응, 사고조사 등 국가 사이버 안보를 위한 조직 및 운영에 관한 사항을 체계적으로 정립하려는 것이다.

이 법안의 목적을 달성하기 위하여 정부는 이 법 제5조에 대통령 소속의 국가사이버안보위원회를 핵심으로 국가 사이버 안보 거버넌스를 구축하여 국가 사이버 안보와 관련된 국가 정책 및 전략 수립에 관한 사항 등을 심의하도록 하였다. 이 위원회는 국가안보실장을 위원장으로 하며, 국회 · 법원 · 헌법재판소 · 중앙선거관리위원회의 행정사무 처리기관과 중앙행정기관의 차관급 공무원 중 대통령령으로 정하는 사람과 사이버 안보에 관한 전문지식과 경험 있는 사람 중에서 국가안보실장이 임명 또는 위촉하는 20명 내외의 위원으로 구성하도록 하였다. 실무위원회의 장은 국가안보실과 국가정보원에서 공동으로 담당하도록 하였고 구성과 운영에 관한 사항은 대통령령으로 정하도록 하였다.

이 법에서 국가사이버안보위원회를 구성하기 위하여 포함시킨 입법부와 사법부의 구성원은 행정부 · 국회 · 법원 · 헌법재판소 · 중앙선거관리위원회로 국가 주요 5부를 총망라하여 명실상부 입법 · 사법 · 행정을 모두 아우르는 범국가적인 기구를 만들었다는 데 의의가 있다고 할 것이다. 그러나 자세히 살펴보면 행정부를 제외한 국회 · 법원 · 헌법재판소 · 중앙선거관리위원회에서 본 위원회에 참여하는 기관은 '행정사무를 처리하는 기관'으로 명시하여 한정함으로써 실제로 5부의 기능을 대표한다고 보기 어렵다. 각부의 행정사무를 처리하는 기관은 국회는 사무처, 법원은 행정처, 헌법재판소는 사무처, 중앙선거관리위원회는 사무처이다. 이 기관들은 해당 부처의 임무와 기능을 대표하는 곳이 아니라 해당 부처가 고유의 임무를 수행할 수 있도록 행정적인 뒷받침을 하는 곳이다. 따라서 이들 기관이 각부를 대표한다고 볼 수 없다. 이것은 다분히 행정 편의적인 발상에 의한 조직구성이라고 할 것이다.

이처럼 사이버 상황은 점차 심각해져 감에도 불구하고 사이버 관련 기본법이 제정되지 못하고 계속 찬반양론의 극심한 대립이 발생하는 근본적인 이유는 사이버 분야를 총괄하는 조직의 거버넌스에 관한 문제 때문이다. 정보기관에 의한 개인정보의 무분별한 사용 가능성과 정보기관에 대한 국가 통제 미흡성은 국민들의 동의를 구하기 어렵게 하고 있다. 따라서 정보기관에 의한 국민 개인정보의 무분별한 사용 가능성에 대하여 국민들의 오해와 의심을 불식시키면서 안전한 사이버 공간을 확보해야 하는 국가적 요청에 부응해야 한다. 그러기 위해서는 국가 삼권이 망라되고 사이버 업무에 정통한 핵심기관이 포함되면서도 긴박한 업무의 흐름에 대하여 불필요한 제동을 걸지 않을 만큼의 간소화된 위원회가 필요하다. 따라서 '가칭 국가사이버정책위원회'를 다음과 같이 제안한다.

〈국가사이버정책위원회〉는 국가안전보장회의 산하에 통합형 컨트롤 타워를 설치하되 통제는 국가 전체를 망라한 통제가 되어야 국민이 안심할 수 있을 것이다. 지금까지 임무를 수행해 왔던 국가정보원은 전술한 민간 영역에 대한 감시라는 오해를 불식시킴은 물론 여타의 지적에서도 자유롭도록 국가정보원법의 직무 범위에 따라 본 위원회의 간사 역할을 맡아 정보 및 보안업무 기획 · 조정 규정[8] 에서 규율한 국가 보안방책 수립의 임무만을 계속 수행한다. 국가 사이버 정책 전체를 규율하는 국가사이버정책위원회는 헌법기관인 행정부(국방부 · 행정안전부 · 과학기술정보통신부), 입법부(여 · 야당), 사법부(검찰, 법원)가 참여하여 국민이 보기에도 어느 한쪽에 치우치지 않는 중립적이고 오직 국가 안보만을 위해 역할 할 수 있는 통합형 컨트롤 타워로 구성해야 한다.

본 위원회의 구성에 대하여 구체적으로 제안을 해본다면, 첫째, 국방부는 국가를 보위하는 기본 임무를 위하여 참여하며 사이버작전사령부를 필두로 사이버 무기체계를 개발하고 사용하기 위한 주무부처로 참여한다.

둘째, 행정안전부는 통합방위법에서와 같이 사이버 상황발생 시 대국민 홍보 및 대응활동에 대한 통제와 조치를 위하여 참여한다.

셋째, 과학기술정보통신부는 사이버 상황이 과학기술적 요소에 기초하므로 사이버 상황발생 전부터 사전 대응을 위한 기술적 조언과 연구개발 직접당사자로서 참여한다.

넷째, 입법부의 여당과 제1야당은 사이버 상황발생 시 통제의 대상이 될 수도 있는 국민을 대표하는 기관으로써 국민적인 공감대를 형성하고 본 위원회의 과도한 국민생활 통제가 미연에 방지되도록 하기 위해서 참여한다.

다섯째, 검찰은 기소권을 가진 국가기관으로서 사이버 상황발생 시 형사벌적인 사안에 대해서 즉각적인 법률적 조치를 위하여 참여한다. 검찰은 정부조직법상 법무부에 소속되어 있으므로 행정부 소속이지만 기능상 사법기능을 담당하므로 이 조직에서는 사법부에 포함하였다.

여섯째, 법원은 국가를 대표하여 법률적인 조언과 조정을 위해 참여한다. (그림 5-1)은 국가사이버정책위원회 구성 조직도이다.

(그림 5-1) 국가 사이버정책위원회 조직도

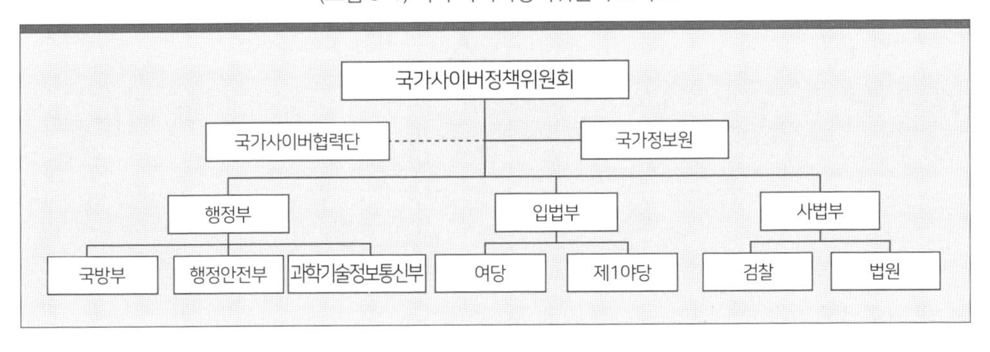

국가사이버정책위원회는 국가사이버협력단을 협조기관으로 두고 사이버 분야에 대한 국제협력과 공조를 담당하도록 한다. 국가사이버 협력단은 대한민국을 대표하여 국가가 정한 사이버 정책을 대외에 홍보하고 국제협력 시 우리나라의 사이버 정책과 반하지 않도록 하며 사이

버 분야에서 국가 이익을 보호하기 위하여 국가사이버정책위원회의 통제 하에 둔다. 그러나 이는 협의체이며 상설기구는 아니다. 그 이유는 국가사이버협력단의 담당관들이 각 기관에서 각자의 업무를 수행하다가 국가 사이버 정책에 대한 의견조율과 정책적 합의를 달성 할 수 있어야 개별 행정부처와의 괴리감이 없을 것이기 때문이다. 이처럼 입법 · 사법 · 행정부를 대표하는 기관이 총 망라된 국가사이버정책위원회는 사이버 안보상황에 대하여 국민 앞에 책임을 지는 조직으로 역할 하도록 해야 한다.

우리나라에서 2000년 이후 사이버 위기단계가 발령된 10건의 사건은 모두 범인 검거에 실패하였다. 이것은 사건 관련 증거수집과 범죄자 검거를 위해서 디지털 포렌식 수사절차를 위한 법률체계가 없었기 때문이다. 디지털 포렌식이란 범죄현장에서 확보한 개인 PC, 서버 등의 시스템이나 전자장비에 저장된 디지털 증거물에 대해 식별, 수집, 보존, 분석, 기록, 재현 등 과학적으로 도출되고 증명 가능한 방법으로 법정에 제출하는 것을 말한다.

디지털 포렌식의 절차는 총 다섯 단계를 거친다. 첫째, 수집대상의 유형을 파악하고 인원과 장비를 확보하며 장비 테스트와 기술교육을 하는 사전준비 단계 둘째, 혐의 관련 자료만 논리 이미징으로 선별하고 수집 시 당사자의 참여를 보장한 가운데 증거 목록을 작성하는 증거수집 단계 셋째, 수집 일시와 장소, 수집자, 운반자, 보관자, 분석자를 연계하여 관리하는 보관 및 이송 단계 넷째, 선별 및 전체 이미징 자료를 복구하고 분석하며 증거분석 과정에서의 당사자 참여의 기회를 보장하는 증거분석 단계 다섯째, 분석 결과를 근거로 사실에 입각하여 기록하고 추정에 의한 판단을 금지하며 법정 증언에 동반할 가능성에도 대비하는 분석보고 단계이다.

디지털 포렌식을 위한 기본원칙은 첫째, 형사소송법 제106조 3항에 의한 선별 압수 원칙 둘째, 동일성과 무결성의 원칙 셋째, 형사소송법 제121조에 따른 당사자의 참여권 보장 원칙 넷째, 증거 관리 연계성의 원칙이다. 이러한 원칙이 현재는 형사소송법에 포함된 일반적인 원칙을 준용한 것이기 때문에 급변하는 사이버 공간에서의 활동을 모두 규율할 수 없다.

따라서 디지털 포렌식법을 제정하여 수사기관과 민사소송을 위한 디지털 포렌식 활동의 적법한 보장을 통해 디지털 포렌식 관련 산업을 보호 육성하고 국민의 안전을 보장해야 한다. 또한 법률 체계는 증거수집, 분석, 제출, 평가라는 수사의 시간적 흐름에 따른 법적 근거를 마련해야 한다.[9)]

사이버 공간은 민 · 관 · 군 · 학 · 연을 구분하지 않는다. 그리고 사이버 기술은 이미 어느 한 조직의 전유물일 수가 없게 되었다. 따라서 국가 사이버 역량을 통합하여 발휘할 수 있도록 법률적인 뒷받침이 필요하다. 사이버 관련 정보 특히 해커들의 사이버 기술과 해킹 툴, 사회공학적 침해 기법과 사례 등을 공유하는 것은 무엇보다 중요하다.

나아가서 Zeroday 취약점은 국가적인 대응을 위하여 국가 사이버 조직 내에서 비밀이 유지되는 가운데 반드시 공유되어야 한다. 적의 사이버 정보수집과 공격활동에 대비하기 위해 국가 사이버 조직은 유기적인 정보공유를 바탕으로 대응체계를 확립해야 한다. 따라서 사이버 위협정보 수집, 분석, 전파, 정보공유의 시기와 수준을 법률로 확립할 필요가 있다. 따라서 가칭 「사이버정보공유법」과 같은 법률적 근거가 필요하다.

「사이버보안법」을 국가 사이버 기본법으로 제정하기 전까지는 「정보통신기반보호법」의 일부를 보완하여 그 기능을 일정 부분 담당하도록 해야 한다. 정보통신기반보호법은 사이버 위협 탐지, 취약성 분석 · 평가, 관리체계 구축, 주요 정보통신 기반시설에 대한 보안체계 강화, 침해 발생의 방지나 예방을 통해 사이버 위험을 방지 또는 최소화시킬 수 있다. 이 법은 사이버 위험방지와 최소화 정책의 구현을 위해 주요 정보통신 기반시설에 대한 사이버 위험의 분배를 입법적으로 구현한 것이다.

정보통신기반보호법은 국가의 핵심 기능인 주요 정보통신 기반 시설의 보호에 대한 대책 수립과 시행을 통해 국가와 국민의 안전을 보장하기 위한 목적으로 제정되어 사이버 위험에 대한 위험 분배를 법률적으로 강제하고 있다. 원칙적으로 국가 · 공공기관뿐만 아니라 민간 기관도 포함된 주요 정보통신 기반 시설 운영 · 관리기관은 취약성 분석과 평가를 통해 보호대책 수립과 사이버 보안활동을 하도록 법률적으로 강제하고 있다. 그러나 국민의 안전에 대하여 무한 책임을 지는 정부와 행정기관이 안전한 사이버 공간 이용을 보장해야 한다는 점을 고려할 때 행정기관이 민간부문보다 많은 위험 분배를 받고 민간기관은 영업활동 수준에서 위험분배를 받도록 하는 것이 타당하다고 할 것이다. 특히 사이버 보안은 사이버 공간을 이용하는 모든 사람들의 사이버 보안활동에 영향을 주고받으므로 공공재적인 성격이 강하고 시장 실패적인 요소가 내재되어 있기 때문이기도 하다.

시장 실패적인 요소란 사이버 보안활동에 참여하는 개인과 기업은 자신들에 대한 사이버 위협이 감소되는 편익을 일정 부분 누린다는 가정으로부터 시작된다. 이것은 개인과 기업들이 사이버 보안을 위한 비용과 효과의 비교를 통한 자발성의 지속 유지가 가능한지 또는 불가능한지를 나타내는 지표이기도 하다.

그럼에도 불구하고 최적 수준의 사이버 보안 수준을 식별하는 것은 매우 어렵고 곤란하기까지 하다. 그 이유는 사이버 보안의 개인적, 사회적 비용과 그에 따른 편익의 정도를 파악하고 그 결과에 대한 데이터를 얻는 것이 어렵기 때문이다. 단적인 예로 어떤 기업이 보안사고 시 사고 전말을 보고 또는 공개하면 타 기업들은 그 편익을 향유하게 되지만 해당 기업은 아무런 이익이 없을 뿐만 아니라 오히려 관련 정보를 공개함에 따른 낙인 효과로 불이익을 감수해야 할 수도 있다. 즉 정보를 공유한 기업이 그 정보의 공유에 따른 실익이 없으므로 사이버 보안은 시장 실패를 겪게 된다는 것이다.

결국 사이버 보안에 대한 무임승차를 누구나 원함에 따라 기업들은 혁신적인 사이버 보안 기술을 개발하는 것을 거부하게 된다. 그러므로 사이버 보안을 강화하기 위해 국가가 적극 개입하여 국가와 국민의 안전을 보장하기 위해 발생하거나 내재되어 있는 사이버 위험에 대하여 이해관계자와 관계기관이 비용을 부담하도록 정보통신기반보호법을 통해 역할을 해야 하는 것이다.

또한 정보통신기반보호법에 규정된 국가정보원의 임무와 역할에 대하여 우리나라 국민들의 국가 정보기관에 대한 감정과 해당 정보기관의 실제 임무수행에 괴리가 있는 것도 사실이다. 구체적으로 살펴보면 동 법 제7조 제2항에 사이버 위험이 고도화되어 실제로 국가 차원의 위험으로 격상될 경우를 상정하고 있음에도 불구하고 제7조 제3항에서 해당 주요 정보통신 기반보호시설이 개인정보를 보유하고 있다는 이유로 관리기관에 대한 국가정보원의 기술적 지원을 원천적으로 차단하고 있다.

현실적으로 국가정보원은 사이버 위험을 통제하고 국가 시스템의 보안관리를 담당하고 있으며 국내에서는 가장 고도의 관련 기술적 우위를 확보하고 있으므로, 즉각적인 최소 비용으로 그 위험에 효과적으로 대응할 수 있다. 그럼에도 불구하고 정보통신기반보호법 제7조 제3항에 따라 국가정보원이 개인정보가 포함된 모든 정보통신 기반시설에 대하여 기술적 지원을 할 수 없다면, 국가 안전보장과 관련된 사이버 위험에 대한 최종 위험부담자인 국가정보원에 대하여 사이버 위험을 통제, 대응하는 기능수행을 배제시키게 되는데 이는 위험분배의 관점에서 볼 때 적합하지 않다.

따라서 사이버 위험을 통제하고 감내할 수 있는 국가정보원이 위험분배 관점에서 사이버 위험 관련 기술적 지원을 수행할 수 있도록 정보통신기반보호법을 합리적으로 개정[10] 하여야 한다는 의견을 내세워 국가정보원의 사이버 기능 확장을 주장하는 연구자도 있다.

사이버 위협은 공공과 민간 영역을 가리지 않고 발생한다. 또한 지금까지의 경험에 비추어 국가정보원이 개인정보가 노출될 위험성이 가장 많은 사이버 공간을 규율하는 컨트롤 타워가 되는 것에 대해서 임무의 경중과 능력의 유무를 떠나 국민적인 거부감이 큰 것도 사실이다.

또한 국가정보원에게 사이버 위기대응을 위한 총괄 기능을 부여하는 것에 대하여 다음과 같은 문제를 제기한 연구자[11] 도 있다. 첫째, 사이버 위기경보가 발령되면 국민들에게 일정 행위에 대한 제한도 필요하다. 그러나 민간 영역에 대한 행위 제한은 국무회의의 심의를 거쳐 법률적인 요건을 갖춘 후에 이루어져야 하므로 국무위원이 아닌 (정보)기관이 국민에게 행위 제한을 가하는 것은 법률상 불가능하다. 둘째, 위기관리와 사후조사 등의 절차를 수행할 때 개인과 기업의 민감정보를 부득이 정보기관이 수집하게 될 것이고 이는 개인정보의 악의적인 사용 기회를 제공하는 모습이 된다. 따라서 정보기관이 사이버 위기를 근거로 개인과 기업의 민감정보를 수집, 분석하는 것은 헌법상의 권리인 '기본권 침해'라는 점에서 국민적 신뢰와 합의가 우선적으로 확보되어야 한다. 그러나 현재 우리나라의 정보기관에 대한 국민적 신뢰는 부정적이기 때문에 국민적인 합의를 모으는 것이 쉽지 않은 상황이다.

이러한 시각을 반영하듯이 일각에서는 사이버 안보를 국가 안보보다 광의의 개념으로 설정하고 사이버 분야에 대한 국가 안전을 확보한다는 명분을 내세워 국가정보원이 민간 영역까지 감시 권한을 확대하려는 것이며, 이는 국가정보원법 제3조가 규정하는 '국가정보원의 직무 범위를 벗어난 것'이라고 주장하고 있다.[12)]

국가정보원이 국민의 개인정보를 포함한 모든 정보에 쉽게 접근하는 것에 대한 국민적 거부감이 존재하는 것도 사실이기 때문에 이에 대한 대책이 시급하다고 보여진다. 따라서 독립된 국가 기구로 하여금 사이버 위험을 통제하고 대응시킬 방책을 마련하는 것이 가장 합리적인 대안이라고 할 것이다.

사생활 보호를 중요시하는 유럽에서도 개인정보보호 규정을 통해 개인정보에 대한 통제 정책이 강화되고 있는 상황이다. 남북이 대치하고 있는 우리나라의 특성을 고려할 때 사이버 공간의 안전을 담보할 수 있는 법안이 필요하다는 공감대는 형성되어 있다고 볼 수 있으며 국민적 관심도도 높은 편이다. 따라서 이러한 상황인식을 고려할 때 사이버 공간을 통합적으로 규율할 법률안 제정을 컨트롤 타워 문제로 인하여 미루는 것은 국가 안보유지를 위태롭게 할 수도 있다.

따라서 사이버보안법의 제정 전까지 국가정보원의 현행 임무와 역할을 수용하고 법률적 보장에 입각한 안정적인 준법 임무수행이 가능하도록 정보통신기반보호법에서 규율한 '관리기관에 대한 국가정보원의 기술적 지원'을 보장해 주어야 한다. 국민 개인정보의 노출을 우려하는 일각의 문제제기도 있지만 국민 전체의 안전한 사이버 공간 확보를 원하면서 우리나라 국가기관을 신뢰하지 못한다는 것은 앞뒤가 상충되는 의견이다. 따라서 합리적인 수준의 국민적 합의가 달성된 사이버보안법을 제정하기 전까지는 정보통신기반보호법의 개정을 통해 국가정보원에 의한 국가 사이버 공간에 대한 안전을 법률적으로 보장하는 노력이 필요하다.

「정보통신망 이용촉진 및 정보보호 등에 관한 법률」은 정보통신망의 안전성, 건전성, 개인정보와 유해정보의 차단을 포괄하고 있다. 그러나 규제 측면에서 행정기관의 과도한 규제가 자칫 민간의 창의적인 사이버 대응활동과 민 · 관 · 군 협력의 자율적인 참여까지 거부하게 되는 결과를 가져올 수도 있다, 따라서 이 법도 규제의 주체를 행정기관에서 민간의 자율규제에 대한 비율을 늘리는 방향으로 하여 행정작용이 민간의 자율성 영역에 다양하게 미칠 수 있도록 해야 하는 것이 바람직하다. 그래서 국가 사이버 공간에 대한 침해사고 발생 시 애국적인 국민 사이버 전사들이 자발적으로 활동할 수 있는 토대가 마련되어야 한다.

현행 정보통신망 이용촉진 및 정보보호 등에 관한 법률 제6조에 '과학기술정보통신부장관은 정보통신망과 관련된 기술 및 기기의 개발을 효율적으로 추진하기 위하여 대통령령으로 정하는 바에 따라 관련 연구기관으로 하여금 연구개발 · 기술협력 · 기술이전 또는 기술지도 등의 사업을 하게 할 수 있다'고 규정하고 있다. 세부항목에서 '정부는 해당 연구기관 사업에 드는 비용의 전부 또는 일부를 지원할 수 있고, 비용의 지급 및 관리 등에 필요한 사항은 대통령령으로 정한다'고 명시하였다. 그러나 이는 사이버 무기체계 연구개발을 위한 조항이 아니며, 위임사항이 시행령에서 구체적으로 명시되지도 않았다. 따라서 우리나라 현행법 체계에서는 전술한 바와 같이 「국방정보화 기반조성 및 국방 정보자원관리에 관한 법률」에서 유추할 수 있는 것 외에는 사이버 무기체계에 대한 연구개발 · 기술협력 · 기술이전 또는 기술지도 등을 위한 구체적인 규정이 없고 실효성이 부족하다고 하겠다.[13)]

따라서 「정보통신망 이용촉진 및 정보보호 등에 관한 법률」을 개정하여 규제의 주체와 비율을 행정기관에서 민간으로 많은 부분을 이양하고, 사이버 연구기관으로 하여금 연구개발, 기술협력, 기술이전 또는 기술지도 등의 사업을 추진할 수 있도록 법률적인 뒷받침을 해야 한다.

「통합방위법」은 '적의 침투 · 도발이나 그 위협에 대응하기 위하여 국가 총력전의 개념을 바탕으로 국가 방위요소를 통합 · 운용하기 위한 통합방위 대책을 수립 · 시행하기 위하여 필요한 사항의 규정'을 목적으로 하고 있다.[14)] 즉, 우리나라의 국가 방위를 위한 법령체계는 평시에는 통합방위법에 의해 대비하고, 전시에는 전쟁법에 의해 대비하는 것이다.

통합방위법이 말하는 통합방위란 적의 침투 · 도발이나 그 위협에 대응하기 위하여 각종 국가 방위요소를 통합하고 지휘체계를 일원화하여 국가를 방위하는 것을 말한다. 이를 위하여 발생하는 사태의 규모에 따라 세 가지 등급을 정하였다. '갑종사태'는 적의 대규모 병력 침투 또는 대량살상무기 공격으로 발생한 사태를, '을종사태'는 적의 침투 · 도발을, '병종사태'는 적의 침투 · 도발 위협이 예상되거나 소규모의 적이 침투하였을 때를 조건으로 규정하고 있다.

여기서 말하는 '침투'의 의미는 적이 특정임무를 수행하기 위하여 대한민국 영역을 침범한 상태를 말하며, '도발'이란 적이 특정임무를 수행하기 위하여 대한민국 국민 또는 영역에 위해를 가하는 모든 행위를, '위협'이란 대한민국을 침투 · 도발할 것으로 예상되는 '적의 기도가 드러난 상태'를 말한다고 규정하고 있다. '방호'는 '적의 각종 도발과 위협으로부터 인원 · 시설 및 장비의 피해를 방지하고 모든 기능을 정상적으로 유지할 수 있도록 보호하는 작전활동'을 말한다. 또한 '국가 중요시설'이란 '공공기관, 공항 등 주요 산업시설 등이 적에 의해 점령 또는 파괴되거나 기능이 마비될 경우 국가 안보와 국민 생활에 심각한 영향을 주게 되는 시설'을 말한다.

이에 따라 군의 역할은 점차 확대되어 전통적 의미로써의 국가 보위는 물론이고 국민을 공포로부터의 자유와 물리적 폭력으로부터 보호해야 한다는 측면을 추가하여 군의 본질적 존재 이유가 더욱 확대되고 있다.[15)]

이처럼 통합방위법이 규정하고 있는 정의를 종합하여 사이버 공격상황에 적용해 본다면 '적이 사이버 기술을 이용한 대량살상이 가능한 공격을 하여 국가 중요시설이 파괴되거나 기능이 마비될 경우 국가 총력전 개념을 바탕으로 국가 방위요소를 통합 · 운용하여 지휘체계를 일원화함으로써 사태별 조치를 통해 국가를 방위하는 것'이라고 할 수 있다. 따라서 사이버보안법이 없기 때문에 사이버 공간에서 발생한 국가에 대한 심각한 침해행위를 대응할 수 없다는 것은 국가 안보를 안이하게 생각한다는 뜻이다. 결국 국가를 보위하고 국민의 생명과 재산을 지키는 숭고한 임무를 부여받은 군은 법을 원용해서라도 우선적으로 적극적인 대응을 해야 하는 것이 옳다.

그러나 현행 통합방위법을 통해 사이버 공간에서의 국가 총력전 활동을 가능하게 한다 할지라도 이는 법의 탄생과 철학적 배경 자체가 물리적인 환경에서 적의 침투 · 도발에 대응하기 위한 것이기 때문에 사이버 공간에서 발생 가능한 적의 불법적인 사이버 정보수집활동이나 사이버 공격활동에 대하여 즉각 대응이 가능한 법이라고 보고 적용하기에는 무리가 있다고 할 것이다. 따라서 사이버 공간에서의 상황을 상정하고 보다 구체화하여 적의 사이버 공격에 대한 대비도 가능하도록 해야 한다.

사이버 공간에는 정보의 중요도에 따라 보호체계 또한 마련되어야 한다. 정보기술의 보호와 개인정보보호, 국내 및 국제적 비밀의 보호, 데이터 보호 등의 사안들은 개별적으로는 물론 서로 연동되기 때문에 포괄적으로 관리 보호되어야 한다.

이를 위해 첫째, 사이버와 관련된 용어의 정의를 보완하여야 한다. 제2조 '정의'에 사이버 공간, 사이버 정보수집, 사이버 공격, 사이버 방호, 등급별 사이버 사태를 포함해야 한다. 둘째, 국가 총력전을 수행하기 위하여 사이버 사태에 대한 대응조직을 구성해야 한다. 셋째, 사이버 공간에 대한 평시 준비태세를 갖추기 위하여 민·관·군 통합 사이버 무기체계 연구개발, 인력 확보 및 유지, 통합된 교육훈련 등의 평시 활동에 대해서도 규정하여야 한다.

사이버 공간

국방부 훈령 제2110호(2017.12.28.), 「국방사이버안보훈령」의 별표 1(용어의 정의)에 있는 '사이버 영역(사이버 공간)'은 정보통신망, 정보시스템 및 정보통신 기술이 내장된 장치, 기기들이 상호 연결, 연계되어 정보가 생성, 저장, 유통, 활용되는 환경을 말한다고 규정하였다. 위키피디아에서는 '가상공간(假想空間), 사이버 공간, Cyberspace는 현실 세계가 아닌 컴퓨터, 인터넷 등으로 만들어진 공간이며, 윌리엄 깁슨(William Gibson)이 1984년에 쓴 대표적인 Cyberpunk문학인 과학소설 《Neuromancer》에 최초로 등장하는 용어로 인공두뇌학(Cybernetics)을 뜻하는 사이버(Cyber)와 공간(Space)의 합성어로 현실이 아니라 두뇌 속에서 펼쳐지는 또 다른 우주를 의미한다고 설명하고 있다.

– https://ko.wikipedia.org/wiki/%EA%B0%80%EC%83%81_%EA%B3%B5%EA%B0%84, 2018.7.26. 검색

「국방정보화기반조성 및 국방정보자원관리에 관한 법률(약칭: 국방 정보화법)」[16] 에는 '국방정보보호'를 '국방 정보통신망에 대한 전자적 침해행위의 거부·정지·제한·예방·확인·점검·역추적 및 봉쇄 등 군의 작전 능력을 제고하기 위한 모든 활동을 말한다'고 정의하고 있다. 이 법은 국방 정보화 및 국방 정보자원 관리에 관한 사항을 규정함으로써 미래 정보사회에 걸맞은 선진 정예강군 육성과 국방 정보기술의 선진화에 이바지하기 위한 목적으로 제정되었다.

그러나 이 목적을 달성하기 위한 활동을 법이 보장하고 있으므로 사이버 무기체계 개발과 관련된 사항을 포함하고 있다고 볼 수 있다. 제15조(실험부대의 운영)에 전략적 우위확보 및 유

지를 위한 국방 정보기술 등을 실험, 분석 및 평가할 수 있도록 실험부대를 지정, 운영할 수 있도록 하였다. 제21조(국방 정보침해에 대한 대응)에는 국방 정보보호 대응체계의 효율적인 구축 · 운용을 위하여 국방부장관 소속으로 국방 사이버 안전 전담기관을 설치 · 지정할 수 있다. 그 임무는 첫째, 침해 · 위협 정보기술의 동향조사 및 분석 둘째, 침해된 정보의 유통 또는 유통시도에 대한 감시체계의 구축 셋째, 침해 · 위협에 대한 역추적 등 대응기술의 개발 넷째, 그 밖에 국방 정보보호를 위하여 국방부장관이 필요하다고 인정하는 사항이다.

여기에 사이버 무기체계 연구개발을 위하여 국방 정보침해에 대한 보다 능동적인 대응체계를 구축할 필요가 있다. 그러나 동 법 시행령[17] 제16조(국방 사이버 안전 전담기관)의 임무에 사이버전 기술 연구개발 · 시험평가 및 관리가 포함되어 있으니 사이버전을 대비하기 위한 사이버 무기체계 연구개발 기능이 포함되어 있다고 판단하는 것은 문제가 안 된다고 할 것이다. 따라서 동 법을 보완하여 사이버 무기체계 연구개발을 위하여 국방부장관에게 국가적인 역량을 총합하여 국가 사이버 무기체계를 개발할 수 있도록 조직과 예산에 대한 권한을 부여해야 한다.

【표 5-1】은 사이버 무기체계 개발을 위한 법률의 제 · 개정 소요를 표로 작성한 것이다.

【표 5-1】사이버 무기체계 개발을 위한 법률의 제 · 개정 소요

법 안	주요 내용	형식
사이버보안법	• 국가 사이버 보안 분야에 대한 기본법 지위	제정
디지털포렌식법	• 적법한 디지털 포렌식 활동과 관련 산업보호 육성	제정
사이버정보공유법	• 민 · 관 · 군 · 학 · 연의 사이버 정보를 공유, 통합대응 보장	제정
NSC법	• 국가사이버정책위원회 설치	개정
정보통신기반보호법	• 국가정보원의 사이버 위험 관련 기술적 지원 수행 가능(제7조 3항)하도록 보장	개정
정보통신망 이용촉진 및 정보 보호 등에 관한 법률	• 규제의 주체 · 비율 조정 : 행정기관 → 민간 • 사이버 연구기관으로 하여금 연구개발 · 기술협력 · 기술이전 또는 기술지도 등의 사업 추진	개정
통합방위법	• 사이버 공간 침해상황을 구체화 명시, 대비	개정
국방정보화 기반조성 및 국방정보자원관리에 관한 법	• 사이버 무기체계 연구개발을 위한 국방부장관의 조직구성 및 예산편성 권한 조항 추가	개정

2. 대통령령 및 훈령의 개정

사이버 공간은 사실상 공격자 우위의 영역이기 때문에 사이버 공간에 대한 안보 정책은 '사이버 공격에 대한 일정한 반격능력의 보유'[18] 가 중요하다. 대한민국의 중요한 사회기반시설이나 중요 기업의 인프라가 사이버 공격을 받았을 경우에는 즉시 공격자를 탐지하고 비례적 대응을 가능하게 하는 사이버 무기체계를 개발할 수 있도록 법률에 명시하고 국방부의 임무에도 명시하여야 한다. 그러나 현재 우리나라의 사이버 분야 활동에 대한 법적 근거는 「국가사이버 안전관리 규정」이 전부이다.

「국가사이버안전관리 규정」은 국가 사이버 안전에 관한 조직체계 및 운영에 대한 사항을 규정하고 사이버 안전 업무를 수행하는 기관 간의 협력을 강화함으로써 국가 안보를 위협하는 사이버 공격으로부터 국가 정보통신망을 보호하기 위한 목적으로 2005년 1월에 대통령령 제222호로 제정되었다. 동령의 적용범위는 제3조의 규정에 의하여 중앙 행정기관(대통령 소속기관, 국무총리 소속기관 및 국가인권위원회를 포함), 지방 자치단체 및 공공기관의 정보통신망에 적용한다고 한정하여 행정기관 이외 입법 · 사법기관과 민간 분야는 적용범위에서 제외되었기 때문에 국가 전체를 규율하지 못하고 있다.[19]

그러나 우리 모두가 알다시피 매우 정교한 사이버 공격은 정부기관만을 특정하여 공격할 수도 있겠지만 통상적으로 사이버 공격 시 극심한 피해가 발생하는 곳은 오히려 민간 영역이다. 사이버 공격을 하는 적 및 사이버 테러리스트는 사이버 공간에 대한 전방위적인 공격을 통해 우리나라를 혼란시키고 국가 기능과 감시제어 및 데이터 취득SCADA을 포함한 국민 생활 기능 전체를 마비시키려 할 것이다. 따라서 이 령을 법률로 격상시켜 전 국민의 사이버 공간 영역에 영향을 미치게 함으로써 범국가적인 사이버 침해에 대응하기 위한 국가 대비체제를 구축하여야 한다.

SCADA(Supervisory Control And Data Acquisition)
SCADA 또는 감시제어 및 데이터 취득(Supervisory Control And Data Acquisition)은 일반적으로 산업 제어 시스템(ICS: Industrial Control Systems), 즉 산업공정, 기반시설, 설비를 바탕으로 한 작업공정을 감시, 제어하는 컴퓨터 시스템을 말한다.

또한 현재는 사이버 공격이 발생할 경우 국가 사이버 안전관리 규정에 따라 파급 영향과 피해규모를 고려하여 국가정보원장은 【표 5-2】와 같이 상황에 따라 정상, 관심, 주의, 경계, 심각 등 수준별 경보를 발령한다. 국방 분야에 대해서는 국방부장관이 정보작전방호태세INFOCON를 발령하며, 민간 분야에 대해서는 과학기술정보통신부장관이 경보를 발령하고 경보 발령 전 국가정보원장과 과학기술정보통신부장관, 국방부장관이 협의하도록 정하고 있다. 그러나 동일한 사안에 대하여 굳이 국방과 민간 분야를 구분하여 용어도 다르게 사용하는 것은 혼란만 가중시키고 있다고 본다. 따라서 민 · 관 · 군 영역을 구분하지 말고 통합된 대응을 할 수 있도록 대응 단계와 행동요령을 통일할 필요가 있다.

INFOCON(Information Operations Condition)
사이버 테러에 대응하기 위해 2001년부터 시행된 군의 정보작전방호태세를 지칭하며 5(평시 준비태세), 4(증가된 군사경계), 3(향상된 준비태세), 2(강화된 준비태세), 1(최상의 준비태세)로 구분되어 있다.

【표 5-2】「국가 사이버 안전관리 규정」에 의한 사이버 위기경보 발령 단계 [20)]

경보단계	발령기준
정상	• 평시 상태
관심	• 웜 · 바이러스, 해킹 기법 등에 의한 피해 발생 가능성 증가 • 해외 사이버 공격피해가 확산되어 국내 유입 우려 • 사이버 위협징후 탐지활동 강화 필요
주의	• 일부 네트워크 및 정보 시스템 장애 발생 • 일부 기관에서 침해 사고가 발생했거나 다수 기관으로 확산될 가능성 증가 • 국가 정보 시스템 전반에 보안태세 강화 필요
경계	• 복수 정보통신 서비스 제공자(ISP)망 또는 기간망의 장애 또는 마비 • 다수 기관에서 침해사고가 발생했거나 대규모 피해로 발전될 가능성 증가 • 다수 기관의 공조 대응 필요
심각	• 국가적 차원에서 네트워크 및 정보 시스템 사용 불가능 • 침해 사고가 전국적으로 발생했거나 피해범위가 대규모인 사고 발생 • 국가적 차원에서 공동 대처 필요

2015년 8월 27일 개정된 「국방전력발전업무훈령」[21)] 에 반영된 사이버 무기체계는 지휘통제통신무기체계대분류 - 지휘통제체계중분류 - 합동지휘통제체계소분류의 대상 장비에 사이버 작전체계를 포함시키고, 기타 무기체계대분류 - M&S중분류 - 연습훈련용소분류의 대상 장비에 사이버 훈련체계를 포함시켰다. 이는 공통적으로 기존의 무기체계 분류에 영향을 주지 않고 대상 장비에만 사이버 무기체계를 포함하여 훈령 개정 소요를 최소화한 것이라고 평가된다.

그러나 기존 지휘통제통신 무기체계의 대상 장비는 합동지휘통제체계KJCCS, 군사정보통합처리체계MIMS, 전구합동화력운용체계JFOS-K이며, 기타 무기체계의 대상 장비는 태극, 창조, 창공, 청해 등 모의훈련 체계들이다. 이 체계들은 모두 폐쇄망으로 운용되며 내부자 접근 등 특별한 경우가 아니라면 해킹에 노출되기 대단히 어렵다. 따라서 국방 전력발전업무 훈령에 반영된 사이버 무기체계는 분류 자체가 인터넷을 기반으로 하는 민 · 관 · 군 침해 피해사고에 대응하려는 무기체계는 될 수 없는 것이다.

그러므로 이러한 무기체계 분류는 군 전장관리 체계 전용의 대응개념을 구현하기 위한 것이지 국가 사이버 대응개념을 구현하기 위한 것이라고는 볼 수 없다. 군은 국가를 보위하고 국민의 생명과 재산을 보호하는 것이지 군사 조직과 군사체계만을 보호의 대상으로 한다면 이는 직무유기에 해당한다고 볼 수도 있다. 따라서 우리는 국방 전력발전업무 훈령에 사이버 무기체계를 대분류부터 별도의 무기체계로 분류하여야 하며, 그렇게 될 때 비로소 국가 사이버 안보를 책임지기 위한 사이버 무기체계를 연구개발하고 확보하려는 의지를 가지고 있다고 할 수 있다. 이상 대통령령과 훈령의 개정 소요를 종합하여 【표 5-3】을 작성하였다.

【표 5-3】 대통령령 및 훈령 개정 소요

법 안	주요 내용	형식
국가 사이버 안전관리 규정	• 법률로 격상, 사이버 무기체계 개발의 근거 마련 • 민 · 관 · 군 정보작전 방호태세 경보 수준 통일	개정
국방 전력발전업무 훈령	• 사이버 무기체계를 독립된 무기체계로 대분류	개정

3. 사이버 무기체계 연구개발을 위한 거버넌스 구축

거버넌스란 국가와 시장, 시민사회의 영역을 포괄하는 다종다양한 주체들이 참여하고 연대하며 소통하는 과정을 통해 각자의 경험과 지식을 공유함으로써 신뢰를 쌓고 공동의 문제를 해결함은 물론 발전방향을 함께 모색하는 대안적 협력체계이자 협력적 관리체계라고 볼 수 있다.[22] 문제와 관련된 행위자들이 참여하기 때문에 행위자들 간의 '권력의 균형', 토론, 협의를 통한 정책형성이 중요하다.

사이버 무기체계를 개발하기 위한 거버넌스 개념을 도입하려면 우선 정보보호 관리체계ISMS부터 살펴보아야 한다. ISMS는 2002년 정보통신망의 안정성과 정보의 신뢰성을 확보하고 관리적, 기술적, 물리적 보호조치를 포함하는 보안 관리체계를 수립함으로써 정보보호에 대한 조직의 수준 제고 목적으로 국내에 도입되었다.[23] 또한 정보보호 거버넌스는 기업 자산에 대한 위험 중 특별히 정보자산의 위험을 관리함으로써 기업 운영 거버넌스와의 연계성을 확보하고 정보보호를 위한 문화를 형성하는 것이다. 특히 기업의 이해관계자를 고려하여 최고 경영층과 이사회의 정보보호에 대한 지시, 통제활동과 이를 위한 조직, 역할, 책임, 절차를 포함해야 한다.[24)]

2000년대 초반까지만 해도 민간에서는 IT 의사결정이 최고 정보화책임자CIO 주도로 이루어졌다. 그러나 IT에는 다양한 기술 정책적인 법안과 함께 비지니스 간의 상호 연결, 간부의 범죄 행위, 사생활 보호에 대한 소비자의 요구, 잠재적 IT 실패 같은 위험요인들이 있다. 때문에 IT 실패와 사이버 위험요인의 관리에 대하여 무감각하거나 두려운 기업의 이사회는 CIO 한 사람 또는 한 조직을 두고 그에게 위험관리와 대응체계를 전부 일임하였고 자신들은 그 위험으로부터 자유로웠다. 그러나 이것은 'IT 실패를 극복하기 위해서는 사후에 대규모 비용부담과 엄청난 추가적인 위험이 따른다는 것'을 간과해 버린 것이었다. 그 결과 2000년 이후 IT 실패를 간과한 기업들이 사이버 침해 관련 대규모 손해를 입게 되었고, 그에 대한 반성으로 CIO 중심의 의사결정을 이사회 중심으로 바꾸게 되었다.

그 후 이사회의 IT 의사결정 참여는 기업의 경영성과에 긍정적인 영향을 주었다. 이사회가 IT 의사결정에 무관심한 것은 IT 위험의 확대와 영업 전략, IT 전략의 불일치로 인하여 정보 및 정보보호 시스템의 효과와 경영성과에 부정적인 요소로 작동하였고 이것은 주주의 손실로 나타났다. 그러나 IT 거버넌스의 의사결정 책임을 CIO나 IT 부서에 일임하지 않고 이사회가 집단지성을 발휘하여 전략적인 IT 의사결정을 주도함으로써 IT 위험을 적극적으로 관리하여 정보 및 정보보호 시스템의 효율성을 높여 경영성과에도 긍정적인 요소로 작용하게 된 것이다.[25)] 이처럼 사이버 무기체계 개발을 위한 거버넌스도 집단지성을 활용한 의사결정 구조를 도입한다면 단일 조직이나 소수의 인원에 의해 정책이 좌우되어 실패할 것이라는 일각의 우려를 씻을 수 있는 계기가 될 것이다. 앞에 기술한 국가사이버정책위원회를 통해 사이버 무기체계의 개발 거버넌스를 구축한다면 상기와 같은 우려사항들이 상당 부분 제거될 것이다.

국가 사이버 안전관리 규정에는 국가정보원장이 국가 사이버 안전정책 및 관리에 대하여 각 정부 부처의 장과 예산, 사이버 안전대책의 수립 · 시행, 협조, 사이버 위기대응 훈련, 사이버 공격과 관련한 정보협력 등을 협의하여 총괄 · 조정하도록 규정되어 있다. 그러나 우리 헌법에는 국가 중요정책을 국무회의에서 심의[26] 하도록 되어 있기 때문에 국가 중요정책을 수립 · 시행하는 기관의 장은 국무위원이어야 한다. 사이버 위협이 날로 증가하는 상황에서 국가 사이버 안전 업무는 국가 중요정책 중 하나라고 할 것인데, 【표 5-4】와 같이 국가정보원장은 국무위원이 아님에도 불구하고 국가사이버안전전략회의 의장을 맡는 등 국가 사이버 안보 업무를 전면에서 수행하는 것은 헌법 규정에 맞지 않는다고 할 것이다. 따라서 국가 사이버 안전관리 규정에 근거한 조직은 국가사이버정책위원회로 소속 변경을 하여 헌법이 구현하고자 하는 법정신에 맞는 통치가 되도록 해야 한다.

【표 5-4】「국가 사이버 안전관리 규정」에 따른 조직 구성

회의체	의장	위원	임무
국가사이버 안전전략 회의	국가정보원장	각 부 차관 / 차관급(15명)	1. 국가 사이버 안전체계의 수립 및 개선에 관한 사항 2. 국가 사이버 안전 관련 정책 및 기관 간 역할조정에 관한 사항 3. 국가 사이버 안전 관련 대통령 지시사항 조치 방안 4. 그 밖에 전략회의 의장이 부의하는 사항
국가사이버 안전대책 회의	국정원 3차장	각 부 실 · 국장	1. 국가 사이버 안전관리 및 대책 방안 2. 전략회의의 결정사항에 대한 시행 방안 3. 전략회의로부터 위임받거나 전략회의 의장으로부터 지시받은 사항 4. 그 밖에 대책회의 의장이 부의하는 사항

국가정보원에 소속된 국가사이버안전센터가 사이버 공격에 대한 국가 차원의 종합적인 대응임무를 수행하면서 민 · 관 · 군 사이버 정책을 총괄하고 국내 · 외 협력을 위해 공개적으로 운영 중이다. 그러나 이것은 조직원의 비공개를 규정한 국가정보원법[27] 에도 반하는 일이다. 사이버 공격이 국가 안보를 위협하는 요소로 작용하고 있기 때문에 【표 5-5】에서와 같이 국가사이버안전센터는 항상 공개적으로 각 정부부처는 물론 민간 사이버 기관과의 긴밀한 협력이 필수적이지만 국가정보원장이 국가사이버안전전략회의를 주재하고 국가정보원장 소속 하의

국가사이버안전센터가 이를 집행하는 것은 헌법과 국가정보원법 위반이라고 할 것이다.[28] 따라서 이에 대한 거버넌스의 역할과 책임한계도 분명하게 바로잡아, 국가사이버안전센터를 국가정보원 소속에서 국가사이버정책위원회 소속으로 옮기도록 하여 임무를 수행하게 한다면 대안이 될 것이다.

【표 5-5】「국가 사이버 안전관리 규정」에 따른 사이버 전담 기관

전담기관	설치 책임	임무
국가사이버 안전센터	• 국가정보원 소속 기관 • 민 · 관 · 군 합동대응반 (중앙행정기관, 지방자치단체 및 공공기관의 장에게 소속 공무원 및 직원의 파견)	1. 국가사이버안전정책의 수립 2. 전략회의 및 대책회의의 운영에 대한 지원 3. 사이버 위협 관련 정보의 수집 · 분석 · 전파 4. 국가 정보통신망의 안전성 확인 5. 국가사이버안전 매뉴얼의 작성 · 배포 6. 사이버 공격으로 발생한 사고조사 및 복구지원 7. 외국과의 사이버 위협 관련 정보협력
보안관제센터	• 중앙행정기관, 지방자치단체, 공공기관의 장	1. 사이버 공격정보를 탐지 · 분석 2. 즉시 대응조치 수행
국가보안기술연구소	• 한국전자통신연구원의 국가보안기술 연구 · 개발을 전담하는 부설연구소	1. 공공분야 사이버 안전 관련 기술 확보

사이버 안보역량 측면에서 간과할 수 없는 분야가 바로 사이버 테러 대응능력의 확보이다. 이는 국가 사이버 공간에 대한 총체적인 안전보장이라는 측면에서 고려되어야 하며 국방 사이버 역량강화를 통해 국가 및 국민의 생명과 재산을 보호하는 임무를 헌법적 가치로 부여받은 군의 사명이기도 하다. 더 나아가서 군을 포함한 국가 사이버 대응능력의 구축이라는 측면에서도 포괄적인 개념을 가진다. 국가급의 사이버 테러 대응역량은 국가가 보유한 정보기관을 전부 활용한 정보수집 활동, 국제 정보공유, 치안기관의 형사 사법적인 대응, 사이버 공간을 기점으로 발생하는 재난대응활동 등을 포함한다. 또한 사이버 공간에서 발생 가능한 테러활동에 대비하기 위해서는 각 기관의 역량이 통합적으로 운용될 수 있도록 중앙 컨트롤 타워가 구축되어 통합된 거버넌스로 존재해야 한다.

사이버 테러와 범죄에 대응하기 위해서는 수사기관의 전문성을 확보하는 것도 시급한 일이다. 사이버 수사기관은 국방, 정보기관, 검 · 경찰에서 확보하고 있으나 절대적인 인력과 장비의 부족으로 인하여 완전한 즉응 대비태세를 구축하고 있다고 보기 힘들다. 따라서 보다 숙련되고 전문적인 인력을 확보하여야 하며 충분한 빅 데이터[29] 로 DB를 구축하여 신속하게 테러리스트Terrorist와 테러 리스트Terror List를 특정할 수 있어야 한다.[30] 사이버 공격발생 시 지금처럼 조사결과를 발표하는데 6~8개월씩 소요될 경우 즉응 대응 시기를 놓치는 것은 불문가지이기 때문이다.

또한 국가 중요시설에 대한 '망 분리 확대정책'이 필요하다. SCADA와 국가 기간방송사 등 중요시설은 망 분리 의무화 정책을 확대 적용하여 외부로부터 악성코드가 유입되지 않도록 하여야 한다. 국방부는 그간 외부 세력으로부터 해킹의 표적이 되어온 방산업체에 대하여 2016년 후반기부터 '방산 업체에 대한 망 분리 정책'을 도입하고 있다. 수회에 걸친 공청회를 개최하여 개별업체의 의견을 수렴하고 필요성을 설득하여 우리나라 방산업체의 사이버 공간이 다른 나라의 첩보 수집활동으로부터 안전한 사이버 공간이 되도록 기틀을 닦아가고 있다. 그러나 이 '망 분리 정책'은 도메인Domain 중심의 망 분리가 아니라 데이터 중심의 망 분리가 되어야 한다. 이는 2019년 10월에 발표된 국가 4차 산업혁명위원회의 '대정부 권고안'에도 포함되어 있다.

사이버 공격행위가 발생하면 우선적으로 공격자를 특정하는 사이버 정보수집 활동도 중요하다. 그러나 전술한 바와 같이 사이버 공격자는 자신의 행위를 교묘한 방법으로 감추기 때문에 그 행위의 귀속을 증명하기는 쉽지 않다. 따라서 우리는 사이버 공격행위의 귀속성을 밝히기 위하여 상시 대비태세를 확보하여야 한다. 따라서 정보수집과 공격, 방호가 가능한 사이버 부대는 이러한 국가 사이버 안전망 확보를 위하여 반드시 필요한 국가자산인 것이다.[31] 그러나 우리나라의 사이버작전사령부는 국방망과 폐쇄망인 전장체계에 대해서만 관제와 침해발생 시 조사기능 등을 보유하고 있을 뿐이다. 세계적인 추세에 맞도록 사이버작전사령부의 임무를 재정립하여 사이버 공격을 예측 경고할 수 있는 적극적인 정보수집 활동과 사이버 공격용 및 방호용 무기체계의 개발 임무도 부여해야 한다. 【표 5-6】은 사이버 무기체계 연구개발을 위한 거버넌스 구축 방안에 대하여 세부적인 사항을 망라하여 표로 작성한 것이다.

【표 5-6】사이버 무기체계 연구개발을 위한 거버넌스 구축 제언 종합

항 목	주요 내용
거버넌스 개념 도입	• 국가 사이버 무기체계 개발 통제 : 국가사이버정책위원회
소속변경	국가정보원 → 국가사이버정책위원회 • 국가사이버안전센터 • 국가 사이버 안전관리 규정에 근거한 조직
사이버 테러 대응능력 확보	• 정보수집 활동, 국제 정보공유, 치안기관의 형사 · 사법적인 대응, 사이버 공간을 기점으로 발생하는 재난 대응활동
사이버 수사기관 전문성 확보	• 충분한 빅 데이터로 DB 구축
망 분리 의무화 정책 확대	• 방산업체에 대한 데이터 중심의 망 분리 정책 강화
사이버작전사령부 임무 조정	• 사이버작전사령부 임무에 사이버 무기체계 개발 추가

4. 사이버 무기체계 연구개발을 위한 절차

사이버 무기체계를 개발하기 위한 절차는 (그림 5-2)에서와 같이 개념설계단계-기획단계-개발단계-실전적용단계-목적달성(피해평가 측정)단계-검증단계의 6단계로 설정하였다.

(그림 5-2) 사이버 무기체계 연구개발을 위한 절차

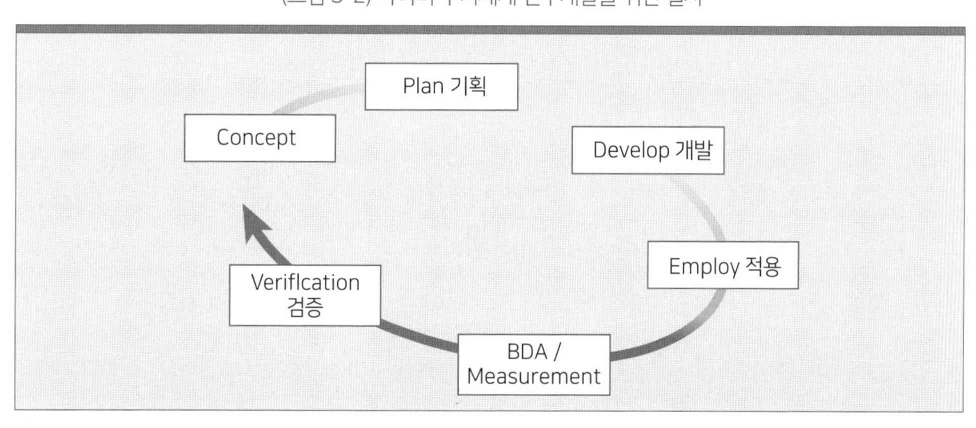

첫 번째, 개념설계 단계는 사이버 공간에서 어떤 활동을 하려는지 목적을 정하고 그에 따라 사이버 무기체계에 대한 운용개념을 설계하는 과정이다. 운용개념설계 단계에서 공격자라면 지금까지 획득한 정보를 이용하여 취약점을 파고 들기에 적합한 방법을 상정하고 그에 맞춘 사이버 기술을 사용한 사이버 무기체계를 설계하는 것이다. 이 단계에서 사용자는 목적에 특화된 무기체계 즉 운용개념을 구현하기 위한 설계를 하게 된다.

두 번째, 기획 단계에서는 사이버 무기체계를 사용할 절차와 경로를 판단하여 이를 위한 물리적인 조건들까지 구체화시킨다. 다양한 방법의 물리적, 비물리적인 정보수집을 통해 대상 체계를 운용하는 사람들의 활동특성까지를 고려하고 취약성까지 고려해 사이버 무기체계의 사용 환경과 사용절차, 사용경로를 기획한다.

세 번째, 개발 단계이다. 이 단계는 기획의 단계를 거쳐 구체화된 사용환경과 사이버 기술이 개발자에 의해 통합되어 최적의 사이버 무기체계로 실체화된다. 기획 단계를 통해 그려진 밑그림에 채색을 하고 음영을 주어 작품을 완성하는 것이다. 개발자에 의해 제작된 사이버 무기체계는 개념설계와 기획의도에 따라 정보수집용 사이버 무기체계라면 사회공학적인 기법을 이용할 것인지, Zeroday Attack용 자료를 수집할 것인지, 경고 체계를 만들 것인지 등을 구체화하는 단계이다.

그런 다음 네 번째는 실전에 적용하는 단계이다. 실전에 적용한 사이버 무기체계는 개념과 기획의도에 따라 목적을 달성하면 지속적인 변종을 만들어 생존을 유지하는 활동을 하게 된다. 이 과정에서 만일 상대방에 의해 발각되어도 쉽게 흔적을 남기거나 사용자를 특정할 수 있는 스모킹 건을 남겨서는 안 된다. 증거는 반격의 필요성을 충족하는 요인으로써 공격을 받을 수 있는 빌미를 제공하기 때문이다. 따라서 적용단계에서 가장 중요한 것은 은밀성과 추적 불가능성이다.

다섯째는 원하는 목적을 달성했는지 피해를 평가하고 측정하는 단계다. 만일 목적달성을 하지 못했다면 다른 사이버 무기체계를 사용할 것인지 아니면 흔적누설을 방지하기 위하여 철수하거나 파괴시킬 것인지를 그 즉시 판단해야 한다. 이 단계는 기획 의도를 충족했느냐와 흔적누설이 가능한가가 가장 중요한 기준이 될 것이다.

여섯째, 검증단계로 검증을 통해 개념 설계자와 기획자는 목적달성 여부를 평가하여 사용한 사이버 무기체계의 지속 사용 가능성을 평가한다. 사이버 무기체계 사용 과정에서 발생한 취약성을 보완하여 새로운 무기 개발의 개념설계에 반영을 하게 되는 것이다.

사이버 무기체계 개발 6단계는 계속하여 상호 영향을 주며 사이버 무기체계의 발전을 돕는다.

제2절 사이버 기술 확보 및 R&D

1. 우리나라가 확보하고 있는 사이버 기술 수준

미국 레이건 정부로부터 클린턴 정부까지 안보와 기반시설 보호 및 대테러의 국가 조정자 임무를 수행한 리차드 클라크Richard A. Clarke는 사이버전에 대하여 다음과 같이 설명하였다.

첫째, 사이버전은 한 국가를 황폐하게 만들 수 있다. 둘째, 사이버전은 빛의 속도로 발생한다. 셋째, 사이버전은 세계적으로 확산된다. 넷째, 사이버전은 전통적 의미의 전장이 필요 없다. 다섯째, 사이버전은 이미 시작되었다. 이처럼 우리가 느끼고 대응하고 있는 것과는 별개로 사이버전은 이미 현실이 되었다.

미국은 이미 국가 주요 기간시설에 대한 사이버 공격을 '전쟁 행위'로 규정하고 대응개념으로 미사일 공격 등 무력대응을 천명하였다. 이것은 사이버 공격이 '전쟁법'의 적용을 가능하게 할 수준으로 부상하였다는 것을 의미한다.

따라서 굳건한 한미 군사동맹을 맺고 있는 우리나라는 미국과 대등한 위치에서 국방 및 안보 분야에 대한 협력관계를 유지하고 안전한 국방을 달성하기 위해서 사이버 무기체계의 개발을 국내 기술로 할 수 있어야 한다. 더 나아가서 사이버 기술뿐만이 아니라 사이버전에 대한 기획 능력도 요구된다. 국내의 경우 이미 SW 개발 능력은 세계적인 수준에 도달하였으므로 국가적인 지원 아래 체계적인 연구개발 계획을 수립한다면 세계 최강인 미국과 대등한 사이버 무기체계 개발 기술력을 확보할 수 있을 것이다.[32)]

우리나라는 다양한 IT 분야에서 높은 기술력을 바탕으로 고르게 사이버 기술을 확장시키고 있다. 주요 기술별 발전 추세와 획득 노력을 살펴보면[33] 첫째, 상황도 도시 기술이다. 2011년 이후 공통 상황도에 지도 도시 사양서 및 투명도 교환을 위한 표준 포맷을 개발하였다. 2012년에는 공통 상황도 도시 요소와 DB의 표준화 개발로 상황도 관련 표준 체계를 정립하였다.

둘째, HCIHuman Computer Interaction기술이다. 산 · 학 · 연 협력을 중심으로 꾸준히 연구 중에 있으며 향후 한국어, 자연어 처리기술이 향상되면 무기체계에 적용될 가능성이 높다. 음성인식 기술은 이미 휴대전화와 음성인식 스피커 등에 적용되어 활용되고 있으나 군사용으로는 개발되지 않은 상태이다. 군사용으로 적용되려면 오류 발생 확률과 오인 확률을 제거해야 하는데 아직까지는 상당히 미흡한 실정이다. 뇌파 인식 기술은 현재까지는 게임기기 위주로 이용되고 있으나 향후 인식률이 더욱 향상된다면 무기체계에도 적용이 가능할 것이다. 인체 동작 인식기술은 아직도 기초 기술인 영상처리 기술과 행동 인식 알고리즘의 복잡화로 목표성능에 도달하지 못한 것으로 평가된다.

셋째, 적응형 컴퓨팅 기술이다. 아직까지 우리나라에서는 실험실 수준의 연구가 진행 중인 기술이다. 서비스 로봇의 상황적응형 SW 아키텍처 설계 기술은 현재 학술적인 수준에서만 연구되고 있다.

넷째, 체계감시 및 통제 기술이다. 우리나라는 이 분야에서의 핵심기술을 이미 보유하고 있다. 그러나 융합과 체계구축 기술이 부족하다는 평가를 받고 있다.

다섯째, 임무 계획수립 기술이다. 우리나라는 이 분야에서 초기 단계의 기술력은 보유하고 있는 것으로 평가된다.

여섯째, 작전운용 기술이다. NCW 환경에서 C4ISR 분야의 효과분석 기술은 인지 및 행위기반의 의사결정을 연구하는 기초단계 수준이다. 핵심 기술은 보유하고 있으나 지능형 체계는 기초연구 수준이고 NCW 개념정립 단계에서 관련된 자동화 기술이 부족한 상황이다.

일곱째, 데이터융합 기술이다. 함정, 지휘무장통제체계 등에서 다중 센서 데이터융합(MSDF:Multi Sensor Data Fusion) 기술을 적용 중이나, 미국에 비하면 전 출처 정보융합 기술은 매우 취약하여 향후 상당기간이 지나야 요망하는 목표수준에 도달할 것이다.

여덟째, 상황 및 위협평가 기술이다. 부분적인 연구는 진행되고 있으나 종합적인 연구가 부족하며 부분적으로 개별 시스템에서 적용된 분야와 적용되지 않은 분야가 혼재되어 있고 기술 수준의 격차가 심한 상황이다.

아홉째, 기반환경(플랫폼) 기술이다. 공통작전환경COE: Common Operating Environment 및 자료 공유 환경SHADE: Shared Data Environment분야의 핵심기술이 연구되고 있다.

열째, 상호운용성 평가 기술이다. 미들웨어Middleware[34]를 제외한 기반기술은 이미 확보되어 있으나 전반적으로 수준이 낮고 복합체계를 통한 전장 환경의 미구축과 체계 기능 절차가 단순 모의 수준이다.

상기에서 살펴본 바와 같이 우리나라의 사이버 작전을 위한 사이버 기술획득 노력은 전반적으로 한미 연합군 체제 하에서 미군의 기술력을 현장에서 체험하고 함께 공유함으로써 기술 안목의 수준은 세계적이다. 하지만 실전에서 우리가 확보한 기술력은 미국과의 격차가 상당히 벌어져 있는 상황이다. 그럼에도 불구하고 우리나라는 지속적인 기술력 확보를 위한 노력이 미흡한 실정이다. 국내 백신 프로그램의 취약점 관리와 검증도 필요하다. 국내산 백신은 중앙 관리서버를 통해 패치가 이루어지기 때문에 이 루트를 이용해 악성코드가 전파되기도 하였다. 그러므로 다양한 백신을 도입해야 하며, 이 과정에서 철저한 검증과 사후관리를 통해 백신 패치 과정에서 악성코드가 전체 PC로 전파되는 것을 차단해야 한다.

2. 민 · 관 · 군 사이버 기술의 R&D와 통합

사이버 공격에 대하여 국제법적인 원칙에 따른 적극적 대응전략의 성공을 위해서는 우선 공격 근원지에 대한 역추적을 통해 공격자를 식별하고, 사이버 공격에 대한 확실한 증거를 확보하여 공격 근원지를 타격하거나 동일 수준의 목표에 대한 동일 수준의 비례적 대응공격능력을 갖추어야 한다. 이를 위해 역추적 기술, 포렌식 기술, 사이버 게놈 기술, 사이버 반격 기술 등을 활용한 무기체계의 연구개발이 이루어져야 한다.

신속 · 정확한 원점 추적능력과 공격자 식별능력은 국가책임법에 근거하여 신속한 조치의 요구와 압력을 가할 수 있는 핵심적인 기술이면서 억지력을 확보하기 위한 기술이다. 북한과의 비대칭성을 줄이는 차원에서도 우리나라 공공기관 · SCADA처럼 민감한 기관의 인터넷과 인트라넷의 망 분리 및 보안 자동화 기술, 인트라넷에 침투하여 사이버 작전을 수행할 수 있는 기술도 개발해야 한다.

> 국가책임
>
> 국제법상 국가 간 분쟁발생 시 가해국이 지는 책임을 말한다. 2001년 ILC(국제법위원회, International Law Commission)에서 초안을 작성했으며, 2010년 기준 「국가책임협약」은 다자조약으로 체결되지는 않고 있지만 초안으로 계속 UN에서 논의되고 있다. 국가책임은 국제관습법으로 인정되어 오던 것을 「국가책임협약」으로 성문화하여 다자조약으로 체결하려는 것이지만 아직 체결이 안 되어 있으므로, 현재에도 국제관습법상의 국가책임을 인정하고 있다.
>
> - https://ko.wikipedia.org/wiki/%EA%B5%AD%EA%B0%80% EC%B1%85%EC%9E%84, 2018.10.13. 검색

국방 사이버 역량을 강화하기 위해서는 먼저 사이버 공간을 바라보는 시각을 개선해야 한다. 전통적인 군의 영역에 국한할 것이 아니라 사이버 공간에서의 법 집행, 정보수집 활동, 민간과의 공동대응을 준비하는 활동까지 결합시켜 종합적인 시각으로 봐야 한다. 국방 사이버 안보역량은 물리적인 공간에서의 군사적 장악력처럼 제해권, 제공권과 같은 사이버 공간에서의 승리를 담보하고 적의 공격의지를 굴복시킬 수 있는 전략적인 목표의 설정이 중요하다.[35)]

우리나라 사이버작전사령부는 공식적으로 현재 사이버 공간에서의 공개첩보를 수집하거나 국방 사이버 공간에 대한 악성코드 침해사고에 대한 예방활동을 주 임무로하고 있는 것으로 보고되고 있다. 그러나 이제 사이버 공간에서 국방 사이버 안보역량을 강화하기 위해서는 사이버작전사령부의 임무에 사이버 무기체계 개발을 위한 연구개발 기능을 부여하여야 한다. 국방망과 전장체계망에 대한 관제, 안전도모, 사이버 전사를 양성하는 단편적인 임무수행이 아니라 사이버군이 어떤 능력을 갖추고 실제적인 기능을 수행해야 하는 가를 정립하여야 한다. 전술한 바와 같이 다른 나라들은 이미 사이버 전문인력에 의한 사이버 무기체계의 개발에 나서고 있다.

사이버작전사령부가 해야 할 가장 중요한 기능은 첫째, 사이버 공간에 대한 사이버 장악력을

확고히 하는 것이다. 사이버 전쟁을 수행할 수 있는 능력은 사이버 전력의 핵심이다. 이 기능은 사이버 공간에서의 정보수집, 공격, 방호활동으로 이루어진다. 둘째, 기존의 육 · 해(해병) · 공(우주)군과의 원활한 지원체계를 갖추어야 한다. 필수적인 지원 기능에는 수집된 정보의 공유, 심리전, 전투근무지원, 병력 및 수송지원 등 전장 6대 기능이 모두 망라되어야 한다.

전장 6대 기능

전투수행 기능은 지상군의 작전수행 개념인 '전 전장 공세적 통합작전'을 구현하기 위해 수행해야 할 대표적인 군사적 역할과 활동들을 말한다. 전투수행 기능은 지휘통제, 정보, 기동, 화력, 방호, 작전지속지원의 6대 기능으로 구성되며, 지휘관 및 참모로 하여금 전투력을 인식하고, 창출 및 유지하며 효율적으로 운용할 수 있도록 보장해 준다. 각 기능들은 지휘통제 기능을 중심으로 유기적으로 통합됨으로써 전투력 발휘의 승수효과를 달성할 수 있다. **지휘통제**는 부대의 임무를 달성하기 위해 지휘관의 지휘권 행사를 보좌하고 제 전투수행 기능을 통합하는 기능이다. **정보**는 임무수행에 필요한 제반 첩보 및 정보를 제공하고 상대적인 정보우위를 달성하여 전투력의 효율적인 운용을 보장하는 기능이며, 전투의 불확실성을 감소시키고 지휘관의 결심을 지원한다. **기동**은 부대를 전개시켜 아군에게 유리한 여건을 조성하고 적 부대의 균형을 와해시키며, 대기동으로 적의 조직적인 작전활동을 방해하는 기능이다. **화력**은 타 기능과 통합하여 화력전투와 작전부대 근접지원을 실시함으로써 작전 목적을 달성하는 기능이다. **방호**는 아군의 생존성을 증대시키고 적으로부터의 기습을 방지하며 아군의 전투력을 보존하는 기능으로 임무수행에 기초하여 수용 가능한 수준의 위험은 감수하되 아 중심은 적극적으로 보호하는 것이다. 방호에는 부대 방호(부대의 인원, 자원, 시설, 정보에 대한 적대행위와 위험을 방지, 경감, 또는 제거하는 활동), 작전보안(적의 정보수집 체계에 의해 관측 및 평가될 수 있는 아군의 군사작전 및 활동을 보호하거나 취약성을 제거하기 위한 조직적인 활동), 우군 간 피해방지(아군이 의도하지 않게 아군병력을 살상하거나 장비에 피해를 입히는 행위를 방지하는 활동) 등이 있다. **작전지속지원**은 제반 자원을 관리하고 근무를 제공하여 전투력을 조성하고 유지함으로써 작전지속 능력을 향상시키는 기능이다.

민간의 사이버 대응 능력을 향상시키기 위하여 모든 제품의 기획 · 설계 단계에서 보안을 강화한 저전력 · 초경량 암호 등의 정보보호 연구를 지원하고 지속적인 사이버 보안에 대한 R&D 투자를 확대해야 한다. 사이버 체계의 설계 단계 보안을 위하여 국가가 가이드라인을 마련하고, 보안 관련 요소기술에 대한 민간의 개발 지원과 개방형 기술 표준화를 통한 4차 산업혁명과 관련된 보안 신기술 발굴이 필요하다. 또한 각 정부부처 및 기업의 정보화 예산에서 정보보호 기초 · 기반기술, 원천 · 사업화 기술 등에 대한 R&D 투자를 확대할 필요가 있다.[36]

최근에는 4차 산업혁명 시기를 맞이하여 다양한 사이버 기술을 통한 공격의 가능성이 대두되고 있다. 첫째, IoT에 대한 사이버 공격이다. IoT에 대한 보안은 인터넷과 연결된 모든 물체들을 보호하는 데 중점을 둔다. 악의적인 해커가 국민의 SNS 계정을 통해 집안 IP 기반제품의 전원을 조절하거나 중요 기반시설의 통제기를 조종하거나 정부의 기밀 시스템을 공격하여 국민과 사회의 혼란을 유도할 수도 있다. 그리고 첨단 무기체계나 단말기에 접근하여 오작동을 일으킬 수도 있다. 이처럼 내재하는 위협이 상당함에도 불구하고 아직 IoT 보안에 대한 연구는 초보 단계에 머물러 있다. IoT 보안은 국민의 생활에 직접적인 영향을 미치는 아주 중요한 분야이기 때문에 단순한 보안 장치나 솔루션만으로는 안 되고 안전을 위한 보안대책의 수립이 우선되어야만 한다.

전반적으로 IoT 보안을 위해서는 기밀성, 무결성, 가용성, 권한 부여, 결합성, 개인정보보호가 기초 필수적인 사항이다. 최근 금융권과 개인정보를 대상으로 하는 해킹 범죄가 매우 증가하고 있으며 사이버 공격이 공공에서 민간으로 전환되고 있는데 그 이유는 민간에서 쉽게 많은 이익을 취할 수 있기 때문이다.

IoT의 증가는 필연적으로 클라우드 시스템의 소요를 증가시켰다. 연결이 증가하게 되면서 보다 많은 컴퓨팅과 저장에 대한 문제점을 해소하기 위해서 클라우드 서비스를 활용해야 하기 때문이다.[37] 이에 따라 클라우드 보안에 대한 우려 또한 증가하고 있다.

미국의 보안업계 보고서들에 의하면 가까운 시일 안에 IoT 기기 해킹으로 사용자들을 직접 공격하여 인명피해를 일으킬 수 있으며, 사이버 살인까지도 가능성이 있다고 한다. 현재 'IoT 기기의 보안 취약점 정보를 거래하는 암시장'이 존재하며, 온라인을 통한 살해가 현실화되는 것은 시간 문제라는 것이다.[38] 실례로 워싱턴대학 과학자들은 차량용 전자장치를 무선 인터넷으로 원격 제어하는데 성공하였고, IP TV를 이용한 악성 메일 발송이 가능하다는 것이 입증되었다. 러시아는 중국의 수출용 다리미에서 와이파이 망을 해킹하여 바이러스 공격이 가능한 컴퓨터 칩을 발견하고 수입을 취소하였으며,[39] 인공 심장박동기에 전류를 공급하는 장치를 위변조하여 인명사고까지 유발하기도 하였다.

세계는 IoT 보안에 있어서 해킹 위협을 줄이기 위해 많은 보안 솔루션을 개발하고 있으며 그 중 최근 각광받기 시작한 기술이 블록체인이다. 최근 금융권은 해킹에 대비한 블록체인 관련 기술의 공동개발에 주력하고 있으나, 정부의 대책은 미미하며 아직도 많은 연구가 필요한 실정이다. 사이버 무기체계 기술에도 이와 같은 IoT와 클라우드, 블록체인과 같은 첨단기술이 도입되어야 한다. 【표 5-7】은 향후 국방 분야에서 확보해야 할 사이버 기술과 연구개발 필수 분야를 정리한 표이다.

【표 5-7】 사이버 기술과 R&D 필수 분야

항 목	주요 내용
사이버 무기체계 기술 연구	• 역추적, 포렌식, 사이버 게놈, 사이버 반격 기술 등
「국가책임법」에 근거한 기술 연구	• 원점 추적능력과 공격자 식별능력 • 망 분리 및 보안 자동화 기술 • 인트라넷에 침투하는 기술
사이버 군 필수 기술	• 악성코드 침해사고에 대한 예방 기술 • 전장 6대 기능 구현 기술
민간 사이버 대응력 향상	• 저전력 · 초경량암호 등의 정보보호 연구를 지원 • 설계 단계 보안을 위하여 국가 가이드라인 제시
4차 산업혁명 대비 기술	• IoT에 대한 보안 기술 • 블록체인을 활용한 암호화 기술 등

2017년부터 임기가 시작된 현 정부는 2018년 5월 대통령의 「대국민 보고서」[40] 에서 4차 산업혁명 시기 대응을 위한 혁신성장 8대 선도사업을 추진하면서 기초연구를 확대하고 R&D 프로세스를 효율화하겠다는 계획을 발표하였다. 이 계획의 혁신성장 8대 핵심 선도사업은 ①초연결 지능화 ②스마트 공장 ③Smart palm ④핀 테크 ⑤재생에너지 ⑥스마트 시티Smart City ⑦드론 ⑧자율주행차 등이며 민 · 관 합동으로 혁신성장 지원단을 구성하여 원스톱으로 지원하겠다고 하였다.

이에 따라 R&D 분야에 대해서도 2018년도에는 예산을 사상 최대인 19조 7천억 원으로 확대 편성하였지만, 2019년도에는 15조 8천억으로 축소하였고, 2020년에는 24조 874억원으로 전년대비 17.3% 증액되었다. 이것은 안정적인 예산확보와 증액이 아니라 그때 그때의 사회 분위기에 편승한 예산 투자라고 생각된다 이러한 예산투자 방식으로는 안정적인 R&D 역량을 확보하기 어렵다.

연구자 중심으로 R&D 과제의 기획-선정-평가-보상이라는 프로세스를 혁신적인 방안으로 수립하여, 연구비 관리 시스템을 17개에서 2개로 통합하는 등 정부 부처별 별도 시스템의 불편을 해소하였다. 또한 과학기술 분야 최고 의사결정 기구를 대통령이 의장인 국가과학기술자문회의로 통합하고 R&D 예비타당성조사 제도를 개선하는 등 R&D 예산 편성 방식을 혁신성장에 맞춰 개편하였다.

국민들의 많은 기대 속에 새롭게 출범한 정부는 이와 같이 야심차게 4차 산업혁명에 대응하는 혁신성장 전략을 구상하고 과학계의 오랜 숙원사업에 대하여 적절하게 계획을 수립하고 있으나, 사이버 무기체계와 관련된 R&D에 대해서 별도의 언급이 없다는 것은 큰 아쉬움으로 남는다.

3. 국방사이버보안기술연구소 설립

전문적인 사이버 무기체계의 개발을 위해 국방과학연구소와 비슷한 수준의 국방사이버보안기술연구소를 설립하여 사이버 정보수집용, 공격용, 방호용 무기체계들을 획득할 수 있도록 체계를 갖추어야 한다. 사이버 기술을 연구하는 국가급 연구소는 현재 국가보안기술연구소가 있다. 이 연구소의 연구 인력은 약 500여 명으로 알려져 있고 주 연구 분야는 암호, 사이버 기술, 전자파 보안장비 개발 등이다.

그러나 이 정도 규모로는 국가 차원에서 사이버전을 대비하기 위한 역량을 확보하기에는 턱없이 부족하다. 국가급 사이버 무기체계는 미국의 NSA와 같은 보안이 확보된 기관에서 수행해야 한다. 국가급 사이버 무기체계에 대한 연구와 기술개발이 타 기관에서는 불가능하기 때문이다.

따라서 국가보안기술연구소를 확대 증편하거나 미국의 국가안보국과 유사한 임무를 수행하는 777사령부와 기왕에 사이버 대응기술을 보유한 사이버작전사령부에 추가적인 임무를 부여하여 사이버 무기체계에 대한 집중적인 연구가 이루어져야 한다. 이때 국방기술품질원의 사이버 기술 연구인력과의 발전적 통합도 고려해야 한다.

국방사이버보안기술연구소를 국가보안기술연구소, 777사령부, 사이버작전사령부, 국방과학연구소 사이버 기술팀, 국방기술품질원 사이버 기술팀과 공동으로 설치하는 방안도 고려해 볼 만하다. 일정기간 공동연구를 통해 선진 기술력과 경험을 축적한 후에 독립된 국방연구소로 증편하여 사이버 무기체계에 대한 집중적인 투자와 연구를 한다면 국가가 필요로 하는 정보수집용, 공격용, 방호용 사이버 무기체계 개발이 가능할 것이다.

국방과학연구소 수준으로 연구인력과 예산을 확보하여 물리적 무기체계와 사이버 무기체계에 대한 연구와 개발 수준의 균형적 발전을 도모해야 한다. 사이버 무기체계는 군이 사용하는 것이므로 군과 긴밀한 협력관계를 유지할 수 있도록 민 · 관 · 군 관련 인력의 교환교류도 병행되어 연구기획 단계에서부터 군이 참여할 수 있어야 한다.

또한 북한은 온 · 오프라인에서의 공격을 동시에 수행할 수 있으므로 시스템과 네트워크 보안만이 아니라 국민 인식제고나 직원 내부통제, 민감한 조직에 공급되는 소프트웨어를 감시하는 공급망 보안 등이 이루어져야 한다. 방호 위주의 대응만으로는 비대칭성이 영구화될 뿐이며 사이버 공격에 대한 억지는 불가능하므로 능동적인 대응공격을 통해 해커의 공격시도를 좌절시키고 억제하는 공세적 사이버 전략이 수립되어야 한다. 하지만 국민의 인터넷 접속 가능성이 낮고 공격 목표인 시스템이 없는 상황이라면 사이버 심리전을 포함한 사이버 공격 전략의 효과성이 저하될 수 있으므로, 이러한 대상을 향한 공격활동을 위해서는 제한적인 인트라넷에 대한 대응공격 전략과 전술을 개발해야 한다.[41)]

민간의 사이버 공격과 침해사고에 대한 대응을 전담하는 현직 경찰관들을 대상으로 심층 면접을 통해 사이버 보안전문가 양성 측면과 민 · 관 협력에 대한 연구에서는 사이버 보안전문가 양성에 대하여 다음과 같이 제언하고 있는데 참고가 될만하여 소개한다.

1. 사이버 보안 민간전문가 채용
2. 사이버 테러 대응 교육기관의 질적인 개선
3. 사이버 테러 대응 전문가 양성 관련 국민의식 제고

4. 사이버 테러 대응 관련 국가시험 및 교육제도 강화

5. IDC 또는 웹 서버 호스팅업체 관리 · 감독 강화

6. 민간업체에 대한 예방 관련 관제 모니터링 강화

7. 글로벌 거버넌스('부다페스트 협정') 참여

8. 정보공유 분석센터 확대 강화 필요

9. 민간 기업들의 수익자 부담 원칙 유도

10. ISP로부터 IP 추적 협조 관계 구축('범죄 증거수집 협업')

현재까지 식별된 사이버 공격은 네트워크에 대한 공격이 대부분이고 네트워크를 통해 운영되는 SCADA와 같은 기반체계 공격을 통해 일반 국민들의 불편을 강요하거나 금융권에 대한 공격을 통해 직접적인 경제적 이익을 갈취하는 것이 주종을 이루고 있다.

그러나 향후에는 사이버전이 직접적인 인명살상과 연결될 것이라는 주장[42] 이 설득력을 얻고 있다. 디지털 기반체계와 물리적인 역량이 통합된 현실에서 중요한 국가 기반시설에 대한 사이버 공격은 간접적인 인명살상으로 연계될 수도 있고, 악성코드를 조작하여 사용자 컴퓨터를 과열시키거나 급격한 전류의 증가를 유도하여 컴퓨터를 폭파시킨다면 사용자가 직접적인 피해를 입게 될 것이다. 이처럼 사이버 무기체계는 직접적인 인명살상용 무기체계로까지 발전하게 될 것이기 때문에 적극적인 대비책을 미리 강구해야 한다.

제3절 사이버 인력 확보 및 교육훈련

1. 사이버 전문인력 확보 방안

북한이 사이버전, 핵, 미사일을 3대 전쟁 수단으로 생각하는 것은 최소 비용으로 최대 효과를 얻을 수 있는 위력을 발휘한다는 장점 때문이다. 이를 위해 북한은 중학교 과정에서부터 컴퓨터 영재반을 편성하여 사이버전에 특화된 전문인력을 확보하고 있다고 전술한 바 있다.

그러나 우리나라는 초 · 중등과정에서 컴퓨터를 가르칠 때 코딩이라든가 컴퓨터의 기본원리는 도외시하고 컴퓨터 활용법과 문서 편집, 타자 능력 등 기능적인 측면을 우선하여 집중적으로 가르치기 때문에 컴퓨터 활용성은 뛰어날지라도 컴퓨터의 기본원리에 입각한 작동원리를 전반적으로 이해하는 인력은 거의 없다. 그럼에도 불구하고 고등 교육과정인 모든 대학에는 컴퓨터학과가 있어서 늦게나마 이들에게 컴퓨터 원리를 가르치고 있는 것은 다행스러운 일이다.

따라서 우리나라의 군 사이버 전문인력에 대한 종합 관리체계 마련 시 고려할 사항으로 미국의 체계화된 군 전문인력 정책과 관리 방법, 기타 선진 교육훈련 사례에 대한 종합적인 연구를 통해 효과적인 사이버 전문인력 육성 및 관리체계 마련이 필요하다.

전술한 미국의 방법을 우리나라의 실정에 맞게 적용하기 위하여 개선이 요구되는 사항을 【표 5-8】로 작성하였다.

【표 5-8】우리나라 군 사이버 전문인력 양성을 위한 개선 요구사항 [43)]

현 황	개선 요구사항
• 사이버 안보전략-사이버 국방전략-사이버 군사전략 등 구조화된 사이버 국방 관련 전략체계 부재 • 군 사이버 전문인력에 대한 정의 불명확 • 군 사이버 전문인력 관리 전략 부재 및 관련 정책 부족 • 국가 사이버 전문인력 직무 프레임워크인 국가 직무능력표준에 군에 특화된 직무 부재 • 군의 독자적인 직무 프레임워크 부재 • 군 사이버 전문인력의 커리어 패스 부재 • 군의 사이버 전문인력의 직무 인증평가, 교육과 관련된 지침이나 표준 부족 • 군 사이버 전문인력 대상 전면적인 직무분석 활동 부족 • 군 지원 외부 교육과정에 대한 적정성 검증이나 평가 기준 부족 • 군 내 · 외부 사이버 전문인력 교육 프로그램에 대한 표준 교과 과정과 교재 부재	• 사이버 국방 관련 전략체계 정비 • 군 사이버 전문인력에 대한 명확한 정의와 범위 설정 • 군 사이버 전문인력에 대한 전략 마련 • 군 사이버 전문인력 관리 지침 마련 • 〈국가직무능력표준〉 개발에 군 사이버 전문인력 업무 반영 노력 • 군 사이버 전문인력 대상 전면적 직무분석을 통한 군의 독자적 사이버 전문인력 직무 프레임워크 개발 • 군 사이버 전문인력 직무 인증평가와 교육 관련 지침 및 표준 개발 • 미국 CAE-CO, CAE-CD 학교 선발기준과 같은 외부 교육 과정에 대한 검증 및 평가 기준 마련 • 군 사이버 인력 직무 프레임워크와 〈국가 직무능력 표준〉을 활용한 군 내 · 외부 사이버 전문인력 교육 프로그램에 사용할 수 있는 표준 교과 과정과 교재 개발

우리나라 사이버작전사령부는 현재 군 전산망에 대한 방어적인 모니터링과 사이버 침해분석 업무에 집중하고 있어서 국가 사이버 공간에 대한 장악력을 갖추지 못하였고 전문적인 사이버 작전수행에 필요한 사이버 병과와 주특기가 없었으나 2020년에 신설될 예정이다. 사이버작전사령부가 북한 등의 사이버 위협과 대등한 작전능력을 보유하기 위해서 사이버 공간에서의 작전활동에 대한 개념을 명확히 하고, 전문인력 양성과 보직, 진급관리가 될 수 있는 사이버 병과 및 주특기 제도를 신설하기로 한 것은 매우 잘한 일이다.[44)]

사이버 무기체계를 개발하는 전 과정에서는 (그림 5-3)과 같이 공격자 입장의 모의침투를 통해 실전적인 보안 취약점을 도출하여 개선하는 과정을 거쳐야 한다. 이를 통해 실전적인 공격과 방호역량을 배양하게 됨은 물론 체계화된 절차와 경험, 능력을 제공받게 될 것이다.

특히 사이버 무기체계의 경우 정보체계를 기반으로 공격용 무기체계로 확대되며 공격자 관점에서 수시 및 정기 모의침투 활동을 수행함으로써 실전능력을 쌓게 된다. 이 훈련을 적용하게 되면 국방부는 정책지도, 합참은 조정 · 통제, 사이버작전사령부는 실행자로서 역할이 가능하게 될 것이다. 이를 통해 사이버 공격과 킬 체인 기반의 공격 및 방호를 단계별로 숙달함으로써 모든 사이버 작전활동이 규정된 절차와 지침을 정립하게 되고 사이버 전사들은 숙련자로 성장할 것이다.

(그림 5-3) 사이버 모의침투 훈련 개념도

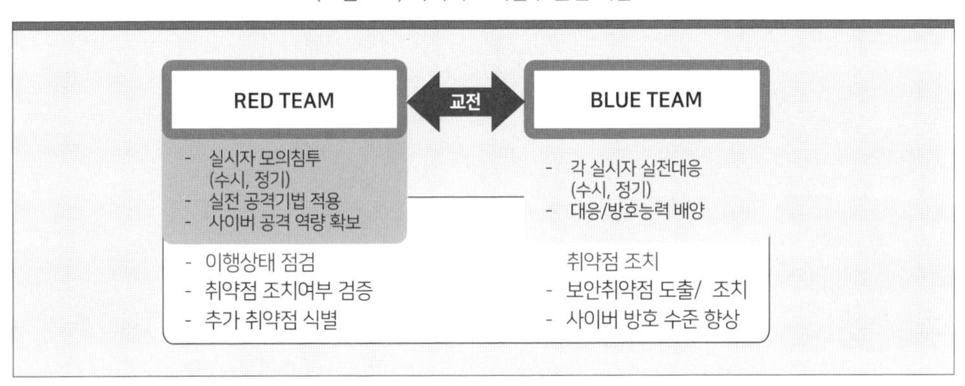

사이버 전사는 정기 및 수시 점검과 훈련을 통해 식별된 취약점 조치와 지원능력을 확보하게 된다. 또한 사이버 전사 개인에 대한 추적관리를 통해 개인별 역량을 확인함은 물론 대응 능력의 향상을 가져온다. 이런 일련의 과정을 통해 모든 조직은 모의침투 공격 및 대응에 맞는 환경을 구축하게 될 것이다. 사이버 훈련장은 실전환경과 유사한 시나리오 기반의 교육 시스템을 확보해 훈련이 이루어져야 한다.

이런 제도적 체계와 여건을 갖추고 진행되는 사이버 모의침투 활동을 통해 사이버 전사는 강화된 역량으로 내 · 외부 사이버 위협에 체계적으로 대응하게 됨으로써 예방과 대응이 가능한 정예요원으로 거듭나게 될 것이다.

2. 실전적인 사이버 공격과 방호 활동을 통한 교육훈련

인터넷으로 접근이 제한되는 나라는 미국 특수목적 접근작전TAO: Tailored Access Operations [45] 요원이 활동하기에는 열악한 조건이다. TAO는 2013년 국가안보국의 최고 해커들로 구성되었고, 약 300명 규모라고 알려져 있다. TAO 해커에게는 한 가지 임무만 있다. 수단 방법 안 가리고 상대방의 네트워크에 침입하여 패스워드를 훔치고, 스파이웨어를 심고, 언제든 드나들 수 있도록 백도어를 만드는 것이다.

이러한 사전 작업에는 두 가지 목적이 있다. 첫째, 미국에 대항하는 나라에 대한 정보를 얻는 것 둘째, 대통령의 명령이 하달되면 대상 네트워크와 그에 연결된 인프라를 파괴할 수 있는 정보를 수집하는 것이다.

TAO는 NSA의 엘리트 해커가 모인 곳이지만, 그 안에서도 엘리트 중의 엘리트만 모아 놓은 원격작전센터ROC: Remote Operations Center가 있다. ROC는 사이버사령부와 협조하여 감시와 공격 활동을 수행하도록 되어 있지만 실제 작전활동 간에는 모든 것을 ROC가 주도한다. ROC의 활동은 사이버 공격의 감시활동 임무를 수행하는데 시스템과 네트워크에 대한 정찰활동을 하고 표적정보를 사이버사령부에 제공하는 역할을 수행한다.[46]

NSA와 CIA가 합동으로 구성한 특수정보국SCS: Special Collection Service도 있다. 이 조직은 미 대사관과 영사관에 도청 기지국 65개를 운영하면서 상대 국가의 사이버 군대를 감시하는 역할을 한다.[47] CIA가 양성하는 해커 조직은 정보작전센터IOC: Information Operation Center이다.[48] 수백 명의 해킹 요원이 소속된 IOC는 CIA에서 가장 중요한 팀 중 하나로 자리매김하고 있다. 이들의 임무수행을 가능하게 하는 것이 교육훈련이다.

사이버 무기체계가 개발되면 해당 무기체계를 활용한 교육훈련이 필수적으로 이루어져야 하며 훈련 절차와 매뉴얼을 작성하여 사이버 전사들의 체계적인 능력배양에 활용해야 한다. 교육훈련은 임무를 완수하기 위해 행하는 조직적인 활동을 기반으로 진행된다. 일반적인 교육훈련의 절차는 계획수립→훈련 준비→실시로 이루어지며 각 단계에 대한 지속적인 평가를 통해 미비점을 보완한다.

(그림 5-4) 공격과 방호의 단계적 활동에 대한 체계도

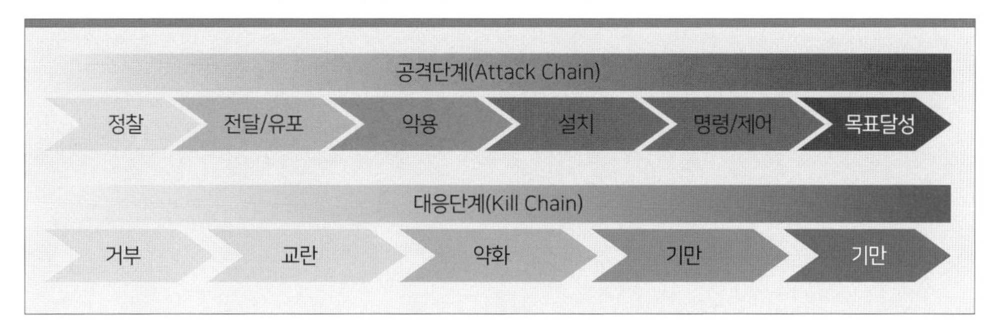

(그림 5-4)는 사이버 공격과 방호의 작전 단계별 활동에 대한 체계도이다. 사이버 요원들에게 어떤 훈련을 시킬 것인가에 대한 판단에 결정적 영향을 미치는 요소는 침해 예상집단에 대한 최근까지의 활동 평가다. 따라서 최근까지의 다양한 공격 패턴에 대한 분석을 통해 침해 집단의 활동 절차를 파악하고, 그에 대응하기 위한 수단과 기술 및 절차를 숙지해야 한다.

군대는 교전규칙에 의해서 대응하도록 교육받고 있다. 따라서 사이버 공간에서도 사이버 교전규칙에 근거하여 적의 사이버 공격에 효과적으로 대응할 수 있어야 한다. 또한 정부는 탈린 메뉴얼 등의 사이버 국제법이 정한 원칙을 적용하여 상황에 맞는 사이버 교전규칙을 마련하고, 사이버 위기대응 매뉴얼에 따라 각급 기관을 동원한 훈련을 통해 상시 대비태세를 구축해야 한다. 미국은 이미 오래전부터 격년제로 국가 차원의 사이버 테러 대응훈련을 하고 있다. 이에 우리나라도 국가적인 차원에서 시행하는 '을지연습' 등에 사이버 작전을 포함한 실질적이고 범정부적인 사이버 테러 대응훈련이 포함되어야 한다.

사이버 위협에 대한 정보공유와 교육이 활성화되어야 한다. 정부를 비롯한 공공기관은 최근까지도 사이버 위협과 관련된 정보와 민간 전문기업의 악성코드 분석정보를 공유하지 않고 있는 상황이다. 그나마 다행인 것은 2017년 5월 발생한 '워너크라이 사태' 발생 시 고려대학교 전산실에서 발 빠르게 대응책을 내놓았고 이것이 SNS와 인터넷을 통해 신속히 확산되어 우리나라는 상대적으로 대규모 국민 피해를 예방할 수 있었다. 이처럼 민 · 관 · 학 · 연 · 군 등의 대응이 유기적으로 연계될 때 국가의 사이버 공간은 안전하게 지켜질 것이다.

또한 이를 뒷받침할 수 있도록 강력한 사이버 전사 양성을 위한 교육훈련 체계도 구축해야 한다. 국가적으로는 공공과 민간의 사이버 인력을 활용할 수 있도록 합당한 대우와 보상 체계를 확립함으로써 능력 있는 사이버 전사를 확보하여야 한다.

실전적인 교육훈련을 위해 시나리오 기반의 교육 시스템을 확보하고 사이버 무기체계를 사전에 운용하여 미비점을 도출하고 사이버 전사의 능력을 향상시키는 것은 매우 중요한 일이다. 사이버작전사령부로 대표되는 사이버 상비군의 능력을 강화함은 물론이고 사이버 예비군 제도[49] 를 도입하여 민 · 관 · 군 통합 방위체계를 구축하여야 한다. 사이버 공격은 공공, 민간, 군 등의 영역을 구분하지 않는다. 모든 수단을 이용한 공격이 사이버 테러나 사이버 심리전에 사용될 수 있는 상황에서 민 · 관 · 군으로 분리된 방식의 현 보안체계로는 효과적인 대응이 불가능하므로 효율적인 민 · 관 · 군의 정보공유와 대응체계를 구축해야 한다.

사이버 공격 집단은 온 · 오프라인에서 동시에 다양한 공격을 해오기 때문에 시스템과 네트워크 보안이 중요한데 특히 내부통제와 민감조직에 공급되는 SW 및 HW를 감시하는 '공급망 보안' 등을 확립해야 한다. 방호작전에 치중한 대응보다는 적극적인 대응공격으로 사이버 공격 세력의 침해시도 자체를 좌절시키는 공세적 사이버 전략이 필요하다. 다음의 【표 5-9】는 전술한 사이버 인력확보와 교육훈련 방안에 대한 제언을 종합한 것이다.

【표 5-9】 사이버 인력 확보와 교육훈련 방안에 대한 제언

항 목	주요 내용
군 사이버 전문인력 종합 관리체계 구축	• 타국의 체계화된 군 전문인력 정책, 관리 방법, 선진 교육훈련 사례의 종합적인 연구
실전적인 훈련 체계 정착	• 사이버 공격, 킬 체인 기반의 방호 단계별 숙달 • 시나리오 기반 교육 시스템 확보 • 사이버 무기체계 사전 운용, 미비점 도출
사이버 엘리트 팀 확보	• 네트워크 침입, 패스워드 확보, 스파이웨어, 백도어 설치 등
민 · 관 · 군 통합 방위체계 구축	• 사이버 무기체계 활용을 위한 실전적 교육훈련 • 상황에 부합된 교전규칙 숙달 • 사이버 예비군 제도 도입 • 민 · 관 · 군 정보공유 및 대응체계 구축

제4절 국제협력 활동

1. 국제 사이버 협력체에 대한 적극적인 참여

다양화된 네트워크 기반의 사이버 공간에서 악의적인 사용자의 발생으로 인한 사이버 침해 활동이 국가 간 또는 비국가행위자에게로까지 확대된다는 것은 사이버전과 연관된 행위자가 다수라는 것을 증명한다.

따라서 국가들이 사이버 공격행위에 대하여 피해 당사국의 역추적과 보복을 회피하기 위해 비국가행위자들을 적극 활용하게 되고, 그런 경향은 더욱 증가할 것이라는 주장도 있다.[50] 비국가행위자들은 2개국 이상에 분산되어 있으면서 SNS를 통해 조직을 구성하고 현실 세계와는 대면하지 않으면서 국제 범죄조직 활동을 수행하기도 한다. 테러 조직과 국제 범죄조직은 정치 · 경제적 목적달성을 위해 전략적 동맹과 물리적 충돌을 감수하는 극단적인 관계를 형성하기도 한다. 또한 이 범죄조직은 국가와 직접적인 물리적 충돌을 할 때도 있지만 때로는 상호 협력하기도 한다.[51] 더 나아가서 국제 범죄조직에 대항하기 위해 각국이 공동안보 위협에 대응하는 차원에서 국가 간에 동맹을 구축하여 국제 동맹을 형성하기도 한다. 사이버 공간의 확대는 이러한 비국가행위자들의 위협을 더욱 진화시켰고 사이버 위협은 국가 단위의 국제 안보질서에 새로운 위협으로 등장하고 있다.[52]

【표 5-10】은 Nicolo Bussolati가 전술한 그의 논문에서 '비국가행위자'를 분류한 표이다.

【표 5-10】Nicolo Bussolati의 비국가행위자 분류

비국가행위자	내 용
개별 해커 (Individual hackers)	• 정규 교육 밖에서 양성된 해킹 전문가 • 필요에 의해 자율적으로 사이버 작전에 가담 * 이스라엘의 국방군 8200부대, 중국인민해방군 61398부대에 개별 해커들이 독립적으로 참가 중
범죄 조직 (Criminal organizations)	• 수익성을 좇아 그 활동범위 확대 • 기존 물리공간의 범죄 조직처럼 잘 조직되고 상하 관계가 분명한 집단 • 통상 Phishing, 스팸, 악성코드 유포 등으로 범죄수익 목적, 일부는 국가와 긴밀한 관계 * 2008년 러시아 vs 조지아전쟁, 2009년 키르기즈스탄 공격 참여(Russian Business Network)
사이버 용병 (Cyber mercenaries)	• 범죄조직과 같은 분류 • 전문적인 사이버 공격 가능한 고도의 해커들로 구성 • 금전적 목적에 의한 계약에 따라 정부기관, 방위산업체, 통신 시스템, 사기업 등을 대상으로 공격
핵티비스트 (Hacktivists)	• 디지털 활동주의자 • 1980년대 후반 정치적 독립활동 그룹, 정치적 · 이념적인 이유로 해킹 * 어나니머스(Anonymous)
애국주의적 해커 (Patriotic hackers)	• Hacktivists Group과 매우 유사 • 자국의 이익수호를 위한 애국적 헌신 • 다른 비국가행위자들보다 국가와의 연계성이 높음 * 러시아 내쉬 : 2007년 에스토니아에 대한 사이버 공격의 배후 * 중국 : 붉은 해커 동맹(Red Hacker Alliance)

또한 대부분의 사이버 공격이 해외에서 시작되기 때문에 사이버 공격 진원지에 대한 역추적의 어려움은 항상 존재하고 있다, 이것은 사이버 공격발생 시 적시적이고 효과적인 수사와 국제 공조가 긴밀하게 필요함을 말해주고 있다. 따라서 우리나라도 부다페스트 사이버 범죄협약 가입과 사이버 국제 활동에 적극 참여하여 사이버 안보공조와 국제 신뢰를 쌓아가는 노력이 필요하다.[53)]

사이버 공간은 이미 한 나라에 의해서 규율될 수 있는 공간이 아니다. 따라서 국제협력이 무엇보다도 중요하다. 그럼에도 불구하고 우리나라는 국제 경제적인 위상에 걸맞지 않게 UN 등 다자간 사이버 협력체에서 소외되고 있는 실정이다. 따라서 우리나라도 국제협력을 위한 노력을 내실 있게 구축해 나아가야 한다. 최근 사이버 공간에서는 국가 간 사이버 범죄, 사이버 테러와 국가 수준의 사이버 공격과 개별 해커 집단에 의한 사이버 공격도 빈발하고 있다.

국제 사회는 이러한 문제들을 공동의 노력으로 해결하기 위하여 첫째, 사이버 범죄의 예방과 대응 둘째, 국가 간 사이버 안보 문제 해결을 위한 신뢰성 제고 셋째, 사이버 안보규범의 확립을 위한 협력체계를 구축하고 있다. UN 정보안보 정부전문가그룹에서는 사이버 안보를 확립하기 위하여 국가 간 규범 제정 문제를 논의하였고, UN 군축위원회에서는 사이버 공간에 대한 국가 간 신뢰구축과 국가 안보 문제를 다루고 있다. 2004년 7월에는 사이버 범죄협약이 발효되었으며 우리나라도 최근 가입을 추진하고 있다.

> 사이버 범죄협약(The Convention on Cybercrime)
> 인터넷을 이용한 모든 범죄행위에 대하여 상세한 규정을 두고, 이를 처벌하도록 한 최초의 국제조약으로 '부다페스트 협약(Budapest Convention)'이라고도 한다. 국제 사회가 사이버 범죄에 공동으로 대처하고 국가 간 공조를 긴밀히 하기 위한 핫라인 설치 등이 명시되어 있다. 2001년 11월 23일, 헝가리 부다페스트에서 열린 사이버 범죄 국제회의에서 전 세계 30개국이 조약에 서명한 뒤 조약 참가국별로 비준절차를 거쳐 정식으로 발효되었다. 이 조약은 컴퓨터 시스템이나 데이터에 대한 불법 접속, 지적재산권 침해, 컴퓨터 바이러스 개발 및 유포, 아동 포르노 배포 등을 범죄행위로 규정하고 조약 참가국들이 국내법으로 이를 금지하도록 의무화하는 한편, 컴퓨터 네트워크를 이용한 사기, 돈세탁, 테러 모의 또는 준비 등의 행위도 사이버 범죄로 규정했다.
> –네이버 지식백과

이 협약은 저작권 침해, 컴퓨터 사기, 아동 포르노 금지 등에 관하여 국내법에 의무적으로 규율하는 법을 둘 것과 사이버 범죄수사에 대하여도 의무적으로 상호 협력할 것을 규정하고 있다.

우리나라는 국제연합 부패방지협약UNCAC: United Nations Convention Against Corruption과 함께 초국가적 범죄를 척결하기 위한 UN의 「초국가범죄협약UNTOC: United Nations Convention Against Transnational Organized Crime」에 2015년 11월에 186번째 당사국으로 가입하였다. 해킹 · 디도스 공격과 중범죄 활동 등 초국가적 범죄에 대응하기 위한 협약이다.

2000년 11월에 UN 총회에서 채택되었고 부속 의정서는 조직범죄단체의 범죄와 관련된 「인신매매방지 의정서」, 「불법이민방지 의정서」, 「불법총기류규제 의정서」로 이뤄져 있다. 이를 통해 초국가범죄협약을 활용한 국제 범죄인 인도, 형사 · 사법 공조가 가능해지고 당사국 간 공조수사 체계가 확립되는 계기를 마련하였다.

2. 국제법과 국제 공조를 활용한 사이버 공격 예방 활동

북한의 사이버 공격에 대하여 우리나라가 적극적인 대응체계를 갖추고 비례대응을 시도하고자 할 때 가장 크게 고려할 사항은 바로 중국이다. 전술한 바와 같이 중국은 북한에게 사이버 공격을 위한 다양한 편의와 지원을 제공해 주고 있기 때문이다. 따라서 대북 사이버 전략의 핵심은 중국과 북한을 분리 · 고립시키는 것이다. 그래서 북한이 자국 영토 안에서 공격할 수밖에 없도록 만들어야 한다. 북한이 중국 사이버 전력의 지원 없이 사이버 공격을 하게 된다면 한 · 미 군사동맹의 물리적인 공격력에 밀려 북한의 사이버 공격능력은 급격히 감소할 것이다.

이 전략적인 목표를 달성하려면 우리나라는 국제법과 규범을 활용할 방안을 마련해야 한다. 북한의 불법적인 사이버 공격을 규제하고 중국의 지원을 차단할 국제적인 사이버 안보규범 체제의 형성을 주도하여 북한의 사이버 공격에 대한 국제법적인 대응을 위해 국제적인 합의를 이끌어내야 한다.

사이버 공격에 적용 가능한 국제법은 「유엔헌장」, 「국제전쟁법」, 「국가책임법」 등이 있다. 이러한 국제법을 사이버 환경에 맞춰 적용하는 「Tallinn Manual」(Michael N. Schmitt, 2013)과 「Tallinn Manual 2.0 on the International Law Applicable to Cyber Operation」(Michael N. Schmitt, 2017)이 발표되었다. 탈린메뉴얼은 사이버 공격으로 인명피해와 물리적 파괴가 발생할 경우 무장공격으로 규정하고, 규칙 13조에 '무장공격 수준에 상응하는 사이버 작전의 목표가 된 국가는 고유의 자위권을 행사할 수 있다'고 명시하고 있다. 만일 우리나라의 주요 기반시설이 특정 국가로부터 사이버 공격을 당하여 인명피해나 물리적 파괴가 발생한다면 무장공격에 따른 자위권 행사 차원의 대응공격이 가능하다는 것이다.[54]

Tallinn Manual 2.0 목차

1. Sovereignty(주권)
2. Due diligence(실사)
3. Jurisdiction(관할권)
4. Law of international responsibility(국제책임법)
5. Cyber operations not per se regurlated by international law(국제법에 의해 재판되지 않는 사이버 작전)
6. International human rights law(국제인권법)
7. Diplomatic and consular law(외교 및 영사법)
8. Law of sea(영해법)
9. Air law(영공법)
10. Space law(우주법)
11. International telecommunication law(국제전기통신법)
12. Peaceful settlement(평화적 분쟁 해결)
13. Prohibition of intervention(개입 금지)
14. The use of force(무력 사용)
15. Collective security(집단 안보)
16. The law of armed conflict generally(일반적인 무력 충돌법)
17. Conduct of hostilities(적대 행위)
18. Certain persons, objects, and activities(특정 인물, 목표, 활동)
19. Occupation(직업)
20. Neutrality(중립성)

또한 탈린메뉴얼 규칙 9조는 '사이버 공격이 무장공격에 해당하지 않을 때라도 일국의 불법 행위로 인하여 상대국이 피해를 입었을 때에는 비례성의 원칙에 의해 동일 유형, 동일 수준의 대응조치가 가능하다'고 규정하고 있다.[55]

국제법적인 대응활동의 근거가 존재하므로 북한의 불법적 사이버 공격에 대해 국제 사회의 규제 원칙과 강제할 능력을 갖춰야 하지만 아직도 몇 가지 문제가 있다. 먼저 이론적으로는 비례 대응공격이 가능하지만 우리나라가 입은 피해와 동일한 피해를 줄 수 있는 방법이 없다는 것이다. 북한은 네트워크 의존도가 낮고 동등 목표물이 네트워크 상에 존재하지 않으며, 동등한 수단으로는 인터넷과 분리된 인트라넷에 진입하기가 곤란하기 때문이다. 그렇다고 하여 공격의 원점인 중국 내에 위치한 시스템을 무조건 공격할 수도 없는 상황이다. 탈린메뉴얼에서도 사이버 공격이 특정 국가의 사이버 인프라에서 시작 혹은 경유됐다는 것만으로 공격의 책임이 있다고 단정하기 어렵다는 입장을 취하고 있기 때문이다.

또 중국 영토에서 사이버 공격이 수행되기 때문에 관할권 문제와 책임 귀속의 기술적인 한계로 인하여 증거수집과 조사가 어려움은 물론이고 중국이 협조를 거부할 경우 조사 불가라는 난관에 봉착할 것이라는 점이다. 이런 어려움을 해결하기 위해 국제 사이버 수사협력과 사법 공조 활성화를 위해 국제 사이버 범죄 방지조약에 가입하고 중국의 가입을 유도하는 노력이 선행되어야 한다.

중국과 북한의 사이버 전력을 분리하기 위해서는 사이버 공간에 대한「국가책임법」적용 원칙을 마련하여야 한다.[56] 사이버 공간에 대한 국가 책임 원칙을 통해 북한의 사이버 공격자들이 중국 영토 내에서 사이버 공격을 수행하고 있다는 명확한 증거를 제시하게 되면 중국은 이를 저지할 의무를 부여받고, 그 의무를 중국이 무시한다면 중국에 위치한 북한의 사이버 공격지에 대하여 반격작전을 통해 진행 중인 공격을 중단시킬 수 있는 권한을 부여받게 되는 것이다.

또한 북한을 중국으로부터 분리 · 고립시키기 위한 다자간 노력, 중국과 한국의 사이버 수사공조 및 사이버 안보협력을 통한 대북한 압박과 북 · 중 분리 정책 노력도 병행되어야 한다. 또 북한의 사이버 테러에 대한 이중적인 태도를 비판하고 북한을 사이버 국제 규범의 범위로 유입하는 전략도 수립 추진해야 한다.[57] 【표 5-11】은 사이버 분야 국제협력 활동을 위한 제언이다.

【표 5-11】사이버 국제협력 활동을 위한 제언

항 목	주요 내용
사이버 국제동맹 형성	• 사이버 테러와 국제 범죄조직에 대항 • 비국가행위자에 대한 대항
국제협약 및 국제공조 활성화	• UN 등 다자간 사이버협력체 활동 강화 • 부다페스트 협약(Budapest Convention) 가입 • 사이버 범죄협약(The Convention on Cybercrime) 가입
대북 사이버 전략 수립	• 중국과 북한을 분리 · 고립 • 북한의 불법 사이버 공격 규제, 중국 지원 차단 • 무장공격에 따른 자위권 행사 • 사이버 공간에 대한「국가책임법」적용원칙 • 북한을 사이버 국제 규범 범위로 유입 전략 시행

3. 국제협력 활동을 위한 국가사이버협력단 창설

사이버 분야에 대한 국제협력 활동은 사이버 공간에 대한 이해의 바탕 위에 사이버 기술을 구현하고 설명할 수 있는 기술적 지식이 전제되어야 한다. 이와 함께 사이버 분야에 대한 국가철학의 배경을 기반으로 법령과 정책수립 절차와 수행 체계 등에 대한 종합적인 이해도 반드시 갖추어야 할 필수 항목이다. 이러한 전문성을 갖춘 인력으로 국가사이버협력단을 조직하여 국제 공조와 발 빠른 협력을 통해 통합적인 사이버 대응능력을 확보해야 할 것이다.

우리는 세계 여러 나라들과 FTA를 체결하면서 통상 분야의 전문가 집단이 얼마나 중요한 일을 하고 있고, 할 수 있는지를 확인하였다. 국가 이익수호를 위하여 대상국가의 산업에 관한 것은 물론이고 대상국가 국민이 해당 산업을 대하는 사고방식과 역사적 배경까지 연구하여 우리가 협상에서 이길 수 있는 여지를 찾아내고 작은 틈을 파고들어 전과확대를 통해 교역 쌍방이 윈윈할 수 있는 정책을 수립하는 것을 보면서 역량이 통합된 전문가 집단의 힘을 확인할 수 있었다. 따라서 사이버 분야에서도 국제협력을 이끌어나갈 국가사이버협력단을 조직한다면 우리나라의 사이버 이익을 지키는데 매우 커다란 역할을 할 것이라고 생각된다.

국가사이버협력단에는 국방, 외교, 산업통상자원, 검찰, 경찰, 과학기술정보통신, 보안, 암호 기능이 망라된 사이버 모든 분야의 국가 대표급 인력으로 구성되어야 한다.

이를 위한 조직구성은 다음과 같이 구상해 보았다.

첫째, 국방 분야에 대한 사이버 협력은 보안과 암호 기능이 주가 될 것이므로 대통령령[58] 으로 임무가 부여된 국방정보본부와 사이버작전사령부가 참여한다. 둘째, 행정안전부는 부다페스트 협약 등 국제 경찰수사 및 정보공유를 위한 협력에 참여한다. 셋째, 국가정보원은 해외 정보기관과의 원활한 정보공유와 국제 활동 간 보안조치를 하며, 조직 내의 사이버국과 보안국, 암호국의 참여를 보장한다. 넷째, 과학기술정보통신부는 사이버 보안 전문기관인 국가보안기술연구소를 통해 국제협력 활동에 참여한다. 다섯째, 산업통상자원부는 국내 SI업체들의 국제협력, 수출입 활동과 국내 사이버 산업을 보호 육성하기 위한 주무 부처로서 참여한다. 여섯째, 검찰은 국가정보원과 더불어 국내 사이버 기술의 해외 유출을 감시하고 국제 사법 공조를 위하여 참여한다. 일곱째, 외교부는 국제협력 간 발생하는 각종 조약 체결을 위한 주무 부처로서 참여하고 협력단의 간사를 맡아 전체적인 국제협력 업무를 조율한다. 이를 그림으로 나타내면 (그림 5-5)와 같은 조직도가 된다.

(그림 5-5) 국가 사이버협력단 조직도

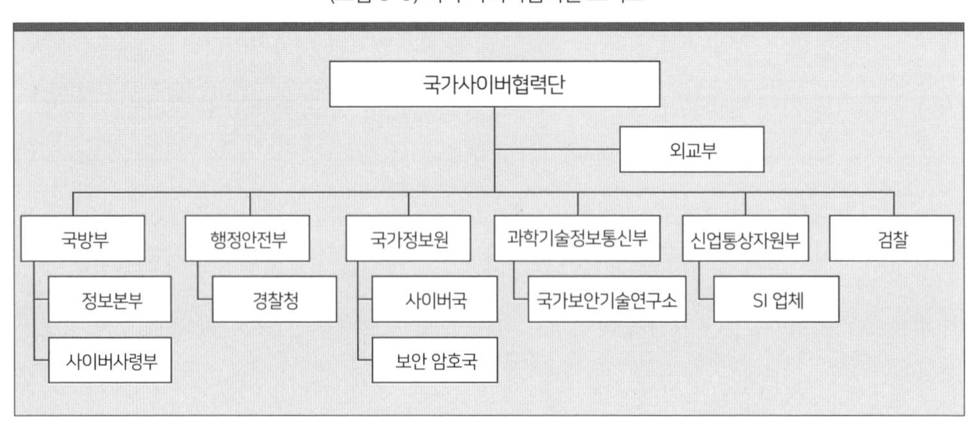

Note

1) 성봉근 (2017), 「사이버상의 안전과 보호에 대한 독일의 입법동향과 시사점」, 『法과 政策硏究』, 第17輯(1), 97~98쪽
2) 조원선 (2017), 「국가 사이버안보 담론과 안보화 이론 : 한국의 사이버안보 상황 분석을 중심으로」, 『국방정책연구』 제33권(2), 2017년 여름(통권 제116호), 148~174쪽
3) 독일이 구성한 「IT안보법」의 입법과정과 의의에 관하여는 다음 논문을 참고할 것. 성봉근 (2017), 「사이버상의 안전과 보호에 대한 독일의 입법동향과 시사점」,『法과 政策硏究』, 第17輯(1)
4) 「국가사이버안보법안」, file:///C:/Users/JCSadmin/Desktop/2004955_%EC%9D%98%EC%82%AC%EA%B5%AD+%EC%9D%98%EC%95%88%EA%B3%BC_%EC%9D%98%EC%95%88%EC%9B%90%EB%AC%B8(%EA%B5%AD%EA%B0%80%EC%82%AC%EC%9D%B4%EB%B2%84%EC%95%88%EB%B3%B4%EB%B2%95).pdf, 2018.10.3. 검색
5) 박춘식 (2017), 「국가사이버안보법 더 미뤄선 안 된다.」, 『디지털타임즈』, 2017년 02월 27일자, http://www.dt.co.kr/contents.html?article_no=2017022702102351607001, 2018.10.3. 검색
6) 미국은 2015년에 「사이버보안법」, 중국은 2017년에 「網絡安全法」, 일본은 2015년에 「사이버시큐리티기본법」을 제정하였다.
7) 참여연대 등 6개 시민단체 (2017), 「국가정보원의 '사이버보안' 권한 강화한 '국가사이버안보법' 국회발의안 반대 의견서 제출」, https://act.jinbo.net/wp/wp-content/uploads/2017/02/20170214_%EB%B 3%B4%EB%8F%84%EC%9E%90%EB%A3%8C_%EA%B5%AD%EA%B0%80%EC%82%AC%EC%9D%B4%EB%B2%84%EC%95%88%EB%B3%B4%EB%B2%95_%EA%B5%AD%ED%9A%8C%EB%B0%9C%EC%9D%98%EC%95%88_%EC%9D%98%EA%B2%AC%EC%84%9C.pdf, 2018.10.3. 검색
8) 대통령령 제1665호로 1964.3.10.일 제정, 대통령령 제28211호로 2017.7.26.일 개정, 이규정 제4조 4항은 국가정보원의 기획업무의 범위에 국가보안방책의 수립을 명시하고 있다.
9) 곽병선 (2012), 「사이버 Forensic 법률체계 구축방안」, 『원광법학』, 제28권(2)
10) 오일석 (2014), 「위험분배의 관점에 기초한 정보통신기반보호법 개선 방안」, 『이화여자대학교 법학논집』, 제19권 제1호, 2014년 9월, 310~311쪽
11) 곽병선 (2015), 「사이버 테러 대응을 위한 법체계 검토」, 『법학연구』, 제59집, 16~18쪽
12) 박재연 (2017), 「사이버 공격에 대한 공법적 대응의 기초」, 『法學論叢』 제34집(3), 100쪽 참조
13) 박상돈, 김인중 (2013), 「사이버안보 추진체계의 제도적 개선과제 연구」, 『융합보안논문지』 제13권(4), 8쪽
14) 법률 제5264호 (1997.1.13. 제정), 『통합방위법』, 2016.11.30. 개정 1조(목적)
15) 유현석 (2008), 「군과 인간안보 : 이론, 사례, 한국적 함의」, 『한국정치학회보』, 제45집호), 221~241쪽
16) 법률 제9995호 (2010.2.4.제정), 법률 제12553호 (2014.5.9. 일부개정)
17) 대통령령 제22559호 (2010.12.29. 제정), 대통령령 제25906호 (2014.12.30. 일부개정)
18) 大澤 淳, 「WEDGE OPINION 現実化するサイバー戦争集団的自衛権と対外諜報の容認を」 『WEDGE』, 25巻 7号, (2013.7), 18~20頁 참조
19) 곽병선 (2016), 「사이버위기경보 발령 사례 분석을 통한 법제도적 대응방안」, 『법학연구』 제16권(4), 통권 제64호, 322쪽
20) 국가정보원 홈페이지, http://www.nis.go.kr 참조
21) 국방부훈령 제1825호 (2015.8.27.), 『국방전력발전업무훈령』, 2017.12.27. 개정(훈령 제2114호) 별표 2

Note

22) 고경훈 (2012),「정책과정의 관점에서 바라본 거버넌스(Governance)에 관한 연구」,『한국지방자치학회보』, 24(2), 5~35쪽
23) ISO/IEC27002, Information technology - Security techniques - Code of practice for information security management, 2005
24) 유승한, 정대령, 정회경 (2013),「전자정부 정보 보호관리체계(G-ISMS)를 활용한 공공기관 정보 보호 거버넌스(Governance) 수립방안」,『한국정보통신학회논문지』, 17(4), 769~774 쪽
25) 안중호, 양지윤, 장정주 (2009),「이사회의 전략적 IT 의사결정 참여가 조직의 성과에 미치는 영향」,『경영학연구』, 38(1), 215~243 쪽
26) 「대한민국 헌법」, 헌법 제10호, 제4장 정부, 제2절 행정부, 제2관 국무회의, 제88조 1항 국무회의는 정부의 권한에 속하는 중요한 정책을 심의한다. 고 규정되어 있다.
27) 「국가정보원법」, 법률 제12984호, 제6조(조직 등의 비공개)에는 국정원의 조직 · 소재지 및 정원은 국가안전보장을 위하여 필요한 경우에는 그 내용을 공개하지 아니할 수 있다. 고 하였다.
28) 김태계 (2014),「사이버 테러 범죄 대응에 관한 제도적 문제점과 대책」,『法과 政策研究』, 제14권(3), 1361~1362쪽 참조
29) 박원준은 빅 데이터를 다음과 같이 구분하였다. 첫째, 누구나 보기 쉽게 잘 정리되어 있어 바로 활용될 수 있는 정형화 데이터 둘째, 전문적, 체계적인 부분은 부족하지만 일반 사람들이 문서화 혹은 그림이나 표를 작성한 반정형화 데이터 셋째, 사이버 공간에 남아있는 작은 흔적들을 비정형화 데이터라고 하면서, 빅 데이터의 주된 내용은 비정형화 데이터를 정형화 데이터로 변환시켜 필요한 정보를 얻는 것이라고 주장하였다. 박원준 (2012),「빅 데이터 활용에 대한 기대와 우려」,『방송통신전파저널』 2012년 7월호, 통권 51호, 31쪽
30) 장철준, 임채성 (2015),「빅 데이터 · Cloud 컴퓨팅 시대의 헌법과 사이버 안보」,『法學論叢』 제39권(1), 3~32쪽
31) 박동휘 (2016),「사이버전의 이해와 쟁점」,『學林』 제38집, 138~145쪽
32) 임종인 (2011.11.11.일자),「'사이버 무기' 개발... 이미 北에 뒤졌다.」,『문화일보』, 2018.9.11. 검색
33) 이호균 (2014),「국방 지휘통제체계(C4I) 발전추세 및 개발동향」,『국방과 기술』, (429), 58~71쪽
34) Application과 시스템 중간에 위치하면서 HW와는 독립적으로 운용되는 기술로써 Application에 Service를 제공하기 위한 SW기술
35) 윤민우는 '사이버공간을 통한 정보통신 및 기반 시설 장악과 적의 의지를 굴복시키고 민간인을 패닉에 빠뜨리는 심리전의 동시 전개 등으로 전략적 목표달성이 가능하다. 즉 적의 인식과 의식, 의사판단을 마비시킴으로서 전쟁수행 자체를 포기시키는 정보장악이 독자적인 전투력으로서 사이버전력에 대한 전략의 기본 Frame이다.'라고 주장한다. 윤민우 (2014),「사이버 안보위협의 문제와 전략적 의미, 그리고 대응방안에 대한 연구 : 한국과 주변 국가들을 중심으로」, 55~59쪽
36) 김병운 (2016),「초연결산업 사회, 시이버보안 정책」,『과학기술연구』 제22집(3), 107쪽
37) 정태진, 이광민 (2017),「IOT(사물인터넷) 보안과 국제범죄 대응방안」,『한국경찰학회보』, 19권(5), 260~262쪽
38) 조선비즈 (2014.10.7.일자),「사물 인터넷의 그늘… '온라인 살인' 현실로?」, http://news.chosun.com/site/데이터/html_dir/2014/10/07/2014100702985.html, 2018.7.31. 검색

39) 뉴 데일리 (2014),「2013년 10월 러시아 스파이 주전자 사건으로 보는 사이버 안보, 중국산 가전제품, 스마트폰 앱, 절대 사용금지!」, http://www.newdaily.co.kr/site/데이터/html/2014/02/26/2014022 600123.html, 2013년 10월 〈러시아 24〉 뉴스는 러시아 보안당국이 전기주전자 등 중국산 가전기기 30여 개에서 도청용 Micro chip을 발견했다고 보도했다. 전기주전자와는 관련이 없는 이 Micro chip은 주변의 Wifi 망 등에 접속해 주변의 PC 등에 악성코드를 유포, 중요한 정보를 해외에 있는 Server로 전송했다는 걸 밝혀냈다고 한다. 2018.11.8. 검색

40) 대한민국 정부 (2018),「문재인정부 1년 국민께 보고 드립니다.」, 2018.5월, 74~75쪽

41) 임종인, 권유중, 장규현, 백승조 (2013),「북한의 사이버전력 현황과 한국의 국가적 대응전략」,『국방정책연구』, 제29권 (4), 통권 제102호, 2013.10, 10~45쪽

42) Andrew Colarik and Lech Janczewski (2012),「Establishing Cyber Warfare Doctrine」,『Journal of Strategic Security』5, no.1, pp.31~48.

43) 이상진 (2017),「사이버작전 수행체계 발전방안」,『한국군 지휘통제체계 · 사이버작전 수행체계 발전』, 2017.11.14. 발표자료 29쪽 전제

44) 김태계 (2014),「사이버 테러 범죄 대응에 관한 제도적 문제점과 대책」,『法과 政策硏究』, 제14권(3), 1363~1364쪽

45) Shane Harris 지음, 진선미 역 (2015),「보이지 않는 전쟁 @War」, 양문사, 서울, 123~135쪽

46) Shane Harris 지음, 진선미 역 (2015),「보이지 않는 전쟁 @War」, 양문사, 서울, 123~135쪽

47) Marthew Aid (2013),「The CIA's New Black Bag Is Digital」, Forveign Policy, August 18, 2013

48) Barton Gellman & Ellen Nakashima (2013),「US Spy Agencies Mounted 231 Offensive Cyber -Operations in 2011, Documents Show」, Washington Post, August 30, 2013

49) 이용석 (2017),「독일 연방 사이버군 창설계획과 한국군 적용방향」,『국방정책연구』 33(1) 참조

50) Scott D. Applegate (2011),「Cybermilitias and Political Hackers : Use of Irregular Forces in Cyberwarfare」,『IEEE Security and Privacy 9』, no.5, September/October 2011, pp. 16~22.

51) 윤민우 (2011),「국제조직범죄의 전통적 국가안보에 대한 위협과 이에 대한 이론적 Paradigm의 모색」,『한국범죄학』 제5권(2), 114쪽

52) CTITF(Counter-Terror Implementation Task Force) (2011),「Countering the use of the 인터넷 for terrorist purposes-Legal and technical aspects. CTITF Working Group Compendium」,『CTITF Publication Series』, New York : United Nations.

53) 임종인 (2013),「3.20 대란과 국가 사이버위기 관리법의 과제」, 국가 사이버위기 관리법 제정을 위한 공청회(2013.3.29.) 발표자료 참조

54) Michael N. Schmitt (2017),「Tallinn Manual 2.0 on the International Law Applicable to Cyber Operation」, Cambridge Univ.

55) 북한의 DDoS공격과 APT공격은 무장공격에는 해당되지 않지만, 무력사용에 해당되므로 비례성 원칙에 따라 동일한 수준의 사이버공격을 가할 수 있다고 평가한다. CBC News, 2013.3.21.일자,「Are there international rules for cyberwarfare?」, 문규석 (2012),「사이버 테러와 국제법-북한의 일련의 사례를 중심으로」, 테러와 국제법적 정책과제 워크숍, 2012.8.1. 발표자료 참조

Note

56) 사이버공격의 근원지 혹은 경유지가 된 국가는 선린우호의 원칙에 따라 사전에 이 사실을 인지했거나 피해국으로부터 통지를 받은 후에는 주의 의무를 다하고 적절한 조치를 취해야 한다. 이런 의무를 무시하거나 알고도 태만히 하는 등 방지의무를 다하지 못한 국가들에 대해서는 능동적 공격을 할 수 있도록 하는 원칙을 마련해야 한다. Clarke, R. A. (2010), 「Cyber War : The Next Threat to National Security and What to Do About It」, New York : Ecco.

57) 임종인, 권유중, 장규현, 백승조 (2013), 「북한의 사이버전력 현황과 한국의 국가적 대응전략」, 『국방정책연구』, 제29권 (4) 통권 제102호, 2013.10, 10~45쪽

58) 「국방정보본부령」, 대통령령 제10474호 1981.9.30.일 제정, 제28266호, 2017.9.5. 개정, 이 영 제1조의 2(업무)에 사이버보안을 포함한 군사보안 및 방위산업 보안정책에 관한 업무를 하도록 규정되어 있다.

CYBER
ATTACK

PART 06
에필로그

사이버 무기체계를 개발하기 위해 어떤 분야를 개선해야 하는가에 대한 연구는 전무하였다. 나의 제안이 우리나라 사이버 무기체계 구축에 미력하나마 도움이 되었으면 하는 바람이다.

에필로그

이스라엘의 학자 아자 가트Azar Gat는 그의 저서 《문명과 전쟁》에서 인류의 역사를 '전쟁의 역사'라고 기술했다. 이러한 입장에서 현재를 본다면 우리는 분명 '전쟁의 시기'를 살고 있다. 전쟁을 수행하는 수단인 무기체계도 과학기술의 발달로 급격한 진보를 거듭하였고, 전쟁 양상의 변화는 무기체계의 발달에 영향을 받았다. 전쟁은 결국 인간과 인간의 투쟁이며 단순한 싸움이 아니라 작전 전술적 · 기술적 차원의 노력과 인간의 의지가 투영된 복잡한 양상을 띠는 것이다. 더불어 인간의 의지를 더욱 강하게 투영하는 것이 무기체계의 발달이다. 이것은 화약의 발명을 시작으로 소총과 대포의 출현을 가져왔고, 전차와 전투기 시대를 넘어 원자폭탄을 등장시켰다.

이후 미국과 소련의 군비경쟁은 히로시마형 원자폭탄보다 1천 배 이상의 파괴력을 지닌 수소폭탄을 만들었다. 이어 등장한 대륙간탄도미사일은 이 수소폭탄과 연계되어 30분 이내에 인류를 전멸시킬 수도 있다. 또한 우주선과 인공위성의 출현으로 전장은 우주 공간까지 확대되었다. 나아가서 인터넷의 발명은 4차 산업혁명을 불러왔고 IoT, 클라우드, 빅 데이터, 모바일, AI, 블록체인 등으로 인류의 생활에 많은 변화가 생겼으며 무기체계에도 영향을 주었다.

4차 산업혁명의 기술발전은 국방 영역에도 새로운 가능성을 열어주고 있다. 세계 각국에서는 실제 사이버 기술을 활용한 무기체계들을 개발하여 실전에 배치 중이고 사용 중이다.

향후 전쟁의 양상은 첫째, 5차원지상 · 해상 · 공중 · 우주 · 사이버에서 장거리 첨단 정밀무기가 연계되고 이것들이 통합된 '전 전장 동시 통합전투' 양상으로 치닫게 될 것이다. 그 효과가 국가 전체에 급격한 변화를 유발시켜 전쟁목표를 조기에 달성하게 될 것이다. 둘째, IT기술의 발달은 플랫폼 중심전투Platform Centric를 네트워크 중심전투Network Centric로 변화시키고 있다. 셋째, 전략 · 작전 · 전술적 수준에서 아군의 군사역량과 비군사적 역량을 망라한 정보작전의 수행, 압도적인 기동, 정밀타격으로 적의 전쟁 수단이나 의지를 통제할 수 있는 효과성, 경제성에 중점을 둔 효과기반 정밀타격전으로 진화하고 있다. 넷째, 다양한 유형의 무인 로봇전Unmanned Robot Warfare이 전개되어 로봇이 정보수집, 표적식별 및 추적, 레이더 교란, 불발탄 제거, 지뢰 및 기뢰 제거, 화생방 오염(제거)작전 등을 수행하여 적을 공격하고 파괴하는 전투양상이 나타날 것이다. 다섯째, 정보 시스템의 취약점에 무단 접속하여 자료유출, 위조, 변조, 삭제, 시스템 장애와 마비를 유발하는 해킹과 컴퓨터 바이러스를 네트워크에 침투시켜 단말기나 네트워크 전체를 공격하는 사이버 전쟁이 벌어질 것이다.

이미 세계 곳곳에서 사이버전은 시작되었다. 북한도 2013년 이후 2018년 8월까지 대한민국 국방부를 대상으로 한 사이버 공격을 총 3,587회나 감행한 것으로 확인되었다. 【표 6-1】은 2013년 이후 우리나라 국방부를 대상으로 한 북한의 사이버 공격의 증가 추세를 나타낸 것이다. 이 표를 보면 북한이 2018년 후반기 비핵화를 언급하며 미국, 한국과 협상을 하고 있었지만 사이버 공격 측면에서는 오히려 지속적이고 강력한 위협이 되고 있었음을 나타낸다.

【표 6-1】북한의 대한민국 국방부 대상 사이버 공격 추세[1)]

년도	2013	2014	2015	2016	2017	2018
횟수	1,434	2,254	2,520	3,150	3,986	3,587 (8월까지)

사이버 공격이 이처럼 증가함에도 불구하고 우리나라의 사이버전 준비태세는 매우 미흡한 실정이다. 국민의 생명과 재산을 보호하는 것을 제 1의 목표로 삼고 있는 안보 집단에서 과연 사이버전을 어떻게 대응해야 하는 가에 대한 답을 내는 것은 발등에 떨어진 불이라고 해도 과언이 아닐 것이다.

미국의 국방장관에게 독립적인 자문을 제공하기 위해 설치된 연방자문위원회 중 하나인 미 국방부 국방과학위원회 TF는 2013년 3월에 발표한 「감내가동 가능한 군 시스템들과 첨단 사이버 위협Resilient Military Systems and Advanced Cyber Threat」이라는 보고서에서 사이버 용어를 '무기 및 전투관리 시스템, IT 시스템, HW, 프로세서, SW 운영체제 및 애플리케이션 등 모든 디지털 정보를 제공하는 구성품들과 시스템'이라고 지칭하고 있다. 또한 '감내가동 능력'은 '장애가 자연적 혹은 인공적, 의도적 혹은 비의도적이냐에 관계없이 수용 가능한 방식과 운용할 수 있는 능력'이라고 정의하였다.

국방과학위원회는 미국을 향한 사이버 위협이 핵무기에 버금가는 국가 및 경제 안보를 위협하는 수준에 도달하였으나, 미국의 현존 능력으로는 완벽한 미국 방어가 곤란하기 때문에 전반적인 위협감소를 위해 억지전략을 사용해야 한다고 권고하고 있다.

전 방위적인 사이버 위협에 대응하기 위하여 첫째, 사이버 능력을 확충하고 둘째, 보호받는 재래식 전력을 유지하며 셋째, 핵 능력을 조합하여 감내가동 능력을 향상시킴으로써 세계적인 수준으로 사이버 공격능력을 유지해야 한다고 하였다.[2)]

미 국방부 국방과학위원회 TF는 'Red Team'을 운용하여 국방부를 상대로 실전 해킹을 수행한 결과 미국의 군사 임무수행 능력이 상당 부분 무력화되었다고 밝히면서 '보통 정도의 사이버 공격만 있어도 미 국방부의 시스템은 정상적인 기능 발휘가 곤란하다'는 결론을 내렸다.

그 결과 첫째, 사이버 위협은 심각하며 핵무기의 위협에 필적한다. 둘째, 사이버 위협은 유해하며 잠행성을 내포하고 있으므로 미국의 국가, 기술, 군사, 산업 등 핵심 운용기반에 대한 접근이 가능하며 국가 및 경제안보를 위협한다. 셋째, 미 국방부의 현행 단편적인 사이버 대응 활동으로는 이 위협에 대한 방호 준비태세가 미흡하다. 넷째, 'Red Team'은 인터넷에서 다운로드할 수 있는 단순한 사이버 공격 무기체계를 사용하여 국방부 시스템을 무력화하는 데 성공했다. 다섯째, 미국의 네트워크는 외산 부품을 점점 더 많이 사용하기 때문에 본질적으로 보안에 취약하다. 여섯째, 미 국방부 체계를 공격하는 주변 국가들의 위협에 대한 정보는 적합하지 않다. 일곱째, 미 국방부의 현 사이버 능력과 기술은 정교한 사이버 공격으로부터 방어가 곤란하다. 여덟째, 미 국방부는 사이버 억제력, 임무보장 능력, 사이버 공격능력 등 사이버 위협에 대한 효과적인 대응책을 마련하는데 향후 수년이 소요될 것이라고 밝히고 있다.

이러한 평가는 일견 세계 최고의 사이버 능력을 가지고 사이버 무기체계 확보를 위해 적극적인 투자와 최고 수준의 인력을 보유하고 있는 미국의 엄살로도 보인다. 그러나 사이버 공격에 대한 취약점은 점점 많아질 것이고 그러한 수많은 취약점을 모두 다 방호하기에는 곤란한 측면이 더 많아질 것이라는 예언으로도 들린다.

이 TF 보고서는 미국의 사이버 안전을 위하여 다음의 7가지 권고안을 제시하였다. 첫째, 기존 핵 보유 국가들과 실존적인 사이버 공격에 대한 일종의 억제력으로 핵공격 능력을 보호해야 한다. 둘째, 전 방위적인 적대세력들과의 직면에 대비한 작전 보장능력과 필요한 사이버 능력, 보호받는 재래식 전력과 핵 능력의 조합을 유지해야 한다. 셋째, 정보수집과 분석에 중점을 두고 적의 사이버 능력, 계획, 의도를 파악하여 실행 가능한 상태의 대응전략을 구축해야 한다. 넷째, 정부의 유관기관과 함께 세계적인 수준의 사이버 공격능력을 구축하고 유지해야 한다. 다섯째, 하위 및 중간 계층의 위협을 막을 수 있도록 충분한 방위력을 강화해야 한다. 여섯째, 사이버 보안에 대한 국방부의 문화를 개선해야 한다. 일곱째, 사이버 감내가동 부대를 설치해야 한다고 하였다.

이 권고안은 우리나라에 대해서도 시사하는 바가 크다. 우리나라는 2013년 4월에 국방부의 대통령 업무보고 시 첫째, 국방 사이버 정책 총괄조직 신설 둘째, 공격양상에 따른 군사적 대응 시나리오 개발 셋째, 사이버전 수행인원 증원 넷째, 연합 사이버전 수행체계 발전 등 사이버전 대응능력 강화를 골자로 하는 보고서를 발표하였다.[3] 그러나 이 중에서 가시적으로 완성된 사항은 거의 없어 보인다.

그동안 전문가나 학계에서 국방 사이버 안보역량을 강화하기 위한 심도 깊은 연구를 통해 다양한 방안을 제시하였다. 그러나 사이버 무기체계를 개발하기 위해 어떤 분야를 개선해야 하는가에 대한 연구는 전무하였다. 이는 무기체계에 대한 전술 · 전략적인 체계적 교육을 받은 사람이 사이버 보안에 대한 공부를 병행한 연구자가 없었다는 것의 반증이기도 하다.

나의 제안이 우리나라 사이버 무기체계 구축에 미력하나마 도움이 되었으면 하는 바람이다. 국민의 생명과 재산을 보호하는 숭고한 사명을 국가로부터 부여받은 안보 집단은 가용한 수단과 방법을 모두 동원하여 적을 식별하고 약점을 도출하여 우리나라가 승리할 수 있는 여건을 조성해야 한다. 그 결과 침해발생 전에 예방하고 경고할 수 있어야 하며, 침해발생 시 즉각 위협을 해소하고, 피해발생 시 필요성과 비례성의 원칙에 의해 대응하여 적들이 우리 사이버 공간을 감히 넘보거나 피해를 입히게 놔두어서는 안될 것이다.

사이버 무기체계의 개발이 이루어지면 이러한 사이버 무기체계를 사용하기 위한 교전규칙도 필수적으로 마련되어야 한다. 우리나라는 육지와 바다와 공중에서 교전을 할 때 상황에 따라 어떻게 대응한다는 상세한 매뉴얼인 교전규칙을 보유하고 있다. 그 규칙에 의해 우리는 과도· 과소 대응을 자제하고 법률적보호 아래 보장된 전투 행동을 하고 있다.

그러나 우리는 아직까지 사이버 교전규칙에 대한 개념조차 정립되어 있지 않은 상황이다. 이는 당연한 귀결이라고 할 것이다. 적의 사이버 무기체계를 알지 못하기 때문에 상응하는 무기체계를 상정할 수 없는 건 당연한 일이다. 사이버 무기체계를 개발하게 되면 우리가 받은 침해와 공격에 상응한 수준으로 대응할 수 있는 사이버 공간에서의 교전규칙도 작성될 것이다.

우리나라 사이버 안전을 위해 음지에서 일하는 선후배와 동료들, 그리고 후학들의 파이팅을 기대하며 여건이 허락하는 한 나도 이에 대한 연구를 지속할 계획이다.

Note

1) 조선일보, 2018.10.15.일자. 이민석, 「북의 사이버공격 급증, '사이버전 교전규칙' 검토」
2) DoD DSB TF (2013), 「Resilient Military 시스템s and Advanced Cyber Threat)」, Jan. 2013.
3) 국방부 보도자료 (2013.4.1.일자), 「튼튼한 안보구현을 위한 2013년 국방부 업무보고」, 2018.8. 20. 검색

<참고문헌> I. 국내 문헌

1. 단행본

1. 김경곤 (2016),『인터넷 해킹과 보안』, 한빛 아카데미, 서울
2. 손영동 (2013),『0과1의 끝없는 전쟁』, 인포더북스, 서울
3. 안승범 등 (2016),『한국군 무기연감 2016~2017』, 디펜스타임즈, 서울
4. 엄정호 등 (2012),『사이버전 개론』, 홍릉과학출판사
5. 양대일 (2016),『Network 해킹과 보안』, 한빛 아카데미, 서울
6. 양대일 (2016),『정보보안 개론과 실습』, 한빛 아카데미, 서울
7. 오리진 지식정보센터 (2001),『사이버 스페이스법』, 법률서원, 서울
8. 이정기 (2007),『Web 2.0 시대 생각하는 Web기획자가 세상을 바꾼다.』, 비비킴, 서울
9. 진영 (2017),「사이버전 한 눈에 보기」,『2017 국정감사 FACT BOOK』, 서울
10. 하태경 (2013),『삐라에서 디도스까지』. 서울 : 글통.
11. Azar Gat 지음, 오숙은, 이재만 공역 (2017),『문명과 전쟁(War in Human Civilization)』, 교유서가, 2017년
12. Behrouz A. Forouzan 지음, 이재광 · 신상욱 · 임종인 · 전태일 옮김 (2017),『암호학과 Network 보안』, 한티 미디어, 서울
13. Eliyahu Goldratt 지음, 강승덕 · 김일운 옮김 (2015),『It's Not Luck』, 동양북스, 서울
14. Lee Allen Tedi Heriyanto Shakeel Ali 지음, 김경곤 · 이철원 · 이규하 옮김(2016),『칼리 리눅스를 활용한 모의 침투 테스트와 보안 진단』, PACKT, 서울
15. Michael N. Schmitt, 한국전자통신연구원 부설연구소 옮김 (2014),『탈린매뉴얼』, 글과 생각
16. Shane Harris 지음, 진선미 역,『보이지 않는 전쟁 @War』, 양문사, 서울
17. 오기와 히로시 고토오 이스나리 지음, 권민 옮김 (2006),『WEB 2.0 INNOVATION』, 위즈나인, 서울
18. 히로시 유키 지음, 이재광 · 전태일 · 조재신 공역 (2013),『알기 쉬운 정보 보호 개론』, 인피니티 북스, 서울
19. 국방정보본부 (2018),『일본 방위백서 2017』, 2018.2.19.일

2. 국가급 보고서

1. 국가정보원 등 (2018),『2018 국가정보 보호백서』
2. 국방기술품질원 (2016),「미래 무기체계 핵심기술」- 국방과학기술 개발동향 및 수준, 제1권
3. 대한민국 국방부 (2016),『2016 국방백서』
4. 대한민국 국방부 (2016),『주요국 군 사이버 전력 비교표』
5. 대한민국 정부 (2018),「문재인정부 1년 국민께 보고 드립니다.」, 2018.5월
6. 대통령직속 4차 산업혁명위원회 (2019),『4차 산업혁명 대정부 권고안』
7. 청와대 국가안보실 (2019),『국가 사이버안보 전략』
8. 한국인터넷진흥원 (2014),『주요 국가별 사이버방어 체제 및 대응 동향』
9. 해외정책동향 (2016),「2015년 사이버보안법 제정」,『Global 과학기술정책정보Service』

3. 조약 및 국내 법령

1. 조약 제1059호, 「국제연합헌장」(1991.9.18.일 발효)
2.「추가의정서」, 제52조 제2항
3. 헌법 제10호, 「대한민국 헌법」
4. 법률 제5264호, 「통합방위법」
5. 법률 제12553호, 「국방정보화 기반조성 및 국방정보자원관리에 관한 법률」
6. 법률 제12984호, 「국가정보원법」
7. 법률 제14071호, 「국민보호와 공공안전을 위한 테러방지법」
8. 법률 제14182호, 「방위사업법」
9. 법률 제14765호, 「개인 정보 보호법」
10. 법률 제14839호, 「전자서명법」
11. 법률 제14914호, 「전자정부법」
12. 법률 제15374호, 「정보 보호 산업의 진흥에 관한 법률」
13. 법률 제15376호, 「정보통신기반보호법」
14. 법률 제15369호, 「국가정보화기본법」

4. 대통령령 및 훈령

1. 대통령훈령 제124호, 「국가위기관리기본지침」
2. 대통령훈령 제316호, 「국가 사이버안전 관리규정」
3. 대통령령 제25906호, 「국방 정보화 기반조성 및 국방 정보자원관리에 관한 법률 시행령」
4. 대통령령 제27618호, 「방위사업법 시행령」
5. 대통령령 제28211호, 「정보 및 보안업무 기획 · 조정 규정」
6. 대통령령 제28266호, 「국방정보본부령」
7. 국방부훈령 제1862호, 「국방사이버안보훈령」
8. 국방부훈령 제1975호, 「국방전력발전업무훈령」

5. 논문

1. 강성주, 김민조, 박정민, 전인걸, 김원태 (2013), 「고신뢰 사이버-물리 무기체계 획득을 위한 LVC 연동 개발 프레임워크」, 『한국통신학회 논문지』, '13-12 Vol.38C No.12
2. 고경훈 (2012), 「정책과정의 관점에서 바라본 거버넌스(Governance)에 관한 연구」, 『한국지방자치학회보』, 24(2)
3. 곽병선 (2012), 「사이버 Forensic 법률체계 구축방안」, 『원광법학』, 제28권(2)
4. 곽병선 (2015), 「사이버 테러 대응을 위한 법체계 검토」, 『법학연구』, 제59집
5. 곽병선 (2016), 「사이버위기경보 발령 사례 분석을 통한 법제도적 대응방안」, 『법학연구』 제16권(4), 통권 제64호

6. 국방과학연구소 (2017), 「사이버전 능동대응전략 및 작전체계 개념연구」 발표자료, 2017.2.2.
7. 국방기술품질원 (2016), 「미래 무기체계 핵심기술」, 『국방과학기술 개발동향 및 수준』, 제1권
8. 국회 정보위원회 수석전문위원 임진대 (2017), 「국가 사이버안보에 관한 법률안 검토보고서」
9. 권현조, 전길수, 이재일 (2005), 「국내외 암호관련 법제도 현황」, 『정보 보호학회논문지』, 제15권(2)
10. 권재원 (2014), 「국제적 사이버 안보체제 구축 동향에 관한 소고」, 『법학연구(연세대학교 법학연구원)』, 제24권(3)
11. 권헌영, 김경열 (2013), 「정부조직개편과 ICT 규제체계의 개선 : CPND와 정부기능배분」, 『경제규제와 법』, 제6권(1)
12. 김강녕 (2017), 「미래 전쟁양상의 변화와 한국의 대응」, 『한국과 국제사회』, 제1권(1)
13. 김관옥 (2015), 「미중 사이버패권경쟁의 이론적 접근」, 『대한정치학회보』 23집(2)
14. 김권희 (2013), 「한국의 사이버 안보전략 및 정책 발전방향 -미 국방부 국방과학위원회 테스크 포스팀의 권고안을 중심으로-」, 『군사논단』 제75호, 2013년 가을호
15. 김도승 (2009), 「사이버위기 대응을 위한 법적 과제」, 『초점』, 제21권(17), 통권 470호
16. 김병운 (2016), 「초연결산업 사회, 사이버보안 정책」, 『과학기술법연구』 제22집(3)
17. 김상배 (2012), 「Network로 보는 세계정치의 변화 : 사이버 안보와 Digital 공공외교를 중심으로」, 『JPI정책포럼』, JPI정책포럼 세미나 발표자료, 2012.4.13.일
18. 김상배 (2014), 「사이버안보 분야의 미 · 중 표준경쟁 : Network 세계정치학의 시각」, 『국가정책연구』, 제28(3)
19. 김상배 (2017), 「세계 주요국의 사이버 안보 전략 : 비교 국가전략론의 시각」, 『국제 · 지역연구』, 26권(3)
20. 김소정, 최석진 (2011), 「오바마 정부의 사이버안보 정책 추진현황과 정책적 함의」, 『외교안보연구』, 7(2)
21. 김승주 (2013), 「세계 각국의 사이버전 수행능력과 국내 피해사례」, 『군사논단』, 75권
22. 김영란 (2006), 「사이버범죄조약 대응을 위한 일본의 형사법개정안 연구」, 『치안정책연구』, 2006.3.2.
23. 김윤정 (2012), 「국가주도의 사이버 테러에 대한 접근법 연구 : 전쟁의 요건(Jus ab Bellum)과 국제적 안보레짐 변화의 필요성」, 『Global 정치연구』, 제5권(2)
24. 김인수 (2015), 「북한 사이버전 수행능력의 평가와 전망」, 『통일정책연구』, 24(1)
25. 김재광 등 (2009), 「일본의 사이버위기 관련 법제의 현황과 전망」, 『법학논총』, 제33권(1)
26. 김재광 (2017), 「사이버안보 위협에 대한 법제적 대응방안」, 『법학논고』, 58
27. 김종호 (2016), 「사이버 공간에서의 안보의 현황과 전쟁억지력」, 『법학연구』, 16(2)
28. 김태계 (2014), 「사이버 테러 범죄 대응에 관한 제도적 문제점과 대책」, 『法과 政策研究』, 제14권(3)
29. 김현경 (2012), 「차기정부의 '정보화 거버넌스(Governance)'와 법적 과제」, 『공법학연구』, 13(4)
30. 김혜정, 안중호 (2013), 「정보 보호 거버넌스(Governance) 효율성 제고를 위한 조직원의 정보 보호 행위에 관한 실증연구」, 『한국전자거래학회지』, 18(1)
31. 김효성 (2014), 「국방SW 발전추세 및 개발동향」, 『국방과 기술』, (427)
32. 김흥광 (2011), 「북한 정찰총국 사이버전력 대폭 증강 이유는」, 『통일한국』, 2011. 6월호.
33. 남길현 (2002), 「사이버 테러와 국가안보」, 『국방연구』, 제45권(1)
34. 문규석 (2012), 「사이버 테러와 국제법-북한의 일련의 사례를 중심으로」, 테러와 국제법적 정책과제 워크숍 발표자료, 2012.8.1.
35. 문종식, 이임영 (2010), 「사이버 테러의 동향과 대응방안」, 『정보 보호학회지』, 20권(4)

36. 민병원 (2015), 「사이버억지의 새로운 Paradigm : 안보와 국제정치 차원의 함의」, 『국방연구』, 제58권(3)
37. 민병원 (2015), 「사이버공격과 사이버억지 : 국제정치적 의미와 대안적 Paradigm의 모색」, JPI정책포럼 세미나발표자료, 2015.07.17.
38. 박동휘 (2016), 「사이버전의 이해와 쟁점」, 『學林』, 제38집
39. 박상돈 (2015), 「일본 사이버시큐리티법에 대한 고찰 : 한국의 사이버안보 법제도 정비에 대한 시사점을 중심으로」, 『慶熙法學』, 50권(2)
40. 박상돈, 김인중 (2013), 「사이버안보 추진체계의 제도적 개선과제 연구」, 『융합보안논문지』, 제13권(4)
41. 박상서 등 (2004), 「사이버전에 관한 주요국의 견해」, 『정보 보호학회지』, 14(6)
42. 박상서, 박춘식 (2014), 「사이버전에 관한 주요국의 견해」, 『정보 보호학회지』, 14호
43. 박원준 (2012), 「Big data 활용에 대한 기대와 우려」, 『방송통신전파저널』, 2012. 7월호, 통권 51호
44. 박윤해 (2006), 「컴퓨터범죄에 관한 연구」, 『법학논총』, 제16집
45. 박재연 (2017), 「사이버 공격에 대한 공법적 대응의 기초」, 『法學論叢』, 제34집(3)
46. 배영자 (2017), 「사이버안보 국제규범에 관한 연구」, 『21세기 정치학회보』, 제27집(1)
47. 법제처 (2014), 『2014 세계법제 연구보고서』
48. 변상정 (2013), 「쿨 워(Cool War) 시대의 사이버 위협과 사이버 안보 강화 방안」, 『군사논단』, 제76호
49. 서동일, 조현숙 (2011), 「사이버전을 위한 보안기술 현황과 전망」, 『정보 보호학회지』, 21(6)
50. 성봉근 (2017), 「사이버상의 안전과 보호에 대한 독일의 입법동향과 시사점」, 『法과 政策硏究』, 第17輯(1)
51. 손태종, 김영봉 (2017), 「사이버킬체인 개념과 국방 적용방향」, 『주간국방논단』, 제1653호
52. 신범식 (2016), 「사이버 안보의 주변 4망(網)과 한반도 러시아의 사이버 안보 전략과 외교」
53. 신범식 (2017), 「러시아의 사이버 안보 전략과 외교」, 김상배(편), 『사이버 안보의 국가전략 : 국제정치학의 시각』, 서울 : 사회평론
54. 신영진, 김성태 (2003), 「정보 보호에 관한 이론적 연구」, 『한국지역정보화학회지』, 6(2)
55. 신영진, 김성태 (2005), 「정보 보호정책의 지표개발과 국가 간 수준비교」, 『한국행정논집』, 17(1)
56. 안랩 ASEC 분석팀 (2017), 「워너크립터 Ransomware 분석 보고서」, Ahnlab, 2017.5.12.
57. 안중호, 양지윤, 장정주 (2009), 「이사회의 전략적 IT 의사결정 참여가 조직의 성과에 미치는 영향」, 『경영학연구』, 38(1)
58. 양정윤, 박상돈, 김소정 (2015), 「미국의 법제도 정비와 사이버안보 강화 : 국가사이버안보보호법 등 제 · 개정된 5개 법률을 중심으로」, 『입법과 정책』, 제7권(2)
59. 양지윤, 한승연, 오병철 (2007), 「공공기관의 IT 거버넌스(Governance) 인식 및 수행 수준에 관한 연구」, 『한국지역정보화학회지』, 10(4)
60. 오원진 (2018), 「4차 산업혁명기술을 적용한 스마트 전장의 모습」, 『국방과 기술』, (471)
61. 오일석 (2014), 「위험분배의 관점에 기초한 정보통신기반보호법 개선 방안」, 『이화여자대학교 법학논집』, 제19권(1)
62. 오일석 (2014), 「보안기관의 사이버 보안 활동 강화에 대한 법적 고찰」, 『과학기술법연구』, 제20집(3)
63. 유승한, 정대령, 정회경 (2013), 「전자정부 정보 보호관리체계(G-ISMS)를 활용한 공공기관 정보 보호 거버넌스(Governance) 수립방안」, 『한국정보통신학회논문지』, 17(4)
64. 유준구 (2015), 「사이버안보 문제와 국제법의 적용」, 『국제법학회논총』, 60(3)

65. 유지연 (2017),「유럽 주요국의 사이버 안보 전략」,『서울대학교 국제문제연구소 사이버안보 세미나 발표자료』, 2017.4.7.일
66. 유지연 (2018),「국가 기반 강화를 위한 주요국 주요기반 시설 사이버보안 전략 비교 · 분석 연구」,『WISC 2018 발표자료집』, 2018.9.13.
67. 유현석 (2008),「군과 인간안보 : 이론, 사례, 한국적 함의」,『한국정치학회보』, 제45집(5)
68. 윤민우 (2011),「국제조직범죄의 전통적 국가안보에 대한 위협과 이에 대한 이론적 Paradigm의 모색」,『한국범죄학』, 제5권(2)
69. 윤민우 (2014),「사이버 안보위협의 문제와 전략적 의미, 그리고 대응방안에 대한 연구:한국과 주변 국가들을 중심으로」,『대한범죄학회 추계학술대회』, 2014.11.
70. 이강규 (2011),「세계 각국의 사이버 안보전략과 우리의 정책 방향-미국을 중심으로」,『정보통신방송정책』, 제23권 16호 통권515호
71. 이기식 (2005),「Network시대 사이버보안의 문제점 및 정책대안」,『한국지역정보화학회지』, 제9권(1)
72. 이동범, 곽진 (2014),「미국정부의 사이버 공격에 대한 보안전략」,『정보 보호학회지』, 24호
73. 이상진 (2017),「사이버작전 수행체계 발전방안」,『한국군 지휘통제체계 · 사이버작전 수행체계 발전』, 2017.11.14.일 발표자료
74. 이상호 (2009),「사이버전의 실체와 미래 사이버공격 대응방안 : 7.7 사이버공격의 교훈과 대책」,『시대정신』, 가을호.
75. 이상호 (2016),「한국 사이버 안보 취약성 개선 대책 모색 : 사이버범죄조약 가입 효용성 평가」,『세계지역연구논총』, 34집(4)
76. 이용석 (2017),「독일 연방 사이버군 창설계획과 한국군 적용방향」,『국방정책연구』, 33(1)
77. 이용석 (2018),「사이버무기 분류체계에 관한 시론」,『정보 보호학회논문지』, 제28권(4),
78. 이호균 (2014),「국방 사이버전 발전추세 및 개발동향」,『국방과 기술』, (422)
79. 이호균 (2014),「국방 지휘통제체계(C4I) 발전추세 및 개발동향」,『국방과 기술』, (429)
80. 이호균 (2017),「사이버 무기체계 핵심기술의 기술수준 평가Model 개발」, 2017.7, 고려대학교 정보 보호대학원 박사학위 논문
81. 임영갑 (2010),「사이버전의 양상 및 대응전략」,『저스티스』, 통권 121
82. 임종인 (2013),「3.20 대란과 국가사이버위기관리법의 과제」, 국가사이버위기관리법 제정을 위한 공청회 발표자료, 2013.3.29.일
83. 임종인, 권유중, 장규현, 백승조 (2013),「북한의 사이버전력 현황과 한국의 국가적 대응전략」,『국방정책연구』, 제29권(4) 통권 제102호
84. 장규현, 임종인 (2014),「국제 사이버보안 협력 현황과 함의 : 국제안보와 UN GGE 권고안을 중심으로」,『정보통신방송정책』, 제26권(5)
85. 장노순 (2012),「사이버 무기체계와 국제안보」,『JPI 정책포럼』, 세미나 발표자료, 2012.10.12.일
86. 장노순 (2016),「사이버안보와 국제규범의 발전 : 정부전문가그룹(GGE)의 활동을 중심으로」,『정치 · 정보연구』, 제19권(1)
87. 장노순 등 (2017),「사이버 안보위협의 성격과 통합적 대응의 전략적 의미」,『국제지역연구』, 20(5)
88. 장노순, 김소정 (2016),「미국의 사이버전략 선택과 안보전략적 의미」,『정치정보연구』, 19(3)
89. 정민경, 임종인, 권헌영 (2016),「북한의 사이버 공격과 대응방안에 관한 연구」,『한국 ITService학회지』
90. 정완 (2007),「사이버범죄 방지를 위한 국제공조방안」,『형사정책연구』, 통권 제70호
91. 정완 (2013),「한 · 미 사이버보안 법제 동향에 관한 고찰」,『慶熙法學』, 제48권(3)
92. 정준현 (2013),「고도 정보화사회의 국가 사이버안보 법제에 관한 검토」,『법학논총』, 제27권(2)
93. 정진욱 (1989),「암호학 이론」,『정보과학회지』, 제7권(5)
94. 장철준, 임채성 (2015),「Big data · Cloud 컴퓨팅 시대의 헌법과 사이버 안보」,『法學論叢』 제39권(1)

95. 정칠운 (2011), 「사이버보안이란 개념 사용의 유용성 및 한계」, 『연세 의료 과학기술과 법』, 제2권(2)
96. 정태진, 이광민 (2017), 「IOT(사물인터넷) 보안과 국제범죄 대응방안」, 『한국경찰학회보』, 19권(5)
97. 조성렬 (2013), 「북한의 사이버전 능력과 대남 사이버위협 평가 : 한국의 사이버안보를 위한 정책적 함의」, 『북한 연구학회보』, 제17권(2)
98. 조원선 (2017), 「국가 사이버안보 담론과 안보화 이론:한국의 사이버안보 상황 분석을 중심으로」, 「국방정책연구」 제33권(2), 2017년 여름(통권 제116호)
99. 주성수 (2003), 「공공정책 거버넌스(Governance)」, 『한양대학교 제3섹터 연구소』, 2003
100. 최영관, 조윤오 (2017), 「우리나라 사이버 테러 실태 및 대응 방안에 관한 연구 : 경찰 사이버보안 전문가를 대상으로」, 『한국경찰학회보』, 19권(2)
101. 한상근, 이영 (1994), 「미국의 암호정책에 대한 연구-클리퍼 칩을 중심으로」, 『정보 보호학회지』, 제4권(4),
102. 허태회, 이상호, 길병옥 (2005), 「위기관리이론과 사이버안보 강화방안 : 이론과 정책과제」, 『국방연구』, 제48호(1)
103. 허태회, 이상호, 장우영 (2006), 「세계 주요 강대국들의 정보전 준비와 대응체계」, 『국방연구』, 제49권(1)
104. 홍성표. (2011).「북한 사이버공격 수법, 고도화, 지능화」, 『통일한국』, 제328호
105. 홍진용 (2007), 「미군 사례를 통한 군용 센서Network 특징 및 적용시 고려사항」, 『국방과 기술』, 2007.11.
106. 홍현기 (2005), 「북한 SW 개발기관 현황」, 『정보통신정책』
107. 황지환 (2017), 「북한의 사이버 안보 전략과 한반도 : 비대칭적, 비전통적 갈등의 확산」, 『동서연구』, 제29권(1)
108. 2013. 3월 하태경의원 대표발의, 「국가 사이버안전 관리에 관한 법률안」
109. 2013. 4월 서상기의원 대표발의, 「국가사이버 테러 방지에 관한 법률안」
110. 2015. 5월 이철우의원 대표발의, 「사이버위협정보 공유에 관한 법률안」
111. 2015. 6월 이노근의원 대표발의, 「사이버 테러 방지 및 대응에 관한 법률안」

Ⅱ. 국외 문헌

1. 단행본

1. 1969년 조약법에 관한 비엔나협약
2. Adam Shostack (2014), 『threat modeling』, WILEY.
3. Cem Kaner, Jack Falk, Hung Quoc Nguyen (1999), 『Testing Computer Software』, WILEY.
4. Dieter Gollmann (2011), 『COMPUTER SECURITY』, WILEY.
5. Gerald R. Ferrera, Stephen D. Lichtenstein, Margo E. K. Reder, Robert C. Bird, William T. Schiano (2004), 『Cyber Law』, THOMSON.
6. Glenford J. Myers (2004), 『The ART of SOFTWARE TESTING』, WILEY.
7. Jack Freund & Jack Jones (2015), 『MEASURING AND MANAGING INFORMATION RISK』, ELSEVIER.

8. Joanna Lyn Grama (2015),『Legal Issues in Information Security』, Jones & Bartlett Learning.
9. KUROSE & ROSS (2017),『Computer Networking』, PEARSON.
10. Matthew Mather (2013),『CYBER STORM』, PhutureNews Pubilshing.
11. Richard E. Smith (2016),『Information Security』, Jones & Bartlett Learning.
12. Rob Joneson, Mike Merkow (2011),『Security Policies and Implementation Issues』, Jones & Bartlett Learning.
13. T.R Fehrenbach (1963),『THIS KIND OF WAR』-the classic Korea ear history, 1963, New York Macmillan.
14. 일본 방위백서 (2014),『平成26年版防衛白 』, 동경
15. 독일 연방국방부 연구보고서 (2016),『Abschlussbericht Aufbaustab Cyber und Informationsraum』, 베를린

2. 영 · 미권 자료

1. Andrew Colarik and Lech Janczewski (2012), 「Establishing Cyber Warfare Doctrine」「Journal of Strategic Security」5, no.1.
2. Alex Hern & Samuel Gibbs (2017.5.12.), "What is WannaCry ransomware and why is it attacking global computers?"
3. Akamai (2012),「The State of the 인터넷 Report, APJ 3rd Quarter」
4. Aron Kleiner (2014), et. al,「Linking Cybersecurity Outcomes and Policies」
5. Arun Mohan Sukmar and Col. R.K. Sharma(2016),『ORF SPECIAL REPORT, The Cyber Command : Upgrading 인도's National Security Architecture』, March 2016.
6. Barton Gellman & Ellen Nakashima,「US Spy Agencies Mounted 231 Offensive Cyber-Operations in 2011, Documents Show」,『Washington Post』, Agu 30, 2013.
7. Borgia, E. (2014).「The 인터넷 of Things vision: Key features」, applications and open issues.
8. Brigid Grauman (2012),「Cyber-security : the vexed question of global rules,「Security and Defence Agenda Report」
9. Brown, C. (2004).「Developing a Reliable Methodology for Assessing the Computer Network Operations Threat of North Korea」, Naval Postgraduate School.
10. Clarke, R. A. (2010),「Cyber War : The Next Threat to National Security and What to Do About It」. New York : Ecco.
11. CNSS (July, 2003), NSTISSP No. 11,「Revised Fact Sheet National Information Assurance Acquisition Policy」
12. Cha, Ariana Eunjung; Ellen Nakashima (2010. 1.14.),「Google China cyberattack part of vast espionage campaign, experts say」,「The Washington Post」, Retrieved 17 January 2010.
13. Costello, John (2016).「The Strategic Support Force: China's Information Warfare Service」, China Brief 16-3, Feb 8.
14. CTITF(Counter-테러 Implementation Task Force) (2011),「Countering the use of the 인터넷 for terrorist purposes - Legal and technical aspects. CTITF Working Group Compendium」,『CTITF Publication Series』, New York : United Nations.
15. DAMO-AV (2017),「US Army calls for units to discontinue use of DJI equipment」, 2017.8.2.
16. Denning (2010),「See also National Research Council, Letter report for the Committee on Deterring Cyberattacks :

Informing Strategies and Developing Options for U.S. Policy」, 25 March 2010.

17. Department of Defense (2011), 「Department of Defense Strategy for Operating in Cyberspace」
18. DoD, 「Cyberspace Policy Report」
19. DoD DSB TF (2013), 「Resilient Military Systems and Advanced Cyber Threat)」, Jan. 2013.
20. Dorothy Denning (2000), 「Reflections on Cyberweapons Control」, 「Computer Security Journal」, 16(4).
21. Dorothy E. Denning, Bradley J. Strawser (2013), 「Moral Cyber Weapons」, Part-II-CH-6, 2013.10.24.
22. Duncan Hollis (2007), 「Why States need an international law for information operations」, 「11 Lewis & Clark Law Review」
23. E. Anders Eriksson (1999), 「INFORMATION WARFARE : HYPE OR REALITY?」, The Nonproliferation Review/Spring-Summer 1999.
24. Ellen Nakashima (2011), 「List of cyber-weapons developed by Pentagon to streamline computer warfare」 in The Washington Post.
25. Eriksson, E. A. (1999), 「Information warfare: Hype or reality」.
26. Erlendson, J. J. (2013), 「North Korean Strategic Strategy-Combining Conventional Warfare with the Asymmetrical Effects of Cyber Warfare」, A Capstone Project.
27. Forrest Hare (2012), 「The Significance of Attribution to Cyberspace Corecion : A Political Perspective」, in Cyber Conflict(CYCON), 2012 4th International Conference.
28. G. Intoccia and J. Wesley Moore (2006) , 「Communications Technology, Warfare, and the Law: Is the Network a Weapon System?」, 「Houston Journal of International Law」, 28.
29. ISO/IEC 27002, Information technology-Security techniques-Code of practice for information security management, 2005.
30. ITU (2015), 「Cyberwellness profile Russia」
31. James A. Lewis (2009), 「Cyberwarfare and its impact on international security」 UNODA Occasional Paper No. 19
32. Jervis, Robert (1978), 「Cooperation under the Security Dilemma」, 「World Politics」, 30.
33. Joshua McGee (2011), 「US-Russia Diplomacy-the'Reset' of Relations in Cyberspace(미국-러시아 외교 ; 사이버공간에서의 관계 재설정)」, 「Center for Strategic & International Studies」, 2011.8.5.
34. Jun, Jenny, Scott Lafoy, Ethan Sohn (2015), 「North Korea's Cyber Operations: Strategy and Responses」, A Report of the CSIS Korea Chair, Washington, DC : CSIS.
35. Karl Grindal (2013),Operation Buckshot Yankee', chapter in Jason Healey (Eds.), 「A fierce domain : conflict in cyberspace 1986 to 2012」, (USA, Cyber Conflict Studies Association : 2013).
36. KASPERSKYLAB (2017), 「Chasing Lazarus: A Hunt for the Infamous Hackers to Prevent Large Bank Robberies」
37. Kenneth Anderson, 「Why The Hurry to Regulate autonomous Weapon system -but not Cyber-Weapons?」, Temple Int'l & Comp. L.J. 2016.
38. Libichi, Martin (1995), 「What is Information Warfare?」, 「Strategic Forum」, No.28, May 1995.

39. Louise Arimatsu (2012), 「A Treaty for Governing Cyber-Weapons: Potential Benefi ts and Practical Limitations」, 2012. 「4th International Conference on Cyber Conflict」, © NATO CCD COE Publications, Tallinn.
40. Marthew Aid (2013), 「The CIA's New Black Bag Is Digital」, Forveign Policy, August 18, 2013
41. McClelland, IRRC (2003), Volume 85, No. 850.
42. McGraw, Gary (2013), 「Cyber War is Inevitable.」, 「The Journal of Strategic Studies」, Vol.36, No.1.
43. Nextgov, Aliya Sternstein (2015.11.12.), 「Cyber 'War games' against China, 이란 and North Korea set for 2016」
44. Nick Ebner (2015), 「Cyber Space, Cyber Attack and Cyber Weapons」, IFSH, 2015.10.
45. Nicolo Bussolati (2015), 「The Rise of Non-State Actors in Cyberwarfare」, in Jens David Ohlin, Kevin Govern, and Claire Finkelstein (eds.), Cyberwar : Law and Ethics for Virtual Conflicts, Oxford University Press, 2015.
46. Opennet Initiative (2007), 「Country Profile: North Korea. OpenNet Initiative」
47. P. Denning and D. Denning (2010), 「Discussing Cyber Attack」, 「Communications of the ACM」, 53(9).
48. Peterson, Dale (2013), 「Offensive Cyber Weapons: Construction, Development, and Employment.」, 「The Journal of Strategic Studies」, Vol.36, No.1.
49. Prakash, Rahul & Darshana M. Baruah (2014), 「The UN and Cyberspace 거버넌스(Governance).」, 「ORF Issue Brief」, No. 68(February)
50. Rid, Thomas (2012), 「Cyber War Will Not Take Place.」, 「The Journal of Strategic Studies」, Vol.35, No.1.
51. Schmeidl, S. & H. Adelman (1998), 「Early Warning and Early Response」, NY. : Columbia Univ. Press.
52. Scott D. Applegate (2011), 「Cybermilitias and Political Hackers : Use of Irregular Forces in Cyberwarfare」, 「IEEE Security and Privacy 9」, no.5, September / October 2011.
53. Scostt Shane (2013.11.2.), 「No Morsel Too Minuscule for All-Consuming NSA」, 「New York Times」.
54. Sin, S. (2009), 「Cyber Threat posed by North Korea and China to South Korea and US Forces Korea.」
55. Symantec Security Response briefing paper'W32.듀큐(Duqu) : The precursor to the next 스턱스넷(Stuxnet)', 23 Nov. 2011.
56. Thomas Rid & Peter McBurney (2012), 「Cyber weapon」, The RUSI journal, vol 157, 2012. 2.29.
57. Timothy Farnsworth (2013), 「Is there a place for nuclear deterrence is cyberspace?」, Arms Control Now, (30 May 2013).
58. UN Document (2013), A/68/98, 「국제안보와 정보통신분야의 발전에 관한 정부전문가 그룹 보고서(Report of the Group of Governmental Experts on Developments in the Field of Information and Telecommunications in the Context of International Security)」.
59. United States Department of Defense Cyberspace Policy Report: A Report to Congress Pursuant to the National Defense Authorization Act for Fiscal Year 2011, Section 934, November 2011, 8.
60. United States Department of Defense Cyberspace Policy Report(8 Nov. 2011), 「A Report to Congress Pursuant to the National Defense Authorization Act for Fiscal Year 2011」, Section 934
61. UN 결의안 (1990), A/RES/45/60, 「과학기술 발전과 국제안보에 미치는 영향(Scientific and technological developments and

their impact on international security)」.

62. UN 결의안 (1999), A/RES/53/70.

63. Ward Carroll (2008).「Russia's Cyber Forces」. DefenseTech

64. Welton Chang (2004), 「Russia, in Cyber Warfare : An Analysis of the Means and Motivations of Selected Nation Status(ISTS)」, 『Dartmouth College』.

65. William J. Lynn, III(May 26, 2010), 「Deputy Secretary of Defense」, 『Remarks at STRATCOM Cyber Symposium』, Omaha, Nebraska.

66. Whitehouse (2011), 「International Strategy For Cyberspace: Prosperity, Security, and Openness in a Networked World」.

67. Whitehouse (2017), 트럼프 대통령 행정명령, 「White House Issues Cybersecurity Order)」

68. Whitehouse (2018), 미국의 국가사이버전략, 「National Cyber Strategy of the United States of America」.

3. 일본 자료

1. 「防衛省・自衛隊によるサイバー空間の安定的・効果的な利用に向けて」 防衛省、平成24年9月.

2. 大澤 淳, 「WEDGE OPINION 現実化するサイバー戦争集団的自衛権と対外諜報の容認を」, 『WEDGE』 25巻 7号, (2013.7).

4. 중국 자료

1. 「陸軍領導機構火箭軍戰略支援部隊成立大會在京舉行 習近平向中國人民解放軍陸軍火箭 軍戰 略支援部隊授予軍旗並致訓詞」, 『新華網』, 2016. 1. 1.

2. 「戰略支援部隊成中國防禦戰略中心 存三大謎團」, 『書學網』, 2016. 8. 13.

3. 国家互联网信息办 (국가 인터넷정보판공실), 2017, 网络空间国际合作战略(사이버공간국제협력전략), 3 1 .

5. 러시아 자료

1. 러시아 대통령 명령, President of the Russian Feder Action, 2013

6. 독일 자료

1. Bundesministerium der Verteidigung, Bundesministerin, Strategische Leitlinie Cyber-Verteidigung im Gesch ftsbereich BMVg vom 16.04.2015

2. Bundesministerium der Verteidigung, Bundesministerin, Tagesbefehl vom 17.09. 2015.

3. Sicherheitspolitische und strategische Folgernungen aus der Neugestaltung der Bundeswehr, 2012.7.
4. Simitis(Hrs.) (2011), Bundesdatenschutzgesetz, 7. Auflage, Nomos Verlagsgesellschaft, Baden-Baden.
5. Strategiepapier der Bundesregierung zur St rkung der Verteidigungsindustrie in Deuschland vom 8. Juli 2015.

7. 프랑스 자료

1. France Diplomatie Home page, Cyber security
2. President of the French Republic (2008),「The French White Paper on Defense and National Security」(D fense et S curit Nationale, 2008).
3. President of the French Republic (2013), 「French White Paper : Defence and National Security」(D fense et S curit Nationale, 2013).

III. 인터넷 자료

1. http://acc.ahnlab.com/secu_view.asp?seq=1236
2. http://www.whitehouse.gov/assets/documents/Cyberspace_Policy_Review_final.pdf
3. 「국가 정보보증 획득정책」, https://www.niap-ccevs.org/nstissp11_factsheet.pdf
4. NSA ANT 카탈로그, https://en.wikipedia.org/wiki/NSA_ANT_catalog
5. 오바마 대통령명령 PPD-20, https://fas.org/irp/offdocs/ppd/ppd-20-fs.pdf
6. https://ko.wikipedia.org/wiki/%ED%94%84%EB%A6%AC%EC%A6%98_(%EA%B0%90%EC%8B%9C_%EC%B2%B4%EA%B3%84)
7. https://ko.wikipedia.org/wiki/%EB%86%8D%ED%98%91_%EC%A0%84%EC%82%B0%EB%A7%9D_%EB%A7%88%EB%B9%84_%EC%82%AC%ED%83%9C
8. http://www.boannews.com/media/view.asp?idx=69122& page=88&kind=1
9. http://www.ciokorea.com/news/37919#csidxc737fc9b07d7fe8b6088e4f79df83b2
10. https://terms.naver.com/entry.nhn?docId=863623&cid=42346&categoryId=42346
11. https://ko.wikipedia.org/wiki/PNG
12. https://terms.naver.com/entry.nhn?docId=932807&cid=43667&categoryId=43667
13. https://terms.naver.com/entry.nhn?docId=2066571&cid=50305&categoryId=50305
14. FSB, https://terms.naver.com/entry.nhn?docId=1167201&cid=40942&categoryId=34513
15. https://ko.wikipedia.org/wiki/%EB%A1%9D%ED%9E%88%EB%93%9C%EB%A7%88%ED%8B%B4_RQ-170_%EC%84%BC%ED%8B%B0%EB%84%AC
16. https://ko.wikipedia.org/wiki/%EC%97%90%EC%85%9C%EB%A1%A0

17. http://www.politico.com/events/cyber-7-the-seven-key-questions/.
18. 중화 인민공화국 인터넷 정보 판공실, www.cac.gov.cn
19. http://www.oas.org/juridico/english/cyb20_network_en.pdf
20. https://www.coe.int/en/web/portal/home, Council of Europe 조약사무국
21. UNODA, 「국제안보와 군축의 맥락에서 과학기술의 역할」
22. 유럽 Network 정보보안청, http://www.enisa.europa.eu/about-enisa
23. 아세안 지역포럼, http://aseanregionalforum.asean.org/library/arf-activities.html?id=582
24. 걸프전쟁, http://ko.wikipedia.org/wiki/%EA%B1%B8%ED%94%84_%EC%A0%84%EC%9F%81, Wikipedia
25. http://www.yonhapnews.co.kr/international/2013/06/11/0601090100AKR20130611006500072.HTML
26. http://www.comworld.co.kr/news/articleView.html?idxno=5674,Code Red,Wikipedia
27. https://ko.wikipedia.org/wiki/%EB%B3%91%EB%A0%A5%EC%97%90_%EB%94%B0%EB%A5%B8_%EB%82%98%EB%9D%BC_%EB%AA%A9%EB%A1%9D,Wikipedia.
28. 나무위키, 「전자기펄스(EMP)」
29. https://ko.wikipedia.org/wiki/%EC%9C%A0%EC%97%94_%ED%9A%8C%EC%9B%90% EA%B5%AD, Wikipedia.
30. Wikipedia, 「소니 픽처스 엔터테인먼트 해킹 사건」
31. https://ko.wikipedia.org/wiki/%EA%B0%80%EC%83%81_%EA%B3%B5%EA%B0%84
32. https://ko.wikipedia.org/wiki/%EC%9D%B8%ED%8F%AC%EC%BD%98
33. 국가정보원, http://www.nis.go.kr
34. 네이버 지식백과, 「사이버범죄조약」(the Convention on Cybercrime),—
35. http://www.unesco.org/new/en/social-and-human-sciences/themes/international-igration/glossary/Signature.
36. France Diplomatie Home page, Cyber security
37. AASCB 인증, https://ko.wikipedia.org/wiki/%EA%B5%AD%EC%A0%9C%EA%B2%BD%EC%98%81%EB%8C%80%ED%95%99%EB%B0%9C%EC%A0%84%ED%98%91%EC%9D%98%ED%9A%8C
38. 고려대학교 사이버국방학과, http://gss.korea.ac.kr/ime/info/cyber.do
39. 워너크라이 : https://ko.wikipedia.org/wiki/%EC%9B%8C%EB%84%88%ED%81%AC%EB%9D%BC%EC%9D%B4
39. 참여연대 등 6개 시민단체 (2017), 「국가정보원의 사이버보안 권한 강화한 국가사이버안보법 국회발의안 반대의견서 제출」, https://act.jinbo.net/wp/wp- content/uploads/2017/02/20170214_%EB%B3%B4%EB%8F%84%EC%9E%90%EB%A3%8C_%EA%B5%AD%EA%B0%80%EC%82%AC%EC%9D%B4%EB%B2%84%EC%95 %88%EB%B 3%B4%EB%B2%95_%EA%B5%AD%ED%9A%8C%EB%B0%9C%EC%9D%98%EC%95%88_%EC%9D%98%EA%B2%AC%EC%84%9C.pdf
39. 「국가사이버안보법안」 file:///C:/Users/JCSadmin/Desktop/2004955_%EC%9D%98%EC%82%AC%EA%B5%AD+%EC%9D%98%EC%95%88%EA%B3%BC_%EC%9D%98%EC%95%88%EC%9B%90%EB%AC%B8(%EA%B5%AD%EA%B0%80%EC%82%AC%EC%9D%B4%EB%B2%84%EC%95%88%EB%B3%B4%EB%B2%95).pdf
40. 「2015년 사이버보안법 제정」, https://www.now.go.kr/ur/poliTrnd/UrPoliTrndSelect.do?screenType=V&poliTrndId=TRND0

000000000028620&pageType=002¤tHeadMenu=1¤tMenu=12
41. 「미국의 국가사이버전략」의 의의, 주한미국대사관 홈페이지, https://kr.usembassy. gov/ko/092018-release-of-the-2018-national-cyber-strategy-ko/
42. APT38, http://news.chosun.com/site/data/html_dir/2018/10/04/2018100400265.html
43. FireEye, APT38 관련 발표, http://www.itworld.co.kr/news/110955#csidxb6853bd6d3b8b95ab74833805e40300
44. APT38 설명, http://news.chosun.com/site/data/html_dir/2018/10/04/2018100400265.html
45. 해커 조직 명명방식, http://news.chosun.com/site/data/html_dir/2018/10/04/2018100 400265.html
46. 자유 온라인 연합 홈페이지, https://freedomonlinecoalition.com/
47. 국제적십자위원회 홈페이지, http://kr.icrc.org/ihl/introduction/
48. 미 국방부 CIO 홈페이지, https://dodcio.defense.gov/Cyber-Workforce/dcwf.aspx
49. 미 국토안보부 NCWF 홈페이지, https://www.DHS.gov/national-cybersecurity-work force-프레임워크
50. Reverse Engineering, https://ko.wikipedia.org/wiki/%EB%A6%AC%EB%B2%84%C%AA4_%EC%97%94%EC%A7%80%EB%8B%88%EC%96%B4%EB%A7%81, 2018.10.13.일 검색
51. 무인항공기(UAV),https://ko.wikipedia.org/wiki/%EB%AC%B4%EC%9D%B8_%ED%95%AD%EA%B3%B5%EA%B8%B0, 2018.10.13.일 검색
52. SCADA, https://ko.wikipedia.org/wiki/%EC%8A%A4%EC%B9%B4%EB%8B%A4
52. 국가책임법, https://ko.wikipedia.org/wiki/%EA%B5%AD%EA%B0%80%EC%B1%85%EC %9E%84
53. 법의 역할, http://blog.naver.com/PostView.nhn?blogId=nalkeke87&logNo=220801229324&parentCategoryNo=&categoryNo=&viewDate=&isShowPopularPosts=false &from=postView
54. 대한민국 국방부 홈페이지, http://www.mnd.go.kr/mbshome/mbs/mnd/subview .jsp?id=mnd_011401000000
55. 중국의 전자제품에 포함된 보안 취약점, http://www.newdaily.co.kr/site/data/html /2014 /02/26/2014022600123.html

Ⅳ. 언론 보도자료

1. 관계부처합동 보도자료, 2013.7.4.일자, 「국가 사이버안보 종합대책 수립 : 사이버안보 강화를 위한 4대 전략(PCRC) 마련」
2. 국방부 보도자료, 2013.4.1.일자, 「튼튼한 안보구현을 위한 2013년 국방부 업무보고」
3. 데일리시큐, 2011.8.28.일자, 「RSA 시큐어ID 해킹에 사용된 공격 Code는 이것」
4. 데일리시큐, 2017.5.24.일자, 「북한의 사이버공격 조직 '유닛 180'…자금조달 목적 해킹」
5. 데일리안, 2011.6.1.일자, 「북, 군사망 무력화시킬 사이버전 감행 가능」
6. 디지털데일리, 2011.11.3.일자, 「북한OS'붉은 별 2.0', 사이버공격에 매우 취약」
7. 디지털타임즈 2009.10.7.일자, 「UN "제3차 세계대전 발발시 사이버전"」
8. 디지털타임즈, 2017년 02월 27.일자, 박춘식 (2017), 「국가사이버안보법 더 미뤄선 안 된다.」
9. 로동신문, 2003.4.12.일자

10. 문화일보, 2013.11.4.일자, 「225국, S대기업 기밀 200건 등 File 1만개 빼내」
11. 문화일보, 2011.11.11.일자, 임종인, 「'사이버 무기' 개발... 이미 北에 뒤졌다.」
12. 미래창조과학부, 2014.11.17.일자, 「국가 사이버안보 태세 강화 종합대책 보도자료」
13. 미래창조과학부 (2015), 「K-ICT 시큐리티 발전전략」
14. 미래창조과학부 보도자료, 2016.1.12.일자, 「2016년 정보통신방송 연구개발 사업」
15. 미래창조과학부 보도자료, 2016.1.18.일자, 「국가기관 · 지자체, 올해 정보화에 5조 4천억 원 투자」
16. 미래한국, 2011.5.25.일자, 「북한의 사이버공격 뒤에 중국이 있다.」
17. 매일경제, 2014.5.23.일자, 「인민군 해킹혐의로 기소되자 중, 미 기업에 보복」
18. 보안뉴스, 2017.4.8.일자, 「국방부의 해킹 대응, 아쉬운 Control Tower 역할」
19. 보안뉴스, 2018.5.6.일자, 「드루팔 취약점 공략하는 해커들, 속도 훨씬 빨라졌다」
20. 보안닷컴, 2010.1.31.일자, 김흥광, 「북한의 사이버 테러 정보전 능력과 사이버 보안대책 제언」
21. 서울경제, 2014.11.13.일자, 「중국, 독자 개발한 5세대 Stealth 전투기 'J-31' 공개」
22. 세계일보, 2017.5.3.일자 사설, 「안이한 사이버 안보의식이 국방망해킹 공범 아닌가」
23. 아시아경제, 2016.6.26.일자, 「사이버공격, 핵 · 미사일 등과 3대 전쟁수단... 김정은, 사이버전사 육성 직접 지시」
24. 아시아투데이, 2015.12.2.일자, 「한국 사이버전 능력 세계 11위 … 공격 대응경험 부족」
25. 연합뉴스, 2015.7.2.일자, 「중국 국가안전법 제정...인터넷 통제 강화」
26. 연합뉴스, 2017.10.27.일자, 「정부, '워너크라이' 공격은 소행 공식 확인」
27. 자유 아시아 방송, 2018.4.6.일자, 「북한의 사이버부대와 목적」
28. 전자신문, 2013.5.14.일자, 「북한 사이버 부대 귀순자, 3.20을 말하다.」
29. 전자신문 2018.6.19.일자, 「무기체계 SW 보안성 검증했더니...기본도 안 지켰다.」
30. 조선비즈, 2014.10.7.일자, 「사물인터넷의 그늘…'온라인 살인' 현실로?」
31. 조선일보, 2013.3.31.일자. 주성하, 「해킹을 이슈로 북한 사이버전사와 직접 나눈 대화」
32. 조선일보, 2017.10.11.일자, 「"이길 준비 돼 있나" 6 · 25가 남긴 반성… 국방, 다시 꺼냈다」
33. 조선일보, 2018.2.22.일자, 「북한의 해킹 기술력, 세계 최고 수준… 인터넷 연결 안 된 컴퓨터 자료도 빼내」
34. 조선일보, 2018.10.4.일자, 「북 해커조직, 해외서 1조원 탈취 시도」
35. 조선일보, 2018.10.15.일자. 이민석, 「 의 사이버공격 급증...'사이버전 교전규칙'검토」
36. 조선중앙통신, 2012.4.21.일자
37. CBC News, 2013.3.21.일자, 「Are there international rules for cyberwarfare?」
38. Fox News, Ed Barnes, 2011.5.17.일자, 「North Korea's Cyber Army Gets Increasingly Sophisticated」
39. The New York Times (February 9, 2016), 「North Korea Nuclear Threat Cited by James Clapper, Intelligence Chief」
40. ZDNet Korea, 2011.5.30.일자, 「 군부의 심장 Lockheed Martin 뚫렸다…'해킹비상'」
41. ZDNet, 2012.5.11.일자, 「Q&A of the Week: The Current State of the Cyber Warfare Threat featuring Jeffrey Carr.」
42. ZDNet Korea, 2017.10.17.일자, 「 , 모바일 Data 사용량 46% ↑ ...'월평균 3.8GB'」